La menace du passé

JASMINE CRESSWELL

La menace du passé

BEST SELLERS

éditions Harlequin

Cet ouvrage a été publié en langue anglaise
sous le titre :
THE THIRD WIFE

HARLEQUIN®

est une marque déposée du Groupe Harlequin
et Best-Sellers® est une marque déposée d'Harlequin S.A.

Photos de couverture
Escalier : © DIGITAL VISION
Couple : © ZEFA / Libre de droits

Toute représentation ou reproduction, par quelque procédé que ce soit, constituerait une contrefaçon sanctionnée par les articles 425 et suivants du Code pénal.
© 2002, Jasmine Cresswell. © 2004, Traduction française : Harlequin S.A.
83-85, boulevard Vincent-Auriol, 75013 PARIS — Tél. : 01 42 16 63 63
Service Lectrices — Tél. : 01 45 82 47 47
ISBN 2-280-08648-4 — ISSN 1248-511X

A Fiona,
Avec mon affection et mon admiration
pour tout ce que tu as réalisé.

1.

Sud-Ouest du Colorado, juin 1987

Sud-Ouest du Colorado, juin 1987

Betty Jean essuya furtivement une larme et souffla une dernière fois sur le voile de mariée de sa fille. Le tulle retomba en un nuage vaporeux sur le chignon volumineux d'Anna.

— Comme tu es belle, ma chérie ! Cette robe te va à merveille. Tante Debbie est une couturière hors pair. Et quelle chance que Ray lui ait offert cette nouvelle machine à coudre, juste avant ton mariage !

Anna perçut le ton faussement enjoué de ces paroles, et se demanda si sa mère ne soupçonnait pas la vérité.

L'espace d'un instant, elle eut envie de tout lui dire, de se confier à elle, de l'appeler au secours. Mais elle renonça vite à cette tentation. Ce serait une folie de compter sur l'appui de Betty Jean : il y avait neuf chances sur dix pour qu'elle ne prenne pas son parti. Et, en parlant, Anna devrait dire adieu à la comédie qu'elle avait réussi à jouer depuis six longues semaines.

Six semaines au cours desquelles elle avait fait croire à tout le monde qu'elle avait hâte d'épouser Caleb Welks, le

9

frère de son beau-père, et de s'en remettre ainsi à la volonté de Dieu.

Ou, plus exactement, à la volonté de Dieu interprétée par Ray et Caleb Welks. Inutile, en effet, chez les frères Welks, de perdre son temps à prier ou à lire la Bible pour essayer de discerner ce que Dieu attendait de vous : il suffisait d'interroger Ray… A n'en pas douter, Ray devait avoir avec le Seigneur une intimité toute particulière pour savoir toujours si parfaitement ce qu'Il voulait…

En tout cas, Betty Jean n'en doutait pas. Et son amour maternel ne pesait pas bien lourd, comparé à cette certitude. La malheureuse était tombée sous la coupe de Ray Welks, à tel point qu'elle n'avait plus de personnalité.

Anna songeait avec amertume que Ray n'avait probablement eu aucun mal à la convaincre que cette union ignoble que l'on s'apprêtait à célébrer aujourd'hui était un mariage enviable et charmant.

Si seulement Betty Jean s'était montrée capable de réagir… Mais Anna ne se faisait aucune illusion : sa mère avait été complètement démolie lorsque son mari était mort, en 1979, alors qu'elle-même n'était encore qu'une petite fille. C'était Ray qui avait aidé Betty Jean à recoller les morceaux de sa vie brisée. Du moins, en apparence. Car, loin de recouvrer son équilibre et sa confiance en elle, Betty était devenue une femme sous influence, incapable de lever le petit doigt si Ray n'était pas là pour lui dire comment agir et comment penser. Et ça, d'après Ray, c'était la volonté de Dieu…

Anna enrageait de voir sa mère réduite à une telle dépendance. Elle se rappelait avec nostalgie l'époque où elles confectionnaient ensemble de délicieux cookies, le vendredi soir, après l'école. La table de la salle à manger était toujours fleurie et les rires résonnaient dans la maison, même quand l'argent manquait…

Aujourd'hui, la pauvre Betty Jean ne serait même pas capable de s'occuper de Billy et de la petite Susan, qui n'avaient, pourtant, que six et trois ans, si elle n'était pas soutenue par tante Debbie, leur mère et tante Patsy.

Anna se retrouvait donc totalement seule pour affronter ce qui l'attendait. Heureusement, elle avait pensé à tout. Son plan était arrêté. Il fallait seulement en passer par cette absurde cérémonie de mariage. Ensuite, elle serait libre. Ou presque… Pas question de songer à ce qui allait se passer *après* la cérémonie, au moment d'entrer dans le lit de Caleb Welks.

Pourquoi anticiper ? La chose était inévitable. Et tout le monde devait être convaincu qu'elle était ravie de se marier.

Le jour où Ray avait solennellement annoncé que Dieu commandait qu'Anna fût donnée en mariage à son frère Caleb, le choc avait été si violent que la jeune fille avait eu une réaction stupide. En temps normal, elle n'aurait jamais commis l'erreur de hurler qu'elle se tuerait plutôt que d'épouser Caleb Welks. Ce type était vieux, à moitié chauve — il n'était pas loin de la quarantaine, alors qu'elle avait à peine dix-sept ans. Surtout, il y avait ce je-ne-sais-quoi de mauvais qu'elle lisait dans son regard et qui lui faisait froid dans le dos, sans qu'elle puisse définir précisément la nature de son malaise. Avec son beau-père c'était plus simple : il ne supportait pas la moindre contradiction, certes, mais il n'avait pas le regard torve et brûlant de son frère Caleb.

D'ailleurs, Ray ne s'était jamais montré violent, du moins au sens physique du terme. A part, évidemment, ce fameux jour où, quand Anna avait hurlé qu'elle ne se marierait pas avant d'avoir terminé ses études, il l'avait traînée à travers toute la maison pour la boucler dans sa chambre.

Mais Caleb Welks, lui... Anna avait entendu sur son compte des propos inquiétants, échangés à voix basse quand on pensait qu'elle n'écoutait pas. Si bien qu'elle s'était mise à l'observer soigneusement lorsqu'il était au sein de sa famille. Et elle en avait conclu que la ceinture de cuir de son futur mari ne lui servait pas uniquement à tenir son pantalon...

Anna s'était donc obstinée dans la rébellion, trois jours durant, bien qu'on l'eût tenue prisonnière dans sa chambre, sans chaussures ni vêtements de ville, et avec l'interdiction de retourner en classe jusqu'à la fin du semestre.

A la fin du troisième jour, elle avait compris que son attitude était stupide et qu'elle avait tout intérêt à changer de tactique : en admettant même qu'elle échappe au mariage avec Caleb — un miracle était toujours possible —, de toute façon, ils la marieraient à quelqu'un d'autre : Ray n'avait sûrement pas l'intention de la laisser achever ses études et décrocher un diplôme. Une femme instruite ferait figure de dangereuse révolutionnaire dans la petite communauté d'Alana Springs...

Ces trois jours de désespoir l'avaient fait réfléchir sur la conduite à tenir, et elle était arrivée à la conclusion qu'elle n'avait pas d'autre issue que de se soumettre aux exigences de Ray. En apparence, tout au moins.

Elle envoya donc une de ses demi-sœurs en ambassade auprès de Ray, pour le supplier de lui pardonner. Dès qu'on lui ouvrit la porte, elle se jeta aux pieds de son beau-père en sanglotant. Elle expliqua comment, pendant ces trois jours de pénitence, Dieu lui avait fait comprendre que son mariage avec Caleb obéissait à Sa divine volonté. Elle regrettait d'avoir fait tant de chagrin à sa pauvre mère, et il lui tardait, maintenant, que la cérémonie puisse avoir lieu.

Ray l'avait alors longuement regardée, avant d'annoncer que le mariage serait célébré le jour de son dix-septième anniversaire, soit six semaines plus tard. Il s'attendait, évidemment, à une objection, et guettait sa réaction. La jeune fille, qui s'était préparée intérieurement, sut se maîtriser, et répondit en souriant que la date lui convenait parfaitement : ce serait formidable de pouvoir fêter chaque année son anniversaire à elle en même temps que leur anniversaire de mariage.

Visiblement satisfait du tour que prenait l'affaire, Ray avoua alors qu'il s'était demandé si Anna était vraiment mûre pour le mariage, mais il voyait bien, maintenant, qu'elle ferait une épouse aimante et obéissante.

Plutôt mourir…, pensa Anna. Par ailleurs, puisque le cher homme se souciait de savoir si elle était mûre pour le mariage, pourquoi s'obstinait-il à lui faire épouser son frère ?

Naturellement, elle garda pour elle sa remarque : elle devait, désormais, afficher une soumission parfaite, jusqu'à la niaiserie, si nécessaire.

Après sa grande scène de contrition, Anna avait espéré que la surveillance de Ray se relâcherait. Mais son beau-père n'était pas tombé de la dernière pluie, et il n'avait pas pris son soudain revirement pour argent comptant. Il ne l'enfermait plus dans sa chambre mais il la tenait toujours prisonnière.

Au fur et à mesure que la date fatidique approchait, Anna avait fini par se rendre à l'évidence : tant que la cérémonie n'aurait pas eu lieu, on ne lui laisserait pas la moindre occasion de s'échapper. Refusant de s'avouer vaincue, elle avait alors consacré chaque instant de liberté à élaborer son plan d'évasion.

Son futur mari avait deux voitures, dont une Ford Taunus. Si elle parvenait à s'emparer de la Ford et à rendre le vieux break inutilisable, elle arriverait probablement à quitter le district avant que Caleb ait pu la rattraper. Avec un peu de chance, il y aurait de l'essence dans le réservoir de la Taunus et, en ajoutant vingt dollars de carburant, elle pourrait rouler jusqu'à Denver. Là, elle était certaine de trouver un lieu sûr pour se cacher.

Son arme secrète, c'est qu'elle disposait d'un peu d'argent. Personne ne savait que, depuis le début de l'année, elle avait travaillé pour son chef d'établissement, pendant l'heure du déjeuner. Il lui avait confié des travaux d'écriture et de classement, pour quinze dollars par semaine. Elle avait économisé jusqu'au moindre cent, et elle se trouvait, aujourd'hui, à la tête d'une coquette somme.

La veille au soir, Joy, Brenda et Margaret, les trois filles aînées de ray, avaient bavardé pendant un temps fou, tout excitées par les réjouissances du lendemain. Quand Anna avait été sûre qu'elles étaient enfin endormies, elle s'était enfermée dans les toilettes avec le jupon à volants qu'elle devait porter sous sa robe de mariée. A la lueur de sa lampe électrique, elle avait dissimulé dans un repli de tissu une pochette de mousseline contenant ses quatre cent vingt dollars, et cousu le tout à grands points.

Elle ne se berçait pas d'illusions sur le temps qu'elle pourrait tenir avec cette somme. Il n'y avait, évidemment, pas de quoi louer une chambre dans une grande ville comme Denver, sans parler des charges et de la caution qu'on lui demanderait inévitablement, mais elle pourrait toujours dormir dans la voiture et se laver dans les lieux publics. L'argent lui permettrait de s'acheter à manger jusqu'à ce qu'elle trouve du travail. De toute façon, tout valait mieux que rester avec Caleb Welks et se retrouver enceinte chaque année.

*
* *

— Anna, ma chérie, qu'est-ce qui ne va pas ?

La jeune fille fut brutalement rappelée à la réalité par la voix inquiète de sa mère.

— Tu ne veux donc pas voir à quel point tu es jolie dans cette robe ?

Soucieuse de ne pas alarmer sa mère, Anna se pavana avec complaisance. Le miroir lui renvoya, en arrière-plan, l'image des deux lits superposés qui occupaient presque tout l'espace de la chambre qu'elle partageait avec les trois filles aînées de Ray. Assise sur un de ces lits, une adolescente bien en chair la dévorait des yeux, fascinée. La plupart des femmes et des jeunes filles de la communauté frisaient l'obésité car elles se nourrissaient principalement de féculents, et les goûters qu'elles organisaient entre elles — avec force pâtisseries faites maison — n'arrangeaient pas les choses. Mais c'était à peu près leur seul divertissement…

Anna se rendit compte que Betty Jean et tante Debbie ne la quittaient pas des yeux, elles non plus, et qu'elles paraissaient franchement inquiètes. Combien de temps était-elle restée ainsi, à remuer toutes ces pensées ? Il lui semblait avoir perdu la notion du temps. Malheureusement, son accès de mélancolie silencieuse n'était pas passé inaperçu. D'autant que son mutisme devait, évidemment, trancher avec la gaieté qu'elle affichait depuis le début de ces six semaines de préparatifs. Pas étonnant que les deux femmes se fassent du souci : même tante Patsy, qui méritait pourtant bien son surnom de « Reine des Peaux-de-Vache », avait l'air préoccupé.

Anna trouva donc la force de sourire enfin, comme si la contemplation de sa longue robe blanche l'avait transportée dans un autre univers. En son for intérieur, elle ne trouvait pas de mots pour exprimer l'horreur qu'elle éprouvait à se voir dans cette défroque hideuse qui lui frôlait à peine les chevilles et laissait dépasser des pantalons en dentelle. Et ce col à volants, et ces manches ballon ridicules qui lui arrivaient au coude, et ces paquets de rubans de supermarché ! Mais le fin du fin, c'étaient les sandales blanches achetées en solde, qui laissaient dépasser ses orteils d'un bon centimètre…

Anna savait néanmoins ce qu'on attendait d'elle : qu'elle se montre éperdue de reconnaissance. Elle fit jouer avec coquetterie son bouquet d'œillets roses piqués de marguerites, et tourna légèrement pour faire bouffer sa jupe, à la grande joie de sa mère et de tante Debbie. Les deux femmes applaudirent, visiblement soulagées. Sans se laisser aller à ces extrémités, tante Patsy parut se détendre en songeant qu'elle avait enfin réussi à caser Anna, dont elle cherchait à se débarrasser depuis déjà pas mal de temps. Elle gratifia même la jeune mariée d'un de ses sermons décousus sur la sainteté du mariage et les devoirs de l'épouse soumise, ce qui était sa manière personnelle d'exprimer sa bienveillance.

Anna était à deux doigts d'exploser, au point qu'elle fut contente quand Ray frappa à la porte. Il demanda si elles étaient prêtes, et les invita à se dépêcher. L'intervention du pater familias provoqua un immédiat regain d'activité chez ces dames : quand Ray Welks avait parlé, on était priée d'obtempérer.

Betty Jean rassembla les effets personnels d'Anna, qui tenaient dans une seule valise, et envoya sa fille dire adieu à ses demi-frères et sœurs. Les plus petits avaient l'air effarés par toute cette effervescence, mais les deux filles aînées, Brenda et Margaret, étreignirent Anna avec une émotion presque angoissée.

Anna sentit son cœur se serrer douloureusement : Brenda et Margaret n'étaient pas beaucoup plus jeunes qu'elle, et elles formaient un trio inséparable, depuis bientôt six ans.

Elle aimait aussi Billy et Susan, les enfants de Debbie, mais elle était encore plus attachée aux deux filles de Patsy. L'idée qu'elle ne les reverrait probablement jamais lui était presque intolérable, et rendait son secret encore plus lourd à porter.

Ray sortit de la maison avec sa belle-fille à son bras, en pressant ses trois épouses de rejoindre la voiture qui attendait la noce : pour l'occasion, il avait enlevé le siège-auto et le rehausseur de sa vieille Chevy Impala, et nettoyé la carrosserie au jet d'eau.

La mariée occupait la place d'honneur à côté de son beau-père, tandis que sa mère était assise à l'arrière avec Debbie et Patsy, les deux autres épouses de Ray.

Aucun des enfants n'avait été autorisé à assister au mariage : d'après Ray, il ne fallait pas allonger la liste des convives, pour ne pas trop attirer l'attention sur l'événement du jour. C'est aussi la raison pour laquelle la cérémonie devait avoir lieu chez Caleb et non au temple.

Personne n'avait jamais été poursuivi pour bigamie, à Alana Springs, d'après ce qu'on avait raconté à Anna. Mais une équipe de fouineurs indélicats avait été contactée par quelques excitées de l'une des communautés polygames qui fleurissaient à Colorado City — des frondeuses qui avaient voulu s'émanciper et quitter le cocon familial.

De fait, la flambée de curiosité que ces incidents avaient suscitée dans le monde extérieur avait inquiété Alana Springs. L'Eglise des Saints du Dernier Jour et de la Vraie Vie n'avait aucune envie de voir l'Etat américain mettre son nez dans des affaires qui relevaient de relations privées avec Dieu.

Ray disait toujours que les journalistes ne respectaient rien, qu'ils se moquaient des choses les plus saintes et qu'ils feraient n'importe quoi pour trouver un scandale à offrir à leurs lecteurs. Bien sûr, tous les membres de la communauté savaient, à Alana Springs, que leur règle de vie faisait partie du plan de Dieu pour son Eglise, mais il était quand même préférable de se montrer discret afin d'éviter les ennuis. D'ailleurs, Ray en avait reçu la confirmation, lors d'un songe inspiré par Dieu, la nuit précédente. Dès son réveil, il en avait solennellement fait part à la famille, et chacun savait qu'il n'était pas du genre à traiter à la légère un avertissement du Seigneur.

Anna avait remarqué que le Seigneur avait une fâcheuse tendance, au fil des années, à ne S'exprimer que pour dire des banalités d'un remarquable pragmatisme. Par ailleurs, elle ne voyait pas ce que Dieu et Ray Welks pouvaient avoir à redouter des autorités locales, même si d'autres communautés rencontraient des difficultés en Utah et en Arizona : à Alana Springs, le shérif Betz et ses deux adjoints étaient membres pratiquants de l'Eglise des Saints des Derniers Jours et de la Vraie Vie. Caleb n'avait donc pas à craindre de les voir perquisitionner à son domicile ni le jeter en prison, même s'ils avaient vent de la cérémonie qui allait se dérouler. C'était, d'ailleurs, pour cette raison qu'Anna n'était pas allée les trouver quand elle avait appris que Ray avait l'intention de la donner en mariage à Caleb Welks. Elle ne se faisait pas une idée très précise des lois américaines, mais il lui semblait à peu près certain qu'aux Etats-Unis, on ne pouvait pas forcer une fille de dix-sept ans à se marier contre son gré, même si elle était encore soumise à l'autorité de ses parents.

De toute façon, tout cela n'avait plus guère d'importance : elle allait se soumettre à cette cérémonie de mariage parce que c'était la condition pour être libre.

Son futur mari, en tant que directeur d'une banque de la petite ville de Cortez, était le seul membre de la communauté d'Alana Springs à avoir de l'argent devant lui. Sa maison éclipsait toutes les autres par sa taille et son excellent état. Aussi, Betty Jean, Debbie et Patsy ne manquèrent-elles pas d'échanger des murmures d'approbation lorsque la voiture s'arrêta devant chez Caleb, bien que ce ne fût pas la première fois qu'elles s'y rendaient.

— Eh bien ! Tu arrives vraiment dans une belle maison, Anna, dit Patsy presque chaleureusement. Tu as bien de la chance que Dieu et ton beau-père t'aient arrangé un aussi beau mariage.

Elle était tellement soulagée de se voir débarrassée d'une bouche à nourrir qu'elle en devenait presque généreuse !

— Cette maison est superbe, renchérit Anna.

Elle constata avec soulagement que la Ford Taunus de Caleb était garée à côté du gros break qu'utilisaient ses deux autres femmes avec leurs six enfants, dont cinq vivaient encore à la maison.

— Je sais que j'ai beaucoup de chance d'épouser Caleb, reprit-elle en s'efforçant de ne laisser paraître aucune trace d'ironie dans sa voix.

— Mon frère est un fidèle serviteur du Seigneur, et il se montrera bon pour toi, dit Ray, tout en garant la Chevy sur l'allée de gravier.

Ils montèrent en cortège les marches du perron.

A sa grande surprise, Anna avait de moins en moins de mal à se montrer obéissante, maintenant que le compte à rebours avait commencé et que la libération était proche.

Après tout, ce mariage n'avait aucune valeur légale, et elle ne croyait pas un instant qu'il fût voulu par Dieu. Elle n'avait qu'à prendre tout cela comme une mascarade sans signification.

Ce fut Caleb en personne qui vint leur ouvrir la porte. A trente-neuf ans, il n'avait pas l'air beaucoup plus jeune que son frère Ray, qui en avait, pourtant, six de plus. Sans doute à cause de ses kilos superflus qui lui faisaient une bouée flasque autour de la taille.

Il avait revêtu, pour l'occasion, l'un des costumes sombres à fines rayures qu'il portait à la banque, sur une chemise blanche à plastron, avec une cravate en cachemire bleu assez sobre. Ses bajoues, en retombant un peu sur son col trop serré, faisaient ressortir encore l'anormale petitesse de ses oreilles.

Il lança dans la direction d'Anna un bref coup d'œil, dans lequel elle eut le temps de reconnaître la lueur équivoque qu'elle avait déjà remarquée, chaque fois qu'il la regardait.

L'instant d'après, il s'était déjà recomposé un visage grave pour accueillir son frère avec la solennité qui convenait à la circonstance.

— Quelle joie de te voir, Ray ! Entre vite.

Il donna l'accolade à son frère avant de saluer ses épouses restées en retrait. « Mesdames, merci d'être venues jusqu'ici. Veuillez passer dans le salon. Tout est prêt. Les enfants sont tous très excités. »

— Ils doivent être ravis de faire la fête ! dit tante Patsy avec un sourire engageant à l'adresse de son beau-frère. Nous vous prendrons les enfants, Caleb, et vous les récupérerez au temple, demain, après l'office. Comme ça, vous pourrez être un peu tranquille avec Anna.

— C'est très gentil à vous. J'apprécie beaucoup votre délicatesse, fit Caleb.

Cette fois, son regard s'attarda sur Anna, qui lui adressa un pâle sourire. Bien qu'elle eût du mal à s'empêcher de hurler son dégoût et sa détresse, elle devait faire bonne figure. Ce n'était pas le moment de craquer.

Tout compte fait, elle avait déjà réussi à sortir de la maison de Ray, et on ne pourrait pas indéfiniment la tenir cloîtrée dans celle de Caleb. A moins que l'on juge nécessaire de la surveiller étroitement, ce qu'il fallait éviter à tout prix. Car, dans ce cas... elle savait bien qu'elle n'arriverait jamais à abandonner un enfant auquel elle aurait donné le jour, même si Caleb en était le père... D'ailleurs, elle se doutait que c'était en grande partie à cause de leurs enfants que les femmes d'Alana Springs ne quittaient pas leurs maris, même quand rien n'allait plus.

Caleb conduisit ses hôtes dans le salon, où se tenaient déjà ses deux autres épouses. Pamela, la première, n'avait que trente-sept ans mais elle avait l'allure d'une matrone. Elle était mariée à Caleb depuis dix-neuf ans, et elle avait trois enfants : un fils de dix-huit ans qui avait déjà quitté la maison et ses deux filles qui en avaient seize et quatorze.

Darlene, la deuxième épouse, avait à peine trente ans, et elle avait eu deux fils et une fille en peu de temps. Sa dernière grossesse s'était mal passée, et elle souffrait, depuis, de problèmes féminins mal définis.

Anna se disait avec un certain cynisme que son principal problème féminin était sûrement le souci d'éviter une nouvelle grossesse. Le contrôle des naissances étant contraire à la doctrine de l'Eglise des Saints des Derniers Jours et de la Vraie Vie, les rapports sexuels étaient généralement calculés pour optimiser les chances de fécondation. Aussi, les raisons de santé étaient-elles les seules qu'on pût invoquer quand on voulait échapper aux grossesses trop rapprochées.

Les deux épouses de Caleb se levèrent dès que le cortège nuptial entra dans le salon. Les enfants étaient groupés autour d'elles. Tout le monde se connaissait, et on se livra aux effusions, aux rires forcés ou aux sourires étudiés, selon le tempérament de chacun. Darlene réussit même à féliciter la mariée, alors que chaque mot semblait lui être une torture.

Pamela, quant à elle, paraissait ravie d'accueillir Anna, mais la jeune femme détecta vite ce que cachait cet enthousiasme. Pamela jubilait, en réalité, de voir la ravissante Darlene éclipsée par une rivale, un peu moins jolie, peut-être, mais de dix ans plus jeune.

Nul ne semblait mal à l'aise dans son rôle. Anna se demandait si elle était vraiment la seule à percevoir l'électricité dont l'atmosphère était chargée ou si c'était un effet de son imagination. Voilà des jours qu'elle cherchait à se persuader que toutes les femmes mariées d'Alana Springs avaient conscience de la monstruosité de leur situation conjugale. A d'autres moments, elle s'épouvantait à l'idée que ces femmes fussent sincères en affirmant qu'elles étaient heureuses de leur sort : et si c'était elle qui était un monstre, corrompue au point de ne même pas être sensible à la grandeur du mariage polygame ?

Ses demi-sœurs, Brenda et Margaret, ne doutaient pas un instant que le mariage « naturel », sanctionné par Dieu seul, fût conforme à la volonté divine. Mais elle, elle entendait toujours dans sa tête une petite voix qui s'insurgeait tout bas. Pourquoi s'était-elle toujours sentie en marge de la communauté, comme si sa propre vie lui avait été étrangère ?

Ray faisait office de célébrant pour la cérémonie de mariage, et il était évident qu'il voulait mener l'affaire tambour battant. Redoutait-il qu'Anna ne change d'avis au dernier moment, si on lui laissait trop de temps pour réfléchir ? Toujours est-il qu'il se plaça sans attendre dans l'encadrement de la fenêtre principale, répartissant d'un geste les femmes et les enfants de part et d'autre de Caleb et d'Anna, selon qu'ils appartenaient à l'une ou l'autre famille. Puis il ouvrit la Bible et lut rapidement l'un de ses passages favoris, tiré de la lettre de saint Paul aux Ephésiens, où l'apôtre invite les femmes à se soumettre à leurs maris.

Ray sauta les versets dans lesquels Paul enjoint aux maris d'aimer leurs femmes, et reprit sa lecture à l'endroit où les enfants sont priés d'obéir à leurs parents, sans achever la phrase qui demande aux parents de ne pas exaspérer leurs enfants.

Il lut ensuite aux nouveaux époux la version brève du rituel de mariage.

Les membres masculins de l'Eglise des Saints des Derniers Jours et de la Vraie Vie ne portaient qu'un seul mince anneau pour signaler leur état d'hommes mariés, mais ils avaient coutume de jurer fidélité à leurs épouses en offrant une alliance à chacune d'elles. C'est pourquoi Caleb glissa une alliance en or au doigt d'Anna en promettant de l'aimer et de la chérir pour l'éternité. Lorsque ce fut le tour d'Anna de lui passer l'anneau, Caleb ôta celui qu'il portait déjà, puis le donna à Anna qui le lui rendit en lui jurant fidélité et obéissance pour l'éternité.

Ce n'était pas suffisant de lui promettre de lui obéir en cette vie, songeait Anna. Il fallait encore promettre de le faire dans l'autre… Qu'il aille au diable ! De toute façon, le dimanche précédent, au temple, pendant un sermon particulièrement barbant, elle avait décidé qu'il valait encore mieux croire en la réincarnation : voilà qui rendait la théorie du mariage éternel encore plus idiote, si tant est que cela fût possible !

Après quoi, Ray, visiblement soulagé et presque détendu, annonça à l'assemblée que Caleb et Anna étaient éternellement unis par les liens du mariage.

— Félicitations, dit-il en serrant la main de son frère. Tu peux embrasser la mariée.

Caleb posa un bras sur l'épaule d'Anna, et déposa un chaste baiser sur son front. Anna ne s'attendait pas à des effusions passionnées : chose curieuse dans une communauté où l'on se mariait pourtant beaucoup, les habitants d'Alana Springs réprimaient honteusement toute manifestation extérieure de tendresse. Elle n'allait pas s'en plaindre, bien évidemment. Moins elle aurait à subir les étreintes de Caleb, mieux elle se porterait.

Le marié se tourna alors vers ses deux autres épouses.

— Darlene, Pamela. Embrassez donc votre nouvelle consœur, dit-il sur un ton qui ressemblait plutôt à un ordre qu'à une invitation.

Les deux femmes s'avancèrent et embrassèrent consciencieusement Anna sur la joue, en évitant de la regarder. De toute évidence, les épouses de Caleb avaient aussi peu envie de désobéir à leur mari que les épouses de Ray au leur. Anna dut ensuite embrasser sur le front chacun des enfants de Caleb en promettant de les aimer comme s'ils étaient les siens.

Quand on en eut fini avec les embrassades rituelles, Pamela tapa dans ses mains pour annoncer que les festivités allaient commencer. Elle ne dissimulait pas sa satisfaction de pouvoir passer à des réjouissances plus matérielles. Les enfants s'élancèrent vers le buffet, et revinrent avec des assiettes copieusement garnies, tandis que Pamela elle-même se précipitait goulûment sur la pièce montée recouverte d'un glaçage rose bonbon.

Le banquet nuptial se déroulait sans surprise. Tous les convives — à l'exception d'Anna — engloutissaient de bon cœur des quantités impressionnantes de cette espèce de limonade archisucrée que l'on fabriquait dans toutes les bonnes maisons d'Alana Springs.

Comme il se doit, les mariés découpèrent le gâteau, on porta des toasts — à la limonade, bien sûr —, et il y eut des discours. A la différence de ce qui s'entend dans la plupart des mariages, il n'y eut aucune allusion à la lune de miel ni à la nuit de noces, ni à rien qui pût rappeler que la sexualité fait partie de la vie du couple. Fort heureusement, le rôle d'Anna dans tout cela se réduisait à baisser les yeux et à sourire avec modestie.

La fête se poursuivit jusqu'à la tombée de la nuit, qui avait lieu vers neuf heures à cette période de l'année. Les femmes firent alors disparaître les reliefs du banquet, lavèrent la vaisselle et remirent tout en état avec une efficacité impressionnante. Anna songea que c'était probablement là l'un des principaux avantages de la polygamie : l'émulation qu'elle provoque chez les épouses pour la course au titre de meilleure maîtresse de maison !

Pendant ce temps, Ray organisa le départ des enfants de son frère vers le ranch, où il était prévu qu'ils passent la nuit. Anna savait fort bien que les enfants étaient ainsi éloignés à seule fin que Caleb et elle puissent consommer leur mariage en toute tranquillité. Pourtant, elle éprouva sa première joie de la journée quand elle comprit comment allait se dérouler le transport de la petite famille : comme il n'y avait pas assez de place dans la voiture de Ray pour les cinq enfants, il fut convenu que tante Patsy emprunterait le break de Caleb pour transporter les trois filles, tandis que Ray emmènerait les garçons dans sa Chevy, avec ses deux autres femmes.

Pour Anna, c'était un pas de géant sur le chemin de la liberté : elle n'aurait même pas besoin de trafiquer la deuxième voiture de Caleb pour la rendre inutilisable. Si elle arrivait à voler la Taunus, Caleb n'aurait aucun moyen de se lancer à sa poursuite. Elle avait déjà remarqué que les clés de la voiture étaient suspendues à un crochet dans la cuisine, où elle s'était rendue sous prétexte de prendre un verre d'eau.

Evidemment, Caleb pourrait toujours téléphoner pour appeler quelqu'un à la rescousse, mais ça prendrait une bonne vingtaine de minutes. Et, pendant ce temps-là, en pleine nuit, sans personne sur la route, elle pourrait probablement faire pas mal de chemin. Le principal, c'était de se retrouver à distance suffisante du territoire relevant de la juridiction du shérif d'Alana Springs car, après les récents événements survenus dans les communautés polygames de Colorado City, Anna était à peu près certaine que Caleb ne préviendrait pas les autorités nationales et qu'elle n'aurait donc pas la police d'Etat à ses trousses. Ses chances de réussir s'en trouvaient donc considérablement augmentées.

Bien qu'Anna eût été officiellement reçue chez Caleb chaque dimanche, depuis six semaines qu'elle était fiancée, personne ne l'avait jamais fait monter à l'étage. De même que la dimension charnelle était systématiquement escamotée dans le discours polygame, les diverses chambres à coucher étaient soigneusement interdites aux personnes extérieures à la famille. Anna n'avait donc aucune idée de la topographie des lieux ni des difficultés qu'elle pourrait rencontrer quand il lui faudrait sortir de la maison. L'idée d'un lit conjugal commun à toutes les épouses lui semblait tellement monstrueuse qu'elle préféra la balayer immédiatement.

Cela faisait encore une chose à laquelle elle devait s'interdire de penser, songea Anna. Etait-ce là le secret des épouses multiples d'un foyer polygame ? S'interdire de penser ?

Elle ne tarda pas à savoir à quoi s'en tenir sur l'organisation de la nuit : à peine Ray et les autres convives eurent-ils quitté les lieux que Caleb annonça qu'il était temps d'aller se coucher.

Il entrait dans les attributions de Pamela de mener la nouvelle épouse à sa chambre, tandis que Darlene achevait de remettre le salon en ordre. Anna suivit docilement sa consœur, mais ses jambes flageolaient tandis qu'elle montait l'escalier. La nausée lui soulevait l'estomac, et il lui semblait impossible d'avaler, tant elle avait la bouche sèche.

Arrivée à l'étage, elle constata l'existence de cinq chambres et de deux salles de bains, de dimensions nettement plus confortables que dans la plupart des maisons d'Alana Springs. Les trois filles de Caleb occupaient l'une des chambres, les garçons une autre, et les cinq enfants partageaient la salle de bains située entre leurs deux chambres.

— Darlene et moi avons chacune une pièce à nous, et nous partageons la chambre matrimoniale avec notre mari, expliqua Pamela.

— Mais alors, il n'y aura pas de chambre pour moi ? demanda Anna, surprise. Où vais-je dormir ?

Pamela lui lança un regard apitoyé dans lequel Anna discerna une pointe d'envie.

— Toi, tu es la nouvelle épouse : tu partageras la chambre de Caleb. Jusqu'à ce qu'il y ait un bébé en route, tout au moins.

Anna eut la gorge nouée. Elle voyait ce que cela voulait dire. Inutile de demander ce qui se passerait lorsqu'elle serait enceinte et que Caleb la chasserait de son lit : étant donné qu'il n'y aurait toujours que cinq chambres, elle n'aurait plus qu'à en partager une avec Darlene ou Pamela. Exactement comme sa mère et tante Debbie dans la maison de Ray.

Anna se jura de ne jamais accepter une telle humiliation. Plutôt mourir. C'était exactement ça. Elle devait sortir d'ici cette nuit même ou mourir. Au sens propre du mot.

— Darlene et moi nous retrouvons chaque soir dans la chambre de Caleb pour la prière, reprit Pamela.

Elle avait dit ça très vite, comme pour dissiper le malaise qui les envahissait toutes deux. Anna n'en croyait pas ses oreilles. La perspective de commencer la soirée par une prière commune avec Caleb et deux autres femmes qui avaient déjà couché avec lui était carrément au-dessus de ses forces. Elle fut prise de nausée et n'eut que le temps de gagner la salle de bains.

Pamela la suivit sans attendre d'y être invitée. Anna n'en fut pas autrement surprise car elle connaissait les mœurs des familles polygames pour lesquelles la notion d'intimité n'existait pas.

Pamela s'agenouilla et lui essuya le visage, avec une expression de mépris et de sympathie mêlés. Les sentiments entre épouses d'un foyer polygame ne pouvaient être qu'ambigus, et Pamela ne faisait pas exception à la règle. Que ressentait-elle en présence de cette nouvelle concurrente qui allait lui voler une partie du temps et de l'attention de Caleb ?

— Merci, dit simplement Anna, sans parvenir à se relever.

— Je t'en prie. C'est normal.

28

Dans le regard de Pamela, la jalousie le disputait à la sympathie.

La sympathie dut, pourtant, l'emporter, car elle reprit d'une voix plus douce :

— Je comprends que tu aies peur, tu sais ? J'avais à peu près ton âge quand…

— Est-ce que tu étais heureuse d'épouser Caleb ? demanda Anna en plongeant ses bras dans l'eau froide pour tenter de retrouver un certain apaisement.

— C'était un bon parti, répondit Pamela évasivement.

Puis elle se remit à parler vite, évitant toujours le regard d'Anna.

— Ne te fais pas de bile pour tout à l'heure. Laisse faire Caleb. Il…il sera très bien.

— Oui… oui, sans doute, dit Anna.

La perspective d'évoquer les détails de sa nuit de noces avec l'une des épouses de Caleb était à peu près la seule horreur capable de la faire sauter sur ses pieds. Galvanisée, elle se redressa et changea de sujet.

— Sais-tu où est ma valise ? J'aimerais pouvoir retirer cette robe qui…

Sa voix s'étrangla lorsqu'elle songea à ce qui allait se passer lorsqu'elle serait déshabillée.

Le pire, avec ces histoires de sexe, se dit-elle, c'est que plus on évite d'en parler, plus ça devient gênant et, pour finir, on ne pense plus qu'à ça ! Enfin, ce qui était consolant, c'est que Caleb devait être devenu joliment expert dans l'art des nuits de noces…

Pamela désigna un coin de la chambre nuptiale où l'on avait déposé la valise d'Anna.

— Darlene l'a montée ici dès votre arrivée. Veux-tu que je t'aide à t'installer ?

— Non, merci. C'est très gentil de ta part mais ça ira.

Anna avait placé sa chemise de nuit et sa trousse de toilette sur le dessus de sa valise, et elle espérait de toutes ses forces qu'elle n'aurait pas à défaire le reste. Si elle arrivait à filer, ce soir même, en emportant sa valise, elle aurait de quoi s'habiller, à Denver. Elle avait bien remarqué, lorsqu'il lui était arrivé d'aller à Cortez, que les robes que lui confectionnait sa tante étaient ridiculement démodées, mais elle n'avait pas le choix : elle attendrait d'avoir trouvé du travail pour renouveler sa garde-robe. Pour l'instant, il s'agissait de fuir en emportant ses affaires.

— Nous... nous faisons toujours la prière en famille après nous être préparés pour la nuit.

Pamela rougit avant d'ajouter à demi-mot :

—J'allais oublier... Darlene et moi, nous utiliserons la salle de bains des enfants, ce soir. Tu pourras te préparer tranquillement. Caleb commence la prière à 10 heures.

— Merci, répondit Anna qui sentait de nouveau la nausée l'envahir. Merci pour ton aide, Pamela. Ça me touche beaucoup.

Pamela hésita un instant ; elle semblait sur le point d'ajouter quelque chose mais elle se contenta de hocher la tête, et quitta la pièce.

Dès qu'elle fut seule, Anna sortit sa chemise de nuit de sa valise et se précipita dans la salle de bains. Elle enleva son jupon, fit sauter les points de bâti qui retenaient la mousseline avec l'argent dans le repli du volant, en sortit la pochette, la plia en trois et la glissa dans sa trousse de toilette.

Elle eut à peine le temps de se brosser les dents et d'enfiler sa longue chemise en coton avant que Caleb l'appelle.

— Anna, c'est l'heure de la prière. Est-ce que tu es prête ?

— Oui, Caleb. Je viens tout de suite.

Anna ouvrit la porte et, contre toute attente, elle se sentit soulagée de trouver Pamela et Darlene agenouillées au pied du lit de Caleb, engoncées dans des chemises presque identiques à la sienne. Finalement, elle était bien contente de ne pas se retrouver tout de suite en tête à tête avec son mari.

Elle s'agenouilla auprès des deux femmes, et Caleb leur sourit paternellement en signe d'approbation. *Comme le maître contemplant son cheptel*, se dit Anna, la rage au cœur. D'ailleurs, c'était exactement de cette façon que l'on considérait les femmes et les enfants, à Alana Springs : comme des têtes de bétail.

La prière fut plus courte qu'à l'ordinaire. Ce fut, du moins, ce que déduisait Anna en remarquant le coup d'œil étonné qu'échangeaient les deux autres femmes. Après avoir pris congé de leur mari, Darlene et Pamela embrassèrent Anna une dernière fois, et quittèrent la chambre.

Demeurée seule avec Caleb, Anna sentit une sueur froide couler le long de sa colonne vertébrale. N'y avait-il pas un dieu pour l'écouter et lui venir en aide ? Elle se prit à espérer un miracle pour que Caleb se retrouve raide mort.

Hélas, les dieux n'avaient pas l'air décidés à la violence, ce soir-là. De fait, Caleb ne fut nullement terrassé, et il se montra même relativement délicat : la façon dont il lui ôta sa virginité tenait davantage de la maladresse que de la brutalité. S'il n'avait pas cherché à la pénétrer une seconde fois, la douleur physique lui aurait probablement paru très supportable. Mais, en l'occurrence, elle se sentait endolorie, ensanglantée, et elle avait mal partout lorsque Caleb la laissa enfin tranquille.

Sa besogne accomplie, il était aussitôt tombé comme une masse.

Anna avait une envie terrible de se doucher pour laver toute trace du contact de Caleb sur sa peau. Au lieu de cela, elle se força à rester allongée à côté de lui pendant une bonne heure. Elle voulait être sûre qu'il était profondément endormi. Lorsqu'elle se risqua enfin à sortir du lit, elle sentit entre ses cuisses des élancements qui la firent grimacer de douleur. Elle alla récupérer sa trousse de toilette dans la salle de bains, et repassa par la chambre pour prendre sa valise. Pas question de perdre des minutes précieuses en ablutions ! Elle attendrait d'avoir mis des kilomètres entre elle et cette maison pour se laver et se changer.

Caleb dormait d'un sommeil lourd, comme un homme repu, à la conscience tranquille. Anna le contempla avec un mélange de mépris et de répugnance. Sans s'attarder davantage, elle sortit de la pièce sur la pointe des pieds. Son cœur battait à tout rompre, et il lui semblait que Darlene et Pamela pouvaient l'entendre. Mais personne ne bougea.

Anna descendit l'escalier à pas de loup, sa valise à la main, le plus loin possible du mur pour éviter de la cogner. Arrivée en bas, elle se faufila dans la cuisine, prit les clés de la Taunus, et tourna avec des précautions infinies le verrou de la porte du jardin.

La joie qu'elle éprouva à se retrouver dehors fut de courte durée : Pamela était assise sous la véranda, recroquevillée dans sa longue chemise de nuit, les bras autour de ses genoux. Le regard perdu dans le vide, elle fixait une étoile au firmament. Elle tourna lentement la tête et plongea son regard dans celui d'Anna.

La jeune mariée sut aussitôt qu'elle ne pourrait pas s'empêcher de pleurer. Et, en effet, son visage fut bientôt trempé, comme si tout son désespoir se déversait en un fleuve de larmes.

— Laisse-moi m'en aller ! supplia-t-elle. Je t'en prie, Pamela ! Je n'ai pas ma place ici. Laisse-moi m'en aller avant qu'il m'ait fait un enfant…

Pamela la regarda longuement sans rien dire. Puis, toujours silencieuse, elle se leva et s'éloigna à l'autre bout du jardin, tournant le dos à Anna.

Pourquoi faisait-elle ça ? Ce n'était pas le moment de chercher à comprendre, se dit Anna. Elle n'allait pas lui courir après pour lui dire merci ! Elle se hâta, au contraire, de rejoindre le garage et s'engouffra dans la voiture. Jeter sa valise sur la place du passager, introduire la clé et démarrer fut l'affaire d'un instant.

Le moteur ronronna doucement, et Anna fit marche arrière pour sortir la voiture du garage. Par bonheur, aucun obstacle ne gêna sa manœuvre, car elle ne répondait pas de ses réflexes. En vérité, à cette minute, elle n'aurait sûrement pas réussi à éviter un éléphant… Elle dut caler sa nuque sur l'appuie-tête pour arriver à conduire la voiture jusqu'à sur la route qui bordait la maison.

Ensuite, elle écrasa l'accélérateur. Les roues arrière dérapèrent sur les graviers qui giclèrent de part et d'autre de la Taunus. Son démarrage sur les chapeaux de roues dut faire assez de bruit pour éveiller Caleb, car elle crut entendre des éclats de voix en provenance du premier étage, au moment où elle s'éloignait.

Elle agrippa nerveusement le volant, et s'efforça de reprendre le contrôle du véhicule sans ralentir pour autant.

Etre libre ou mourir. Ce serait l'un ou l'autre.

2.

Denver, Colorado, mars 2002

Mars était toujours un mois difficile pour Anna : trop d'an-niversaires pénibles, de retours douloureux sur elle-même, de doutes sur certains choix décisifs qu'elle avait été amenée à faire… Comme par un fait exprès, le temps, ce matin, s'était mis à l'unisson de son cœur : alors que la météo de la veille avait promis du soleil et des températures clémentes, la neige tombait drue, depuis le lever du soleil.

Anna n'avait rien contre la neige mais, aujourd'hui, ça la déprimait. Elle en avait par-dessus la tête de l'hiver. Depuis deux bonnes semaines, elle avait envie de tulipes et de petits oiseaux, de fenêtres ouvertes et de bouffées de printemps. Et, au lieu de cela, elle avait failli déraper sur le verglas en venant travailler. Au volant, les gens se comportaient comme s'ils n'avaient jamais vu un flocon de neige, et il avait fallu rouler au pas pendant une bonne partie du trajet…

Comme si tous ces désagréments ne suffisaient pas, Ferdinand avait encore fait des siennes : juste au moment où elle allait partir, il lui avait déchiqueté son coussin préféré, et elle avait dû laisser son appartement dans un état lamentable.

Les exploits du chat ne faisaient que s'ajouter aux couleuvres qu'elle avait avalées, la veille au soir… Quelle idée, aussi, de débarquer à l'improviste chez Peter ! En s'abstenant, elle se serait épargné la surprise désagréable de le trouver dans les bras d'une brune pulpeuse et vulgaire !

Sur son échelle de Richter personnelle, Anna estimait que le massacre de son coussin favori équivalait à une catastrophe de force quatre. Trouver Peter au lit avec une poupée Barbie dont le soutien-gorge était aussi artificiellement gonflé que la mise en pli ?… Force deux, sans plus. Etait-ce le signe qu'elle faisait une fixation maladive sur les coussins de soie ? Ou bien était-ce sa vie sentimentale qui ne tournait pas rond ? Elle penchait, malheureusement, pour la seconde hypothèse.

Pour être honnête, elle était à peine choquée que les choses se soient terminées de cette façon avec Peter. Leur relation devenait franchement insipide — sans avoir jamais été vraiment torride, d'ailleurs. Elle commençait même à s'ennuyer ferme quand il lui arrivait de se retrouver au lit avec lui…

En fait, Peter et elle avaient pas mal d'intérêts communs en dehors du sexe, et c'était probablement pour cette raison qu'elle s'était contentée d'un érotisme tiède : le fait d'avoir rencontré quelqu'un qui partage son goût des grands espaces lui suffisait amplement, compte tenu de son peu d'aptitudes pour les élans amoureux. Il faut dire que sa fibre romantique avait été définitivement détruite, depuis son mariage avec Caleb Welks.

Au fond, Anna comprenait que Peter ne trouve pas son compte dans cette relation qui s'effilochait. N'empêche qu'elle souffrait dans son amour-propre : il aurait quand même pu lui parler avant de s'engager avec une autre. Ne serait-ce que par égard pour leur amitié… Il aurait pu trouver une porte de sortie qui lui laisse un peu moins le sentiment d'avoir été bafouée. Pour une femme qui avait une maîtrise de sociologie et qui s'était spécialisée dans le conseil familial et conjugal, quelle gifle ! En fait, elle s'était montrée en dessous de tout : elle aurait dû se rendre compte bien plus tôt que Peter ne tenait pas à elle.

Enfin, tout cela appartenait au passé, et elle était bien payée pour savoir qu'il ne fait pas bon vivre dans le passé. Mieux valait garder les yeux obstinément rivés au présent ; les retours en arrière ne pouvaient apporter que regrets et souffrance.

Tout en ressassant ces considérations amères, Anna marchait péniblement en luttant contre la bise. La tête rentrée dans les épaules, elle se consolait en pensant qu'elle ne s'en tirait pas si mal, finalement : la trahison de Peter ne lui laissait pas le cœur en morceaux. Quant à l'amour-propre… il se défroisserait vite.

Elle pénétra dans le bâtiment de la police fédérale de Denver. Une bienfaisante tiédeur l'envahit, tandis que l'ascenseur l'emmenait au quatrième étage. Elle échangea quelques mots avec deux collaborateurs, et se hâta de gagner le placard à balais qui lui tenait lieu de bureau dans le département des « libertés conditionnelles ».

— Salut, Matt ! Déjà au boulot ?

Elle sourit à l'officier qui occupait le « bureau » voisin et, au moment d'entrer dans le sien, elle se ravisa :

— Au fait, j'allais oublier ! C'est bien ce week-end que tu étais à Albuquerque pour le mariage de ton père ? Alors, comment c'était ?

— Pas mal, finalement.

Matt Jorgensen lâcha son ordinateur, releva ses lunettes sur son front et lança à Anna un sourire un peu triste.

—Sacré papa ! Il avait réussi à dégoter un pasteur capable de rester impassible quand lui et sa dulcinée ont échangé leurs consentements *éternels* ! C'est déjà un miracle en soi ! Et puis, même si le buffet était excellent, personne n'a roulé sous la table ! Mais le plus fort, c'est qu'il n'y a eu aucune dispute entre les pièces rapportées ! Un exploit, quand on sait que la mariée en était à son troisième mariage et le marié à son quatrième !

Anna leva le pouce en signe de triomphe.

— Au quatrième coup, on tient l'bon bout, comme on dit ! Allons, Matt, ne t'en fais pas. Ce mariage-là va marcher.

— Ça, c'est sûr ! Il va même courir…à l'échec !

Matt haussa les épaules, et son sourire se changea en grimace.

—Mon père a soixante-sept ans, Anna. Depuis son troisième mariage, j'ai cessé de croire qu'il deviendrait un jour adulte. C'est un cas désespéré. Tu penses ! Il est tellement plus amusant de changer régulièrement d'épouse que de se réveiller chaque matin avec la même…

Comme le téléphone de Matt se mettait à sonner, Anna lui fit un petit signe amical et retourna à son bureau. Elle fourra ses gants dans sa poche et accrocha son manteau à la patère, tout en réfléchissant à ce qu'elle venait d'entendre. Somme toute, s'ils le connaissaient, Ray et Caleb Welks diraient que le père de Matt pratiquait une forme légalisée de polygamie. Et Anna ne leur donnerait pas tort, même s'il lui en coûtait de partager le même point de vue que son beau-père et son pseudo-mari, sur quelque question que ce soit.

La semaine précédente, pendant une pause-café, Matt avait fait le compte de ses demi-frères et demi-sœurs : ils n'étaient pas moins de dix-neuf. Et les plus jeunes passaient leur temps à faire la navette entre les couples recomposés de leurs parents et beaux-parents.

Comme pour chasser ces considérations plutôt désespérantes, Anna secoua énergiquement la tête.

Un coup d'œil dans le minuscule miroir accroché au porte-manteau lui confirma ce qu'elle redoutait : ce matin, elle avait à peu près la coiffure de « la pauvre petite Annie » qu'elle était à douze ans, lorsqu'elle s'était retrouvée orpheline. A cette époque-là, elle rêvait de découvrir un matin, en se réveillant, que ses épaisses boucles auburn avaient fait place à une élégante chevelure blonde dans le genre Grace Kelly...

Il lui arrivait encore, à grand renfort de gel, de laque et autres mousses, de se faire, pour quelques heures, une coiffure lisse et brillante. Mais, aujourd'hui, à cause de la neige, c'était raté... Décidément !

Tournant le dos à son image, Anna ragagna son bureau. Le répondeur clignotait déjà, et elle avait trois messages. Son premier rendez-vous était à 9 heures précises — soit dans une demi-heure —, et il lui restait une pile de formulaires à remplir avant ce soir. Inutile de lire son horoscope pour savoir quel genre de soirée elle allait passer...

Le nombre de détenus avait dépassé les deux millions depuis peu. Les Etats-Unis confirmaient ainsi leur triste record du monde pour le pourcentage de population sous les verrous. La plupart des condamnés étaient remis en liberté à plus ou moins brève échéance, ce qui expliquait que près d'un million d'entre eux se retrouvait en situation de mise à l'épreuve. Et pourtant, malgré ces statistiques à faire dresser les cheveux sur la tête, le budget consacré aux services de réinsertion et de probation était continuellement en baisse. Sans doute les politiciens tenaient-ils à prouver à leurs électeurs qu'ils ne faisaient aucune concession aux criminels… Depuis quatre ans qu'Anna occupait ce poste de juge d'application des peines pour la police fédérale, sa « clientèle » avait augmenté de vingt pour cent. Et, à en juger par les derniers chiffres, il n'y avait guère de chances que les choses aillent en s'améliorant.

Il lui semblait évident qu'un jour ou l'autre, le système imploserait, quand la surcharge aurait dépassé la cote fatale. En attendant, elle s'efforçait de surnager, mais elle avait constamment le sentiment qu'elle laissait partir le navire à la dérive. Non seulement elle trahissait les honnêtes gens qui comptaient sur elle pour garder le contrôle des criminels potentiellement dangereux, mais elle trahissait les intérêts des pauvres types qui lui étaient confiés. Même les ex-détenus qui cherchaient loyalement à s'en sortir finissaient par être enfoncés par le système qui était censé les empêcher de replonger.

Malgré tout, Anna accomplissait de son mieux, en y consacrant toute son énergie, la tâche qui lui incombait.

Elle sortit de son sac la Thermos dont elle ne se séparait jamais, et avala une généreuse rasade de café bien tassé, pour se donner du cœur à l'ouvrage. Puis elle retira son Glock 45 de son holster, et vérifia la sécurité avant de l'enfermer dans le tiroir de son bureau. A la différence des autres agents de probation, les juges d'application des peines étaient entraînés au maniement des armes à feu, et portaient un revolver. Fort heureusement, Anna n'avait encore jamais eu à s'en servir, en dehors des stages d'entraînement. Il lui était juste arrivé de le brandir dans un but dissuasif devant des délinquants qui avaient violé les termes de leur libération conditionnelle et qui se montraient récalcitrants au moment de retourner en prison.

Au moment d'écouter ses messages, Anna sentit son estomac se nouer. Trois cas de figure étaient possibles, tous catastrophiques. A commencer par Stanley Swann : sa femme n'était pas revenue du week-end, et avait gardé les enfants avec elle.

—Elle est sûrement barrée chez sa mère, à Kansas City, expliquait-il sur le message, d'une voix vibrante de rage — on ne lui avait jamais appris à exprimer sa souffrance autrement que par des explosions de violence. Elle sait bien que j'ai pas le droit de la suivre, la garce ! Voilà pourquoi elle se figure qu'elle peut se payer ma fiole en s'en allant. Faut que vous m'aidiez, M'selle Langtry ! Faut que vous me fassiez récupérer mes gosses. Sans ça, je vais être forcé de faire le boulot moi-même, vous savez ? Elle a pas le droit de me confisquer mes mômes. Elle fait ça uniquement pour que je replonge, cette fichue garce ! Je vous assure qu'y a pas d'autre raison.

Stan avait ensuite raccroché brutalement. Pas assez vite, cependant : Anna avait eu le temps d'entendre le sanglot qui accompagnait la fin de sa tirade. Pauvre Stan ! Dans son esprit, un homme digne de ce nom, c'était un macho roulant des mécaniques, certainement pas un type capable de pleurer. Pourtant, Anna savait qu'il aimait profondément ses enfants. C'était même à cause de cela, à cause de son désir de pouvoir garder la tête haute devant ses enfants, qu'il se tenait à carreau depuis ces dix derniers mois. Quel gâchis s'il flanquait tout par terre, alors qu'il ne lui restait plus que deux mois à tirer avant la fin de sa période probatoire !

Le café ajouté à la tension nerveuse donnait à Anna des brûlures d'estomac. Elle prit le gros tube de pansements gastriques qu'elle avait toujours dans son tiroir, et en croqua quelques-uns, comme s'il s'agissait de vulgaires bonbons. Tout en croquant les pastilles, elle chercha dans son fichier électronique le dossier de Stanley.

Il décrocha à la première sonnerie. Il eut l'air à la fois soulagé et déçu que ce soit Anna. Toujours aussi agressif, il réitéra sa menace d'envoyer balader son contrôle judiciaire et de partir lui-même à la recherche de ses enfants si Anna ne rentrait pas avec eux le jour même. La jeune femme tenta de trouver un juste milieu entre la sympathie et l'autorité froide. Le plus urgent, c'était de calmer Stan.

— Surtout pas de menaces idiotes ! lui dit-elle. Vous savez parfaitement que vous avez la loi avec vous.

— Ah ben ! Je vous dis pas comme ça me fait une belle jambe !

— Cela devrait, pourtant, retenir votre attention, mon vieux, parce que la loi a le pouvoir de résoudre votre problème ou de vous envoyer au trou. Si vous partez à la recherche de Lola et que vous violez les termes de votre libération conditionnelle en passant la frontière de l'Etat, vous savez ce qui va se passer : vous vous ferez arrêter, et…

— Alors, comme ça, ma garce de bonne femme me kidnappe mes mômes, et moi, y faudrait que je reste cloué en taule ? Et ce serait la justice, ça ?

— Non, Stan, ce n'est pas la justice. C'est la loi. C'est très différent. Et, si vous vous lancez à la poursuite de votre femme, vous vous mettrez définitivement du mauvais côté de la loi.

— C'est fou ce que ça peut me faire peur, ça…

— Ne jouez donc pas les durs ! Si vous retournez en prison, votre femme sera libre d'emmener les enfants où bon lui semblera, et vous ne pourrez pas lever le petit doigt pour l'en empêcher. Vous aurez juste de le droit de manger votre rata

42

et de la fermer... Allons, Stan, par pitié, tâchez d'être malin, pour une fois ! Restez à Denver.

— Je peux tout de même pas rester le derche sur ma chaise à attendre que l'autre garce me ramène mes mômes !

— Bien sûr que non. Mais vous pouvez aller travailler. Et vous savez très bien que c'est pour m'entendre vous dire ça que vous m'avez téléphoné. Alors, nous sommes bien d'accord : vous, vous allez au travail et vous venez au rapport demain, comme prévu, et moi, je m'efforce de vous ramener vos enfants.

— J'ai pas de voiture. Elle a fichu le camp avec, cette salope ! Comment je fais pour aller au boulot, moi ?

— Vous prenez le bus. Vous appelez un taxi, si nécessaire. Mais vous ne devez pas la laisser vous démolir. Si, vraiment, elle cherche à vous faire perdre les pédales, il ne faut à aucun prix qu'elle réussisse.

Anna attendit que l'argument fasse son effet avant de reprendre :

—Avez-vous appelé votre belle-mère ? Etes-vous absolument certain que votre femme est chez elle ?

— Est-ce que j'sais, moi ? J'ai appelé des tonnes de fois à ce sacré numéro. Ça répond jamais.

— Hier, c'était dimanche. Elles étaient peut-être sorties avec les enfants. Vous n'avez pas le droit de dire qu'elles refusent de vous parler simplement parce que personne n'a répondu au téléphone, voyons ! Maintenant, écoutez-moi, Stan. J'ai besoin que vous répondiez à certaines questions précises pour pouvoir vous aider efficacement.

Stanley lâcha une bordée d'obscénités, et finit par se calmer suffisamment pour répondre aux questions de la jeune femme. Oui, Lola et lui étaient mariés légalement. Non, il n'existait aucun arrêté de tribunal, aucune clause de droit de garde autorisant sa femme à faire sortir les enfants du territoire sans la permission de leur père.

Enfin, Stanley fournit à Anna le numéro de téléphone de sa belle-mère, à Kansas City. Après cela, il fallut encore à Anna cinq bonnes minutes de négociation pour lui arracher la promesse d'aller travailler normalement et de la rappeler après sa journée pour avoir des nouvelles de ses enfants. Elle lui donna même son numéro de portable pour qu'il puisse la joindre en dehors des heures de bureau.

Un point de gagné ! songea la jeune femme. Quant à savoir si Stanley tiendrait parole, c'était une autre histoire… La patience n'était pas franchement son fort. Mais cela pouvait se comprendre, étant donné ce qu'il avait vécu dès son enfance. Pour assurer sa subsistance, il ne pouvait, alors, compter que sur lui-même.

En tout cas, le fait que Stan retourne en prison n'apporterait pas une once de mieux-être à qui que ce soit : ni à ses enfants ni à la société. Anna se sentait donc déterminée à faire tout ce qui était en son pouvoir pour lui éviter cet échec.

Elle commença par appeler le commissariat le plus proche du domicile de la belle-mère. Il s'agissait d'abord de convaincre la police locale de l'urgence de la situation. Elle tomba sur un brave policier plus tout jeune, qui accepta d'aller faire un tour à l'adresse indiquée par Stan et qui promit de la rappeler vers 5 heures pour la tenir au courant. Elle compta qu'avec le décalage horaire ; il ne serait que quatre heures à Denver. Si elle arrivait à rassurer Stanley avant la fin de la journée, il y avait un petit espoir que tout rentre dans l'ordre.

Le deuxième message émanait d'Anthony Jepson. Il voulait avertir Anna qu'il ne viendrait pas au rendez-vous qu'il avait avec elle, le matin même, parce qu'il était cloué au lit par des maux d'estomac. D'après sa voix, Anna se douta qu'Anthony n'était pas malade, mais plutôt défoncé, et qu'il cherchait une bonne excuse pour ne pas se soumettre au contrôle exigé par les termes de sa conditionnelle. Le test de dépistage de stupéfiant était même le but principal de son rendez-vous hebdomadaire avec son JAP.

Anna rappela donc à l'appartement d'Anthony. Pas de réponse. Après une brève recherche dans le dossier le concernant, elle trouva le numéro de l'usine d'aliments pour animaux où il travaillait. Personne ne l'avait revu depuis le mardi précédent.

En fait, elle s'attendait que cela se produise un jour ou l'autre. Mais elle se sentit découragée à la pensée qu'Anthony, selon toute vraisemblance, avait renoué avec ses anciennes habitudes et repris de l'héroïne.

Depuis quatre ans qu'elle faisait ce métier, elle avait acquis pas mal de discernement, et elle voyait assez vite si un ex-détenu en conditionnelle avait des chances d'aller au bout de sa période probatoire. En ce qui concernait Anthony, elle avait compris, dès le début, qu'il ne fallait pas se fier à ses allures charmeuses. C'était un sujet à haut risque, avec de grandes fragilités. Violé dans sa petite enfance, abandonné puis récupéré, à maintes reprises, par une mère alcoolique, il n'avait pas été gâté par la vie. Anna croisait les doigts pour que ses soupçons soient sans fondement, mais elle était à peu près sûre qu'Anthony avait replongé.

Dès sa sortie de prison, il avait été mis sur liste d'attente pour un centre de rééducation et de désintoxication, à Boulder. Mais il avait encore cinq mois à attendre avant de pouvoir y être admis. Cinq mois ! Autant dire jamais : si Anthony avait été capable de vivre cinq mois sans toucher à la drogue, il n'aurait pas fini en prison...

Anna décida d'entreprendre toutes les démarches possibles en faveur de son protégé, dès qu'elle aurait un instant. Elle plaiderait en faveur de sa réinsertion, qui nécessitait un traitement urgent. Mais elle ne se faisait guère d'illusions. Les établissements spécialisés croulaient sous les demandes, et la plupart des postulants étaient des cas aussi désespérés qu'Anthony. C'était d'autant plus rageant que la réinsertion s'avérait généralement beaucoup plus efficace que l'incarcération.

Anna se sentait de nouveau gagnée par le stress. Pas question de se laisser aller. Elle engloutit encore quelques pastilles. Pour faire passer le goût sucré qui l'écœurait, elle se servit un autre espresso. Une chance que la caféine ne fasse pas partie des substances prohibées, pensa-t-elle, sinon elle se retrouverait, elle aussi, au pénitencier.

Le troisième message était celui d'un officier de police, un certain Bob Gifford. Diego Esteban avait été arrêté pendant le week-end pour tentative de meurtre. Il était hospitalisé avec plusieurs balles dans le ventre et dans l'épaule. S'il survivait à ses blessures — ce qui était loin d'être gagné — la Brigade des stupéfiants s'arrangerait pour qu'il soit immédiatement réincarcéré en attendant d'être rejugé pour de nouvelles charges.

Anna éteignit le répondeur d'un coup sec, et reposa sans ménagement sa tasse de café. Elle écrasa son poing droit à l'intérieur de sa main gauche. Sacré nom d'un chien ! Dans quel guêpier était-il encore allé se fourrer ?

Elle réécouta le message de l'inspecteur Gifford, habitée à la fois par la rage, la douleur et la résignation. Autant elle doutait qu'Anthony puisse s'en sortir un jour, autant elle était convaincue qu'avec Diego Esteban, elle gagnerait la partie.

Diego avait tout pour lui : il était astucieux, il présentait bien, et son sens de l'humour avait souvent eu raison du sérieux que la jeune femme affectait dans ses entretiens professionnels. Et, justement, la semaine précédente, elle se rappelait lui avoir dit, entre deux éclats de rire, que s'il employait honnêtement la moitié du talent et de l'énergie qu'il avait déployés dans ses trafics, il serait bientôt millionnaire — en toute légalité, cette fois !

Diego n'avait pas encore trente ans, mais il en avait déjà passé six en prison pour sa participation à un réseau très sophistiqué de distribution de cocaïne, qui s'étendait sur trois Etats des Rocheuses. Et pourtant, en dépit de ses redoutables états de service, il avait toujours donné à Anna l'impression qu'il était un ex-condamné modèle : ponctuel à ses rendez-vous, à la messe tous les dimanches, et fier de dire à tout le monde que sa femme attendait un bébé. Les contrôles-surprises auxquels il avait l'obligation de se soumettre prouvaient régulièrement qu'il n'avait pas retouché à la drogue.

Diego venait d'hériter de ses parents un petit restaurant qui proposait des spécialités d'Amérique centrale. La semaine précédente, il avait apporté ses livres de compte à Anna pour lui montrer qu'il avait triplé ses bénéfices depuis sa sortie de prison. Il avait de grands projets : il allait créer une franchise, il serait le premier d'une chaîne qui serait au *porco assado* ce que Mac Donald était au hamburger…

Et Anna y avait cru. Ne serait-ce que parce qu'elle mourait d'envie de voir enfin un ex-détenu tenir ses paris les plus fous. Les rares succès auxquels elle avait contribué étaient la seule chose qui l'aidait à tenir dans ce métier. La seule chose qui lui permettait, vaille que vaille, de supporter le poids des échecs répétés et des déceptions innombrables. Non qu'elle fût naïve. Six mois dans la profession auraient suffi à ramener sur terre l'idéaliste le plus convaincu. Et elle n'avait jamais été une idéaliste convaincue.

Quand vous débarquez à Denver à dix-sept ans dans une voiture volée, avec quatre cents dollars en poche, sans amis, sans famille, sans boulot et sans nulle part où aller, vous pouvez vous permettre d'être naïve au départ, mais vous ne le restez pas longtemps. Sinon, vous êtes morte… Pourtant, il y avait une différence entre la naïveté et l'optimisme. Et, envers et contre tous, Anna avait opté pour l'optimisme.

C'est pourquoi elle n'avait pas l'intention de laisser tomber Diego avant d'avoir fait toutes les vérifications nécessaires. Et, pour commencer, elle voulait rencontrer l'officier qui avait arrêté Diego afin d'avoir la confirmation que son client était bien en train de vendre de la drogue au moment de la fusillade.

Elle jeta un coup d'œil à sa montre. Elle avait encore le temps d'appeler le commissariat. Par miracle, elle tomba directement sur l'inspecteur Gifford. Hélas ! Son rapport ne laissait aucun doute. Anna apprit ainsi que Diego faisait l'objet d'une surveillance rapprochée de la part de la Brigade des stupéfiants depuis plus de deux mois — en fait, depuis l'arrestation d'un petit dealer qui avait raconté à la police locale que c'était Diego qui l'approvisionnait. Si Diego n'avait pas été coffré à ce moment-là, c'était parce que les policiers espéraient remonter la filière à travers lui. C'était, évidemment, son fournisseur à lui qui les intéressait le plus : un homme d'affaires d'Arizona qui avait toujours réussi à échapper à la police. Les agents des Stup étaient sûrs à quatre-vingt-quinze pour cent que l'individu en question introduisait de la cocaïne de Colombie aux Etats-Unis en utilisant la petite ville-frontière de Nogales comme plaque tournante.

Les soupçons de la B.S. se trouvaient maintenant confirmés. Après la fusillade du samedi précédent, au cours de laquelle Diego avait été blessé, il y avait eu une perquisition au restaurant où la police avait trouvé quantité de preuves : Diego se servait de son commerce pour blanchir l'argent de son trafic de drogue. De plus, une inspection de son système informatique avait révélé l'existence d'une correspondance électronique entre lui et le trafiquant d'Arizona — ce qui fournissait un chef d'accusation largement suffisant.

« Bravo pour la coopération entre les organismes de répression des fraudes et de maintien de l'ordre ! » songeait Anna. Mais elle, personne n'avait pris la peine de la tenir au courant de l'affaire : ni la police locale ni la Brigade des stupéfiants. Elle était, pourtant, l'officier référent de Diego, non ? Evidemment, on lui répondrait que le bon déroulement de l'enquête nécessitait la plus absolue confidentialité et que personne ne devait savoir que Diego était surveillé.

Anna était particulièrement contrariée de ne pas avoir perçu le double jeu de Diego. De toute évidence, les sourires, les plaisanteries qu'il lui avait servis, tout cela était destiné à endormir sa méfiance. Elle se jugeait impardonnable. En vérité, il l'avait roulée dans la farine, trop content d'avoir trouvé une bonne poire capable de faire sur lui des rapports élogieux. Et, pendant qu'elle lui concoctait un dossier archifavorable, il en profitait pour rétablir ses anciens réseaux et renouer avec la mafia colombienne.

D'après l'inspecteur Gifford, Diego s'était constitué un joli magot avant de recommencer à consommer lui-même. Le réseau de distribution de cocaïne qu'il dirigeait couvrait toute la grande couronne du métro de Denver. Mais, à partir du moment où il avait remis le nez dans sa marchandise, il avait commencé à perdre le contrôle de ses dealers. La semaine précédente, il avait eu une altercation avec deux de ses intermédiaires, à propos de son approvisionnement. La discussion s'était envenimée, et des coups étaient partis…

Les explications de Gifford ne laissaient pas de place pour le doute : Diego allait être accusé de tentative de meurtre. Heureusement, il était tellement défoncé qu'il avait heureusement réussi à vider tout un chargeur sans blesser personne mortellement. « Presque un exploit, si l'on songe qu'il était à moins de deux mètres de ses victimes présumées ! » avait dit Gifford sur un ton sarcastique.

Bref, avec tous les chefs d'accusation qu'il avait accumulés contre lui — de la tentative de meurtre au trafic de stupéfiants, alors qu'il était en conditionnelle —, Diego avait de quoi se retrouver à l'ombre pour un quart de siècle. D'ailleurs, ses présumées victimes étaient déjà écrouées, et attendaient d'être jugées pour des charges identiques.

Anna remercia Bob Gifford pour son rapport, et raccrocha le téléphone. Pas question de se laisser ronger par les regrets. Jamais elle n'arriverait à faire face aux exigences de sa profession si elle vivait chacun des échecs de ses « protégés » comme un drame personnel. L'affaire Diego Esteban lui servirait de leçon. Elle ne se laisserait plus abuser par le charme, l'intelligence ni même le plus irrésistible sens de l'humour. Elle saurait, dorénavant, que rien de tout cela ne constituait une preuve d'innocence de la part d'un libéré en conditionnelle.

Déterminée à se montrer pragmatique, la jeune femme se fixa un autre objectif : puisque les policiers affirmaient que Diego absorbait de grosses quantités de drogue depuis plus de

50

deux mois, il s'agissait, maintenant, de savoir par quel moyen ce garçon avait réussi à passer au travers des contrôles anti-stupéfiants auxquels il était fréquemment soumis. Il n'y avait qu'une seule solution pour que ses analyses d'urine soient toujours négatives : il avait soudoyé quelqu'un à l'intérieur du département. Mais qui ?

Un rapide coup d'œil au dossier de Diego apprit à Anna que ce n'était jamais le même individu qui lui faisait passer les tests... Mais, de toute façon, il n'était pas question de résoudre l'énigme dans l'immédiat. Il lui restait à peine trente secondes avant son premier rendez-vous.

Elle se laissa aller contre le dossier de son fauteuil, et se massa le front. Elle voyait parfaitement le genre de journée qui se profilait : on était lundi, il était à peine neuf heures ; Diego était en passe de mourir ou bien de retourner en prison. Anthony prenait probablement le même chemin, et Stanley Swann ne tarderait sûrement pas à déraper, lui aussi. A moins qu'elle ne lui donne très vite de bonnes nouvelles de ses enfants.

Anna se dit qu'elle avait sans doute eu de bonnes raisons de choisir ce métier mais, ce matin, elle ne voyait plus du tout lesquelles.

Elle avala ce qui lui restait de café. Après l'arrestation de Diego, il allait devenir difficile de continuer à considérer la plupart des criminels comme des gens qui ont fait de mauvais choix dans le passé mais qui gardent toujours une chance d'en faire de meilleurs à l'avenir...

Allons, Anna, réagis ! Ne te laisse pas abattre par ce qui ne dépend pas de toi ! Anna se répéta mentalement cette devise, puis se mit en devoir de préparer le dossier de son prochain rendez-vous. Cela faisait trois heures qu'elle travaillait sans interruption. Elle s'apprêtait à aller faire un petit tour du côté du distributeur de boissons lorsque le téléphone sonna.

— Anna Langtry à l'appareil.

— Mademoiselle Langtry, ici le père Patrick Olson. Je suis le curé de la paroisse Notre-Dame de l'Assomption, que fréquentent Diego Esteban et sa femme. Je vous appelle du département pénitentiaire de l'Hôpital général de Denver. Vous avez dû apprendre que Diego était blessé ?

Le cœur d'Anna se mit à battre plus fort.

— Oui. L'inspecteur Gifford m'a mise au courant, ce matin. Comment… comment va Diego ?

— Mal. Les médecins craignent qu'il ne passe pas la nuit.

— Je suis désolée. Vraiment désolée.

Anna ne mentait pas.

— Il demande à vous voir, mademoiselle Langtry. Vous est-il possible de venir ? J'ai l'impression que c'est très important pour lui.

— Vous êtes sûr que c'est moi qu'il veut voir ?

— Vous êtes son juge d'application des peines ?

— Oui… oui.

— Alors, il s'agit bien de vous.

Anna s'était entortillé machinalement un élastique autour du pouce, et l'avait serré au point d'avoir la circulation coupée. Elle le fit sauter nerveusement dès qu'elle en prit conscience, et répondit à son interlocuteur :

— Je viendrais volontiers, mon père. Mais j'ai des entretiens tout l'après-midi. Il m'est pratiquement impossible de me libérer. Je suis désolée, mais je dois vous dire non.

— Diego tient beaucoup à vous voir, mademoiselle Langtry. Ce serait vraiment un acte de générosité, vous savez ? Vous ne pouvez vraiment pas essayer de trouver un petit moment ?

Anna regarda sa montre et vérifia son éphéméride. Il était un peu plus de midi, et son prochain rendez-vous n'était qu'à 3 heures — un détenu relâché, ce matin même, de la maison d'arrêt de Denver Ouest. En se passant de déjeuner, elle avait sans doute le temps de faire un saut à l'hôpital et d'être de retour pour 2 heures, histoire de se mettre à peu près à jour avant de rencontrer le nouveau libéré dont elle allait avoir la charge.

— C'est d'accord, mon père. Je vais faire mon possible pour être là dans une quarantaine de minutes. Si la neige et la circulation ne m'en empêchent pas.

— Merci. Je suis très touché que vous fassiez cela pour lui.

Anna trouva Diego au service des soins intensifs. Théoriquement, un policier aurait dû le surveiller, mais son état ne lui aurait certainement pas permis de s'évader. La pièce était vide, à l'exception d'un homme âgé, vêtu d'une soutane, et d'une jeune femme enceinte dont le visage était inondé de larmes.

Le prêtre se leva à l'arrivée d'Anna, et vint lui parler à voix basse.

— Vous êtes mademoiselle Langtry, je suppose. Je suis le père Patrick, et voici Guillermina Esteban, la femme de Diego.

Anna serra la main du prêtre et se tourna vers la jeune femme qui pleurait.

— Je suis vraiment navrée de ce qui est arrivé, madame Esteban. Diego méritait mieux que ça.

— Merci d'être venue, *Señorita.*

La voix de Guillermina se brisa dans un sanglot. Elle se détourna et enfouit son visage dans un mouchoir.

Anna s'approcha du lit où Diego reposait, inconscient. Elle caressa doucement, du bout des doigts, sa main à laquelle était branchée une perfusion. Le blessé ne donna aucun signe de vie. Rien n'indiquait s'il était conscient de la présence d'Anna ou de sa femme, qui s'était assise à son chevet et dont les larmes lui tombaient doucement sur la joue. Le visage de Guillermina avait pris une expression de résignation douce où l'on pouvait lire une profonde lassitude.

— Depuis combien de temps est-il inconscient ? demanda Anna au père Patrick.

— Environ une heure. Il n'arrête pas de sombrer et de reprendre conscience. Dans ses moments de veille, il est d'une lucidité étonnante.

— Savez-vous pour quelle raison il voulait me voir ?

— Il dit que vous êtes la seule personne qui ait véritablement cru en lui. Juste avant qu'on ne lui injecte sa dernière dose de calmants, il m'a demandé de vous dire que chaque semaine, quand il venait à votre bureau, il avait le ferme désir de devenir la personne que vous voyiez, et non pas la personne qu'il savait être.

Anna sentit sa gorge se serrer.

— J'aurais préféré qu'il me dise ce qui se passait vraiment, plutôt que de chercher à me faire rire.

— Croyez bien que j'en suis au même point que vous. Il ne m'avait jamais rien dit, à moi non plus.

Anna eut un hochement de tête.

— Avez-vous une idée de ce qui a pu se passer ? J'aurais mis ma tête à couper qu'il voulait vraiment repartir du bon pied…

54

— D'après ce que m'a confié sa femme, il semble que Diego ait été coincé dès l'instant où il a quitté la prison. Il n'avait pas pris son premier café d'homme libre que ses anciens complices étaient sur son dos. Et ils n'avaient pas l'intention de le lâcher. Bien sûr : personne ne s'y connaissait comme Diego dans la distribution de la drogue. Ils avaient besoin de lui à cause de la guerre des dealers qui s'était installée à Denver. Ils ont même menacé de s'en prendre à Guillermina et au bébé qu'elle attend s'il refusait de coopérer.

Le prêtre baissa la tête, l'air abattu.

— Je voudrais comprendre le sens de tout cela, reprit-il. Il y a des gens que la vie n'épargne pas...

Anna sentait son cœur se serrer terriblement. C'était déjà dur de penser que Diego l'avait délibérément trompée. C'était encore pire de découvrir qu'on avait menacé sa famille et qu'il s'était retrouvé seul dans l'impasse, sans la moindre échappatoire. Aurait-elle pu l'aider à s'en sortir s'il lui avait tout raconté ? Peut-être, mais il aurait fallu, pour ça, qu'elle le place sous la surveillance du service fédéral de Protection des témoins, et cette précaution n'aurait pas paru suffisante à Diego. L'argent et les moyens dont dispose un puissant cartel de la drogue sont tels que, bien souvent, les forces de l'ordre en sont réduites à travailler dans le brouillard. Diego ne le savait que trop. Il connaissait de l'intérieur les méthodes et le système de représailles des Colombiens. Comment le blâmer de ne pas avoir voulu exposer Guillermina et leur futur enfant ?

— Une vie sacrifiée... Quel gâchis ! dit Anna dans un soupir. Quand on pense à tout ce que Diego aurait pu faire, astucieux comme il l'était. S'il avait pu employer son intelligence autrement...

Le père Patrick hésita. Anna perçut un voile de tristesse dans sa voix.

— Vous avez raison. Mais on ne peut jamais dire qu'une vie soit sacrifiée en vain. Il faut se rappeler que Dieu a un plan pour chacun de nous. Moi aussi, dans des cas comme celui-ci, je dois faire un effort pour m'en souvenir… Et je prie pour que Diego ait plus de chance dans la vie éternelle qu'il n'en a eu ici-bas.

Sur le moment, Anna trouva que la béatitude céleste était bien peu de chose en comparaison des souffrances que Diego avait endurées sur terre.

Elle cherchait une réponse polie à faire au père Patrick lorsque Diego émit un grognement. Il battit des paupières, ouvrit les yeux et regarda Anna d'un air hébété. Elle se pencha vers lui et lui dit amicalement :

— Bonjour, Diego. C'est Anna Langtry.

Diego l'avait reconnue.

— Vous… vous êtes… venue.

Sa voix était faible, mais le ton manifestait la surprise et la gratitude. Anna se sentit gagnée par l'émotion, et dut avaler sa salive avant de répondre :

— Mais oui, je suis venue. Comment vous sentez-vous, Diego ?

Ses pauvres lèvres, gonflées et fendillées, esquissèrent un simulacre de sourire.

— Comme une loque. Et vous ? Comment ça va ?

— Ça irait mieux si je ne me faisais pas autant de souci pour vous… Il faut tenir le coup, mon vieux. Vous êtes un battant, et vous vous trouvez dans un hôpital du tonnerre. Les toubibs d'ici ont déjà pas mal de miracles à leur actif…

Diego paraissait déjà très loin. La remarque volontariste d'Anna ne sembla pas l'atteindre.

— S'il fallait que je vive, ce serait pour passer encore vingt ans derrière les barreaux. C'est mieux comme ça, croyez-moi.

Anna fut profondément bouleversée. Moins de regret que de rage impuissante. Car, ce qu'elle venait d'entendre était, hélas, la stricte vérité. Diego s'était laissé embarquer par ses bons amis colombiens jusqu'à un point de non-retour où la mort apparaissait comme la solution la moins mauvaise…

Anna ne savait que répondre, et elle chercha le prêtre du regard. Celui-ci essayait de réconforter Guillermina. Qu'allait devenir l'enfant de Diego ? Il n'était pas encore né que, déjà, le plus triste avenir s'ouvrait devant lui…

Anna souhaita de toutes ses forces que ce petit fasse mentir les statistiques. Mais parviendrait-on jamais à briser le cycle maudit de ces pauvres gosses malmenés dans l'enfance et qui deviennent, à leur tour, des adultes criminels ? Il devait, pourtant, exister une solution. Mais, à cet instant, Anna se sentait incapable de la trouver…

— Ne soyez pas triste, lui dit Diego.

— Mais c'est impossible. Je suis terriblement triste. Vous êtes un type formidable. J'étais tellement sûre que vous alliez vous en sortir…

— Je sais bien. Chaque semaine, quand je venais vous voir, je me disais : « Crénom, mon vieux, elle te prend vraiment pour quelqu'un de bien ! »

— C'est parce que vous *êtes* quelqu'un de bien, Diego. Quelqu'un de bien et de très intelligent. En plus, vous avez le sens de l'humour

— Ouais…

Sa voix se fit plus faible encore, et sa bouche se tordit en une moue amère :

—En somme, mon enfant pourra être rudement fier de moi, hein ?

Anna aurait voulu trouver une repartie à la fois sincère et réconfortante. Mais il ne lui venait que des platitudes qui sonnaient faux.

—Je suis navrée que les choses tournent comme ça, Diego. Absolument navrée.

Diego tourna les yeux vers sa femme, et enveloppa d'un regard tendre son ventre arrondi.

—Et moi donc…

58

3.

Il n'y avait pas beaucoup de circulation. Anna fut étonnée de regagner si vite le siège de l'administration fédérale. Cela dit, elle dut quand même se contenter, pour déjeuner, d'une barre de muesli avalée entre un e-mail et un coup de téléphone. Elle avait une idée fixe : découvrir quel était l'agent fédéral qui s'était occupé des contrôles antistupéfiants de Diego.

Elle était particulièrement remontée contre les effets pervers qu'entraînait le commerce de la drogue au sein même du système pénal. Aussi se jura-t-elle de trouver celui ou celle qui avait accepté de se laisser soudoyer pour maquiller les résultats. L'une des conséquences les plus catastrophiques du trafic de drogue, c'était la monstrueuse quantité d'argent qui entrait en jeu. C'était cela qui permettait à la corruption de s'installer dans les moindres rouages du système. C'était cela, en fin de compte, qui avait tué Diego...

Peu avant trois heures, un coup de téléphone apporta à Anna la première nouvelle à peu près bonne de ce lundi noir. Gerald Leary, le policier de Kansas City, était allé faire un tour à l'adresse que Stanley avait indiquée comme étant celle de sa belle-mère. Par extraordinaire, l'adresse était bonne, et Lola, la femme de Stan, s'y trouvait, précisément, au moment où Gerald Leary s'était présenté. Mieux encore, la mère de Lola était furieuse contre sa fille, et elle était en train de lui faire une scène : pas question qu'elle l'héberge dans ces conditions. Lola avait intérêt à prendre ses enfants sous le bras et à rentrer au plus vite chez son mari.

Lola avait commencé par ruer dans les brancards, puis elle avait fini par reconnaître que c'était sa faute si Stan était fou furieux. En découvrant qu'elle avait acheté un téléviseur à écran panoramique qui coûtait trois fois son salaire, il lui avait fait une scène épouvantable. Alors, elle avait pris ses enfants et elle était partie chez sa mère.

Après un court épisode de bras de fer avec le policier, Lola avait accepté l'idée de retourner à Denver dès qu'elle se serait un peu reposée. Elle promit même que les enfants téléphoneraient à leur père le soir même, afin qu'il puisse constater qu'ils étaient en bonne forme et qu'ils s'amusaient bien avec leurs cousins de Kansas City.

Anna remercia chaleureusement Gerald Leary. Somme toute, elle lui devait la seule petite éclaircie de cette journée désespérément grise et maussade. Elle appela le patron de Stanley, et fut soulagée d'apprendre que ce dernier avait, finalement, suivi son conseil et qu'il s'était rendu à son travail. Elle lui apprit, par personne interposée, que tout le monde allait bien, qu'il pouvait téléphoner chez sa belle-mère pour le vérifier. Anna raccrocha avec un soupir de soulagement. Grâce à Dieu, le pire avait été évité, pour cette fois. Jusqu'à la prochaine crise entre Stan et Lola…

Maintenant, il fallait retrouver Anthony Jepson. Et elle ne pourrait pas rentrer chez elle avant d'avoir liquidé la pile de papiers qui s'amoncelait sur son bureau et menaçait de s'écrouler d'un instant à l'autre. Elle avait beau être habituée à crouler sous le travail, elle n'était pas près d'oublier cette journée…

Elle avait déjà dix minutes de retard pour son rendez-vous avec Joseph Mackenzie. Il avait été relaxé ce matin même, et arrivait directement de la maison d'arrêt de West Denver.

Anna appela la réception.

— Hello, Gina ! Est-ce que Joseph Mackenzie est arrivé ? Il a été relâché ce matin. Il avait rendez-vous à 3 heures.

— Oui. Il est là depuis un moment. Voulez-vous que je vous l'envoie ?

— Pas tout de suite. Je cours depuis ce matin. Faites-le patienter encore un peu, s'il vous plaît. Dites-lui que je le reçois dans cinq minutes.

— Pas de problème.

— Merci, Gina.

Anna se cala dans son fauteuil et parcourut rapidement le compte rendu que lui avait fait parvenir l'administration pénitentiaire. Joseph Alexander Mackenzie avait été employé à la Banque de commerce et d'industrie du Colorado, comme sous-directeur de la succursale de Durango, jusqu'au jour où il avait été convaincu de fraude et détournements de fonds, puis condamné à une peine de six ans qu'il avait effectuée, en partie, à la prison fédérale de West Denver.

Sa fiche signalétique indiquait qu'il avait trente-deux ans, et mesurait 1m 82 pour 81 kilos. D'après les photos, Anna estima qu'il devait avoir les yeux bleu-gris et les cheveux châtain clair. Les traits étaient réguliers, l'expression plutôt agréable mais sans caractère particulier.

Mackenzie avait été placé en conditionnelle après quatre ans de détention. C'était sa première condamnation mais il avait raté à deux reprises la libération conditionnelle : la commission d'application des peines avait jugé qu'il ne manifestait aucun repentir pour ses crimes. Il avait même eu la maladresse de maintenir sa protestation d'innocence, s'imaginant probablement qu'il était habile de se prétendre victime d'une vaste et mystérieuse conspiration au sein de la succursale de la banque pour laquelle il travaillait.

Malgré la journée éprouvante qu'elle venait de passer, Anna se surprit à sourire . Elle connaissait bien Durango : c'était tout près d'Alana Springs. Durango… Une petite ville tranquille avec une université et une population de retraités paisibles… Difficile d'imaginer une conspiration au cœur d'une des banques les plus anciennes et les plus conservatrices de la ville !

La commission des remises de peine avait eu probablement la même opinion qu'Anna sur la présumée innocence de Mackenzie. On n'avait accepté de le relaxer que lorsqu'il avait reconnu sa culpabilité et promis de restituer, dans la mesure du possible, les sommes détournées. Les termes de sa libération conditionnelle stipulaient qu'il lui était interdit de travailler dans une banque ou dans tout autre organisme financier.

Pendant qu'il purgeait sa peine, on l'avait affecté aux cuisines et, grâce à l'expérience qu'il y avait acquise, une association d'aide à la réinsertion lui avait trouvé une place d'aide-cuisinier dans un hôtel de Denver. Il était prévu qu'il commence à travailler le soir même.

Et voilà comment le titulaire d'un diplôme de gestion financière de la Wharton Business School de Philadelphie allait gagner sa vie en épluchant les carottes, conclut Anna. Elle n'était, pourtant, pas d'humeur à méditer sur l'ironie du sort. D'ailleurs, elle n'avait pas, a priori, beaucoup de sympathie pour un individu qui avait tout pour réussir dans la vie mais qui avait choisi de devenir voleur.

Le cliché selon lequel les prisons fédérales étaient pleines de hauts fonctionnaires criminels et de cols blancs surdoués mais corrompus, tout cela était un mythe. Anna était payée pour savoir que quatre-vingt-cinq pour cent des gens dont elle était amenée à s'occuper venaient de milieux défavorisés. Ils purgeaient leur peine pour des délits dont les causes profondes remontaient généralement très loin. Enfance maltraitée ou bien dégringolade dans l'alcool ou la drogue, ils avaient tous été, plus ou moins, happés dans une spirale infernale.

Habituée à ce contexte, la jeune femme avait un préjugé plutôt défavorable envers un ancien élève de la Wharton Business School. Encore que… La vérité, c'est que le cas de ce Mackenzie la laissait de marbre.

De toute façon, elle n'était pas censée porter de jugement moral. On lui demandait seulement de déterminer dans quelle mesure les individus qu'on lui envoyait étaient susceptibles de se réinsérer.

Anna posa devant elle les documents qu'elle avait toujours à remplir, lors de la première entrevue avec un nouveau libéré, puis elle appela Gina.

— O.K. Je suis prête, lui dit-elle. Vous pouvez m'envoyer M. Mackenzie. Merci.

L'homme dont la silhouette se découpa dans l'encadrement de la porte n'avait pas grand-chose à voir avec la photo qu'Anna venait d'examiner. Ses traits avaient peut-être été réguliers, autrefois, mais son visage reflétait, maintenant, une dureté surprenante. C'était sans doute à cause de l'expression volontairement vide et impénétrable de son regard, et du pli amer qu'avait pris sa bouche, songea Anna.

Il était grand et tout en muscles. La chemise blanche et la cravate rayée de sa photo d'identité contrastaient violemment avec le jean délavé et le T-shirt sans forme qu'on lui avait fournis à la prison. Il portait une veste de Nylon matelassée sur l'avant-bras, comme pour dissimuler la vilaine estafilade qui lui barrait le dos de la main gauche. Anna diagnostiqua immédiatement une blessure survenue en prison, recousue grossièrement par un médecin indifférent ou incompétent, et qui avait cicatrisé comme elle avait pu. Le centre de redressement de West Denver était correctement surveillé mais les détenus avaient une fâcheuse tendance à taillader leurs camarades à la moindre provocation, avec une lame de rasoir fixée au manche de leur brosse à dents. Apparemment, Joseph Mackenzie avait fait les frais de l'un de ces affrontements à l'arme blanche.

Sous l'effet de la surprise, Anna recula contre le dossier de son fauteuil. Cet homme avait une telle présence physique qu'il provoquait chez elle une réaction dont elle ne pouvait se défendre. Une réaction d'une intensité qui la mettait mal à l'aise. Elle dut prendre une profonde inspiration avant de s'adresser à lui.

— Entrez, monsieur Mackenzie. Je suis désolée de vous avoir fait attendre.

— Oui, madame.

L'homme ne fit qu'un seul pas, juste pour franchir le seuil. Puis il attendit, les mains jointes, portant sa veste accrochée au petit doigt, le regard fixe, lointain. C'était l'attitude typique des prisonniers habitués, depuis des années, à ne bouger que lorsqu'on les y autorisait. Anna avait souvent remarqué ce phénomène chez les condamnés qui s'étaient trouvés brisés par la discipline stricte de leurs années de détention. Mais, chez Joseph Mackenzie, elle avait l'impression que cette humilité n'était qu'une apparence, sans aucun rapport avec la crainte ou la soumission. Elle était même prête à parier que l'homme qui se tenait en face d'elle était rompu à l'art de feindre. Il devait avoir appris à se composer un masque qui ne laissait rien filtrer de ce qu'il pensait ou ressentait. Façade bien commode quand on veut éviter les écueils de la prison et échapper aux règlements de comptes.

Anna étudia un moment la physionomie de Mackenzie, mais celui-ci évitait soigneusement de la regarder. Il gardait les yeux fixés sur ses deux mains jointes, avec une immobilité parfaite, le visage totalement impassible.

La jeune femme comprit qu'elle avait affaire à forte partie. Il avait sans doute donné du fil à retordre aux autorités pénitentiaires et à la commission des remises de peine mais, avec elle, ça ne marcherait pas. Il avait beau se contrôler admirablement, elle ressentait, de manière presque palpable, la rage qui bouillonnait derrière son apparente passivité.

Elle avait la certitude que Joseph Mackenzie se trouvait dans son bureau à son corps défendant et qu'il était furieux du personnage soumis et quémandeur qu'il avait à jouer devant elle. Il devait être du genre à cultiver la haine. La haine impuissante du prisonnier qui sait que les mâchoires d'acier du système pénal sont toujours prêtes à se refermer sur lui, même s'il n'est plus derrière les barreaux.

Les criminels en col blanc présentaient souvent des personnalités à la limite de la paranoïa. Anna en avait vu plus d'un dans ce cas. Ils étaient, généralement, ravagés par la hargne et le ressentiment de n'avoir pas été assez malins pour échapper à la justice. Joseph Mackenzie nourrissait probablement une rancune terrible à l'égard de cette société qui l'avait éjecté, et il devait avoir envie d'en découdre avec la Terre entière — et, en particulier, avec son JAP. Anna en aurait mis sa main au feu.

La jeune femme avait la réputation de faire preuve d'une extrême patience envers les cas difficiles. Mais, aujourd'hui, ça ne se passerait pas de cette façon. Elle avait tiré la leçon de son expérience avec Diego : elle avait le cœur à vif et les nerfs à fleur de peau, et elle ne se sentait pas d'humeur à s'attendrir sur ce type… Non. Que Joseph Mackenzie ne compte pas sur elle pour gérer son angoisse. Il apprendrait à le faire tout seul ou bien il irait s'adresser ailleurs. A lui de voir.

Elle lui parla d'un ton froid et professionnel qu'elle n'avait pas, habituellement, avec les nouveaux libérés qu'elle prenait en charge.

— Il n'est pas nécessaire de camper dans l'embrasure de la porte, monsieur Mackenzie. Entrez, je vous prie. Avez-vous les résultats de votre contrôle anti-stupéfiant ?

— Oui, madame.

L'homme s'approcha juste assez du bureau pour tendre à Anna le document du laboratoire d'analyses. Puis il recula et attendit, observant toujours le même mutisme.

Le test était négatif. Ce qui n'allait pas de soi, même si Mackenzie était sorti de prison depuis moins de douze heures : on voyait des condamnés bénéficiant d'une conditionnelle se faire leur premier joint dans la voiture qui les attendait à la sortie du pénitencier, grâce aux bons offices d'un soi-disant « ami ».

Anna rangea le papier rose dans le dossier.

— Asseyez-vous, monsieur Mackenzie. Nous avons pas mal de papiers à remplir : autant le faire dans les meilleures conditions.

— Merci, madame.

La voix était basse, le ton parfaitement poli mais totalement inexpressif. Anna était intriguée par une telle maîtrise de soi. Qu'avait-il donc de si important à cacher pour s'imposer ainsi cette discipline de fer ?

Anna l'observa, tandis qu'il s'asseyait en face d'elle. Mackenzie se laissa légèrement aller en arrière, laissant son torse épouser le dossier de la chaise. Malgré son apparente décontraction, on aurait presque touché du doigt la tension qui émanait de lui. Anna avait l'impression qu'il dégageait un champ magnétique. En temps normal, elle aurait trouvé une diversion quelconque pour dissiper cette tension, mais il y avait, chez Mackenzie, quelque chose qui la subjuguait.

Au lieu de chercher à détendre l'atmosphère avec un sourire, elle prit un formulaire au sommet de la pile, et s'apprêta à le remplir sans sourciller.

— Eh bien, monsieur Mackenzie, je pense que nous pouvons commencer. Les détails pratiques, tout d'abord : vous avez trouvé du travail à l'hôtel Westwood et vous commencez ce soir. C'est bien cela ?

— Oui, madame.

— Vous travaillez dans l'équipe de nuit ?

— Oui, madame.

— C'est une très bonne chose que vous ayez déjà un travail. C'est souvent un problème pour les ex-détenus, parce qu'ils ont du mal à trouver…

— Oui, madame. Je sais que j'ai de la chance.

Anna perçut, évidemment, l'ironie du commentaire mais elle décida de ne pas relever.

Avez-vous réussi également trouvé un logement, monsieur Mackenzie ? Je vois qu'on ne vous a pas placé dans un des centres du district. Vous avez peut-être de la famille en ville ?

— Non, madame. J'ai pris une chambre dans un meublé. La société d'entraide aux détenus a payé pour moi la première semaine.

Anna ne fut pas particulièrement surprise que les autorités carcérales aient jugé que Mackenzie était apte à vivre en dehors des circuits habituels de réinsertion. D'autant que les centres de réadaptation étaient surchargés. Après tout, il n'avait commis aucun crime violent et il n'y avait pas de consommation de drogue avérée dans son cas : on ne prenait donc pas beaucoup de risques à le laisser dans un logement indépendant.

— Pouvez-vous m'indiquer votre adresse et votre numéro de téléphone, s'il vous plaît ?

— Je n'ai pas le téléphone dans ma chambre, madame. L'adresse est : 1425 Poplar Street. Hôtel Algonquin.

Mackenzie marqua une pause, et reprit :

—Juste en face de Colfax.

Anna connaissait l'endroit. Trop bien, même : c'était là que vivait Anthony Jepson. Un bâtiment vétuste remontant aux années 40, peuplé presque exclusivement de prostituées et de condamnés en conditionnelle, avec quelques alcooliques en prime. Un mélange détonnant qui tournait régulièrement au grabuge dans la nuit du samedi au dimanche.

— Juste une précision, monsieur Mackenzie, étant donné l'endroit où est situé votre logement et le genre de fréquentations que vous allez y trouver : je vous rappelle que la consommation d'alcool et le recours aux services d'une prostituée seraient en contradiction avec les termes de votre libération conditionnelle. La police effectue régulièrement des descentes dans ce meublé, spécialement la nuit et pendant le week-end. Alors, un bon conseil : tâchez de ne pas vous faire prendre en mauvaise posture…

La voix qui répondit à Anna se fit plus neutre encore, au point que la jeune femme en fut étonnée. Elle n'aurait jamais cru que l'on pût se composer un timbre aussi inexpressif.

— Oui, madame. Comptez sur moi.

Mackenzie la regardait bien en face. Cet avertissement concernant l'alcool et les prostituée, c'était la routine, et Anna avait dû le formuler des centaines de fois, par le passé. Mais, aujourd'hui, l'atmosphère s'en était immédiatement trouvée tendue à l'extrême. Une tension à caractère sexuel, force était de le reconnaître. Anna s'en trouva étrangement troublée. Elle redressa la tête mais ne put détacher son regard de celui de Mackenzie.

Profondément mal à l'aise, elle se rendit compte, à sa grande honte, qu'elle s'était laissée aller, l'espace d'un instant, à imaginer à quoi pouvait ressembler Joseph Mackenzie quand il était nu.

Des muscles d'airain, sans un atome de graisse, une peau tannée par le sport qu'il avait dû pratiquer assidûment dans la cour de la prison, sous le soleil brûlant du Colorado…

Anna résolut de trancher au plus vite le lien invisible qui tenait leurs regards aimantés. Elle détourna résolument la tête, et griffonna n'importe quoi sur sa fiche pour se donner une contenance. Il ne lui était encore jamais arrivé d'éprouver la moindre attirance physique pour un des condamnés dont elle avait la charge. Dieu sait, pourtant, si elle en avait vu passer… Certains étaient même superbes, avec des corps athlétiques… Qu'est-ce que ce Mackenzie avait donc de particulier, pour la subjuguer au point de provoquer chez elle ce tressaillement charnel irrépressible, dès l'instant où il avait franchi le seuil de son bureau ?

Le tressaillement charnel irrépressible !… Anna ricana intérieurement : c'était le genre de réaction qui lui était totalement inconnu, même lorsqu'elle sortait avec un homme. Alors, dans ce bureau, avec un ancien détenu… Il n'aurait plus manqué que cela !

Elle s'employa donc à réprimer cette sensation contrariante, bien décidée à garder la tête froide.

Il ne lui fallut, d'ailleurs, que quelques secondes pour retrouver son état normal. Cessant de jouer avec son crayon, elle releva les yeux, puis, d'une voix assurée, reprit le fil de l'entretien.

— Dès que vous disposerez d'un peu d'argent, je suppose que vous chercherez une location dans un environnement plus agréable. N'oubliez pas que vous devrez me le signaler et me communiquer vos nouvelles coordonnées dans les vingt-quatre heures.

— Oui, madame.

— Avez-vous un moyen de transport pour vous rendre à votre travail, monsieur Mackenzie ?

— Il y a un bus, mais j'ai l'intention de marcher le plus souvent possible.

Anna se demanda si c'était par goût ou par mesure d'économie.

— Avez-vous assez d'argent pour payer votre carte de bus et vous nourrir jusqu'à ce que vous receviez votre premier salaire ? N'hésitez pas à répondre sincèrement. Je peux vous adresser à un organisme de charité qui vous aidera financièrement, si c'est nécessaire.

— Merci, madame. J'ai assez d'argent pour subvenir à mes besoins.

— D'après votre dossier, vous aviez dépensé en totalité l'argent que vous aviez volé. Avant même d'être arrêté. Un million de dollars en six mois… Vous avez dû prendre des habitudes de nabab !

— Oui, madame. Cela faisait pas mal d'argent, en effet.

— Alors, comment comptez-vous vous en tirer, maintenant ? Il va falloir vivre avec un revenu minimum.

—Je pense que ça ira, madame.

Mackenzie parlait toujours d'une voix indifférente.

—J'ai perdu la tête, à un moment donné, mais c'est du passé. Les sessions de réadaptation qu'on nous propose en prison m'ont beaucoup aidé à y voir clair.

Du moment qu'il ne venait pas lui raconter qu'il avait rencontré Jésus-Christ, Anna voulait bien le croire. Cela dit, ce genre de déclaration exaltée était plutôt bien vu par les juges, quand il s'agissait d'obtenir une libération conditionnelle. En fait, elle savait très bien que certains détenus trouvaient dans leur foi un secours et un réconfort véritables, mais elle devait toujours faire un effort pour ne pas se laisser influencer par l'expérience qu'elle avait connue dans sa jeunesse, en matière de religion.

— Je tiens à être tout à fait claire avec vous, monsieur Mackenzie. Il est de la plus haute importance que vous soyez bien convaincu d'une chose : en cherchant à récupérer de l'argent volé que vous auriez réussi à dissimuler quelque part, vous violeriez les termes de votre conditionnelle et vous reprendriez immédiatement le chemin de la prison. Sans audience, sans rémission possible.

— Oui, je le sais parfaitement, madame. Mais je n'ai dissimulé aucune somme d'argent.

*
* *

Anna décida qu'il était temps de donner une autre tournure à l'entretien. Après tout, ce que Mackenzie lui racontait n'était peut-être pas faux.

— Vous savez, monsieur Mackenzie, ce n'est pas facile de passer avec succès l'épreuve d'une année de probation. Surtout si l'on n'est pas soutenu par son entourage. Où habite votre famille ? Si vous voulez, je peux faire en sorte que vous soyez transféré dans un autre Etat pour la durée de votre mise à l'épreuve. C'est du ressort du juge d'application des peines, et je m'occuperai très volontiers des formalités, si ça peut vous aider.

— Merci, madame, mais je n'ai pas de famille.

— Pas du tout ? Pas même des parents ou des frères et sœurs d'adoption ?

— Non, madame.

— Je suis désolée. Ça doit être dur, pour vous.

— Oui, madame.

Anna se dit que cela avait dû être plus dur encore pendant ses années d'incarcération. L'univers de la prison, sans un proche qui vous envoie au moins un paquet de temps en temps, quel enfer... Pas facile à supporter...

Elle jeta un bref coup d'œil sur les documents transmis par le pénitencier, pour vérifier discrètement à combien d'éducateurs successifs Joseph Mackenzie avait été confié, dans sa jeunesse. Elle eut la surprise de constater qu'il avait été élevé par ses parents naturels, qui devaient être fermiers dans le Kansas, si le procès-verbal était exact.

Anna referma le dossier.

— Il est écrit ici que vous avez grandi avec vos parents, monsieur Mackenzie. Dans une petite ville, du côté de Topeka. Etes-vous brouillé avec votre famille ? Est-ce la raison pour laquelle vous ne souhaitez pas être transféré dans le Kansas ?

— Non, madame. C'est parce que mes parents sont morts.

— Je comprends. Vous êtes complètement seul, alors… Quel âge aviez-vous quand vous avez perdu vos parents ?

— J'avais dix-huit ans. Ils sont morts dans un accident de voiture.

— Tous les deux ?

— Oui, madame.

Anna sentit de nouveau monter en elle une impression indéfinissable. Et ce n'était pas de la sympathie… Non. C'était encore cette espèce de méfiance dont elle ignorait totalement la cause… Par une sorte de réflexe, elle mettait systématiquement en doute tout ce que lui disait Mackenzie. Etait-ce un tour que lui jouait son imagination ou bien cet homme avait-il vraiment intérêt à cacher un pan de sa personnalité ? Anna était bien décidée à tirer la chose au clair.

— Ce doit être une épreuve terrible de perdre ses deux parents en même temps. Je suppose que cela a été un cap très difficile à passer.

— Oui, madame. C'est sûr.

— Vous m'avez dit que vous n'aviez ni frère ni sœur. Mais vous avez bien des cousins ? Des oncles et tantes ? Des grands-parents… Non ?

— J'ai de la famille éloignée, mais ils sont tous installés loin des Etats-Unis, et nous n'avons jamais eu l'occasion de faire vraiment connaissance. A part mes grands-parents. Ils ont été très proches de moi quand mon père et ma mère sont morts. La ferme de mes parents était hypothéquée, alors il n'est rien resté après la vente. On a juste pu éponger les dettes. Mais mes grands-parents m'ont aidé à trouver l'argent nécessaire pour aller à l'université, et ils m'ont encouragé à poursuivre mes études.

— Et vous n'avez pas envie d'être transféré à proximité de leur résidence ?

Mackenzie secoua la tête.

— Malheureusement, mon grand-père est mort pendant que j'étais en prison. Et ma grand-mère est dans une maison de santé. Elle a eu une attaque, et elle ne me reconnaîtrait même pas si j'allais la voir.

C'était plus qu'il n'en avait dit jusque-là. Sa voix s'était un peu animée quand il avait parlé de ses grands-parents, et Anna avait perçu de la tristesse au moment où il avait évoqué la santé de sa grand-mère. Elle se sentit prise de remords. Pourquoi était-elle si méfiante ? Décidément, ça n'allait pas, aujourd'hui. Il fallait absolument qu'elle cesse de se laisser influencer par les déceptions que lui infligeaient certains dossiers. Sinon, elle ne ferait jamais rien de bon.

Elle se mit à parler sur un ton plus amical.

— Bien. Puisque vous n'avez pas de famille susceptible de vous aider, vous allez sans doute manquer d'argent, au début. La fierté est une bonne chose, monsieur Mackenzie, mais ça ne doit pas vous empêcher de me tenir au courant de vos difficultés. Si vous avez besoin d'aide, je dois en être informée. Il serait stupide que vous vous retrouviez aux abois, alors que j'aurais probablement une solution à vous proposer. Vous savez, il existe toute une série de portes auxquelles on peut frapper, dans ces cas-là.

— Oui, madame. Merci.

— Avez-vous gagné un peu d'argent pendant votre séjour en prison ?

— Oui, madame.

— Ecoutez, monsieur Mackenzie, il faudrait que vous soyez un peu plus explicite dans vos réponses. Cela faciliterait les choses, aussi bien pour vous que pour moi. Vous ne croyez pas ? Donc : combien avez-vous gagné, en prison ?

— Exactement trois mille quatre cent vingt-trois dollars cinquante.

— Est-ce que vous avez l'intention de placer cette somme sur un compte pour qu'elle soit en sécurité ?

Anna se sentit rougir : poser ce genre de question à quelqu'un qui a fait de la prison pour détournement de fonds, ce n'était pas faire preuve de grande délicatesse ! Elle s'éclaircit la voix, et poursuivit :

—En tout cas, c'est une somme rondelette. Cela devrait vous aider à vous installer décemment et à faire face, les premiers temps.

— Ce serait sûrement le cas si je pouvais en disposer. Mais il ne me reste presque rien : le directeur de la prison a prélevé trois mille dollars pour la banque où je travaillais, à titre de compensation des sommes détournées. Je n'ai été autorisé à garder que quatre cent vingt-trois dollars.

— Et les cinquante cents restants ?

— Il semble qu'ils se soient perdus en route…

L'ironie contenue dans la réponse n'échappa pas à Anna. Elle était sur le point d'adresser à Mackenzie un sourire entendu, quand elle se souvint brutalement de Diego et du tour qu'avaient pris leurs relations. L'espèce de camaraderie qui s'était installée entre eux ne leur avait, finalement, rien valu de bon, et l'échec avait été cuisant — presque autant pour elle que pour lui.

Forte de cette leçon, elle se promit de rester sur ses gardes avec Mackenzie : plus leurs relations demeureraient formelles, et mieux cela vaudrait. D'ailleurs, toutes les formations qu'elle avait suivies insistaient sur la nécessité pour les travailleurs sociaux d'entretenir des rapports strictement professionnels avec les personnes dont ils ont la charge. Rétrospectivement, Anna se rendait parfaitement compte que c'était son sentiment d'amitié pour Diego qui l'avait aveuglée. Si elle avait su rester à distance, elle n'aurait pas manqué d'analyser certains signes avant-coureurs, et elle aurait pressenti qu'il était en train de retomber dans la drogue. Cette évidence rendait toute cette histoire d'autant plus douloureuse.

Mais elle ne ferait pas la même erreur avec Mackenzie. Même s'il avait un Q.I. au-dessus de la moyenne, et même s'il avait un physique terriblement attirant...

— Je suppose qu'il vous a fallu pas mal de temps pour gagner ces trois mille quatre cents dollars, monsieur Mackenzie ?

— Cela m'a pris quatre ans, dit-il d'un ton las. Quarante heures par semaine à travailler dans les cuisines de la prison. Les deux dernières années, je gagnais cinquante cents de l'heure.

On commençait à vingt cents de l'heure dans les prisons fédérales. Joseph Mackenzie était donc en haut de l'échelle des salaires.

— Cinquante cents de l'heure, c'est bien payé pour un travail en cuisine, lui fit observer Anna.

— Oui, madame. Mais, les deux dernières années, je gérais les approvisionnements et je tenais la comptabilité. C'est pour cela que je gagnais beaucoup.

Mackenzie esquissa une moue d'autodérision.

—Enfin, *beaucoup*... c'est relatif...

Mackenzie avait dû se féliciter d'être affecté à des tâches à peu près en rapport avec ses compétences. Mais, finalement, le niveau de salaire relativement élevé qu'on lui avait consenti ne l'avançait à rien puisque le directeur du pénitencier en avait prélevé la plus grande partie.

Il faudrait que ce type soit un saint pour n'éprouver aucun ressentiment, songea Anna. Travailler dur pendant quatre ans pour se retrouver avec moins de quatre cent cinquante dollars ! Même un individu dépourvu de tout instinct criminel trouverait ça particulièrement frustrant ! Sachant que Mackenzie avait été condamné pour détournement et manœuvres frauduleuses, il n'était pas nécessaire d'être fin psychologue pour deviner la hargne qui devait l'habiter.

— Dites-moi, monsieur Mackenzie, que pensez-vous, à titre personnel, du fait qu'on vous ait confisqué ces trois mille dollars, si durement gagnés ? Vous trouvez normal qu'on les ait versés à la banque qui vous employait ?

Anna espérait une réaction spontanée, au lieu des réponses préparées à l'avance qu'il lui avait faites, jusqu'à présent. Mais elle en fut pour ses frais. Mackenzie reprit, sans sourciller, son rôle de parfait repenti.

— Oui, madame, je trouve que c'est juste. J'ai volé presque un million de dollars à des clients de la banque qui m'avaient fait confiance. Beaucoup d'entre eux étaient de petits retraités de Durango. L'argent que j'ai détourné était tout ce qu'ils avaient pour vivre. Ce que j'ai fait est vraiment très grave. Aujourd'hui, j'essaie de compenser autant que je le peux. Je trouve normal qu'on leur ait fait parvenir mes gains. Je ne regrette qu'une chose, c'est de ne pas en avoir eu davantage à donner.

Bien sûr ! Et il s'imaginait probablement qu'elle allait gober tout ça…

En réalité, il venait de lui resservir le couplet qu'il avait dû élaborer pour amadouer la commission des libertés conditionnelles. La meilleure preuve, c'est qu'il avait soutenu, lors de ses deux premières audiences, qu'il était innocent et qu'on l'avait condamné à tort.

En quatre ans, il avait dû réfléchir, discuter avec d'autres détenus, et se convaincre qu'il avait tout intérêt à avouer ses crimes et à jouer le rôle du parfait repenti, s'il voulait obtenir la libération conditionnelle.

Mais Anna n'était pas disposée à s'en laisser conter.

S'accoudant sur son bureau, elle se pencha vers lui en le regardant droit dans les yeux.

— Cessez de me prendre pour une idiote, Mackenzie. Je commence à en avoir assez de votre petit jeu.

Mackenzie soutint son regard. Ses yeux gris ne laissaient rien filtrer. Mais sa voix, du fait même de son ton artificiellement inexpressif, fit à Anna l'effet d'une provocation.

— Oui, madame. Je suis vraiment désolé, madame. Dites-moi en quoi j'ai pu vous offenser, madame.

La jeune femme se rejeta en arrière dans son fauteuil. Il lui venait une irrépressible envie d'empoigner Mackenzie et de le secouer jusqu'à ce qu'il consente à laisser tomber son masque. Pourtant, elle avait bien conscience que sa colère était disproportionnée. Qu'est-ce qui pouvait bien la mettre dans un tel état ? Elle était assez honnête avec elle-même pour reconnaître que l'attitude de Mackenzie ne justifiait pas une telle réaction. A bien y réfléchir, c'était même plutôt le contraire : il s'était présenté dans son bureau avec une courtoisie scrupuleuse, et il avait manifesté du regret pour ses crimes passés. Quand bien même sa courtoisie et ses regrets ne seraient que comédie, quelle importance cela avait-il ? Du moment qu'il ne contrevenait à aucun des termes de sa conditionnelle...

Après tout, ce n'était pas la faute de Mackenzie si Diego Esteban était en train d'agoniser au département pénitentiaire de l'hôpital général de Denver. Ce n'était pas non plus sa faute si Anthony était resté introuvable toute la journée et si elle n'allait rentrer chez elle qu'à la nuit tombée.

Par contre, c'était sa faute si elle avait réagi à son charme avec une telle acuité, si tout son corps s'était laissé envahir par cette attirance sexuelle complètement déplacée...

Une attirance sexuelle qui s'expliquait probablement, en partie, par la déconvenue que Peter venait de lui infliger.

Par certains côtés, c'était plutôt rassurant de pouvoir mettre son trouble sur le compte d'une récente déception et peut-être même du besoin de compenser une blessure d'amour-propre...

Anna prit une inspiration profonde, et tâcha de se reprendre. Heureusement, elle pouvait se retrancher derrière son personnage officiel.

— Oublions cela, monsieur Mackenzie. J'ai eu une journée particulièrement difficile...

Elle marqua une pause, et reprit :

—Tout bien considéré, les choses s'annoncent pour le mieux, n'est-ce pas ? Je vous souhaite de bien vous intégrer dans votre travail et de respecter tous les termes de votre libération conditionnelle. Je vous demande encore quelques minutes pour remplir le reste des formulaires. Je veux être certaine que vous ayez connaissance des moindres détails.

— Oui, madame. Merci.

Anna lui soumit les documents un à un, et il les signa consciencieusement, sans qu'elle ait besoin de lui expliquer la terminologie officielle, parfois alambiquée, qui en déroutait plus d'un.

Quand il eut signé le dernier formulaire, Anna se leva, mettant un terme à l'entretien.

— Eh bien, monsieur Mackenzie, vous savez que vous devez vous présenter lundi prochain dans nos bureaux. Si, pour une raison ou pour une autre, vous n'honoriez pas ce rendez-vous — à part pour cause de maladie grave —, un mandat d'arrêt serait établi contre vous, et vous seriez reconduit en prison.

— Oui, madame. J'ai bien compris.

— Donc, à la semaine prochaine. Au revoir, monsieur Mackenzie. Bonne chance.

4.

Joe avait réussi à garder son calme tant qu'il s'était trouvé dans le bureau d'Anna Langtry. Mais, aussitôt sorti, il se mit à taper dans le mur de toutes ses forces, avec la tête comme avec les poings.

Il ne s'était pas encore ressaisi quand la jeune femme passa la tête en dehors du bureau. Il ne vit d'abord que le reflet doré de ses cheveux sous les néons du couloir. Un vrai coucher de soleil flamboyant...

— Monsieur Mackenzie, j'ai oublié de vous... Qu'est-ce qui vous arrive ? Vous ne vous sentez pas bien ?

De toutes les fichues questions qu'elle lui avait posées, cet après-midi, celle-là était bien la plus idiote. Comme s'il avait pu se sentir bien !

Joe était à deux doigts de succomber au désir qui l'avait foudroyé de façon tout à fait inattendue... Il avait pourtant passé les quatre années précédentes à se convaincre qu'il maîtrisait ses pulsions sexuelles et qu'il était capable de se contenter d'une vie monacale. Apparemment, il n'en était rien. Il s'était abusé sur cette question — comme sur tant d'autres aspects vitaux de son existence et de ses relations, d'ailleurs...

Joe fit un effort surhumain pour rassembler ce qui lui restait de volonté, et s'écarta du mur. Il se retrouva nez à nez avec *elle*. Avec son *juge d'application des peines* !

Il fallait qu'il se mette bien ça dans le crâne : cette fille était un représentant de la loi, et elle incarnait une menace pour tout ce qu'il avait l'intention de faire pendant les semaines à venir...

— Oui, madame. Mais ça va aller, en fait. Merci.

— Vous avez quand même l'air un peu pâle...

— Non, non, ça va bien.

En fait d'aller bien, il se sentait à peu près comme un premier communiant devant une strip-teaseuse... Et il enrageait de constater que sa voix le trahissait, elle aussi.

Au départ, ses réponses monosyllabiques étaient calculées. Cela faisait partie de sa stratégie : il voulait absolument cacher ce qu'il était et ce qu'il pensait. Passer inaperçu. Se faire oublier. Mais il n'avait pas plutôt rencontré le regard bleu intense d'Anna Langtry que les monosyllabes étaient devenues le seul genre de rhétorique dont il fût capable... Et là, maintenant, une phrase de quatre mots brefs, c'était tout ce à quoi il pouvait prétendre !

— Bon, tant mieux. J'avais peur que vous ne fassiez un malaise. Je sais que le suivi médical laisse parfois à désirer, en milieu carcéral.

Elle avait l'air réellement soulagée de constater qu'il allait bien, mais elle ne souriait pas. Il aurait, pourtant, payé cher pour la voir sourire...

Il tourna la langue dix fois dans sa bouche avant de réussir à déclarer :

— Heureusement pour moi, il est rare que je sois malade. Je n'ai pas souvent affaire aux médecins.

Ouf ! Il venait de faire deux phrases cohérentes à la suite ! Les premières depuis son joli mensonge à propos de ses parents… Décidément, tout espoir n'était pas perdu !

Il vit le regard d'Anna Langtry se poser sur la cicatrice qui barrait toute la largeur de sa main, et lut dans la pensée de la jeune femme : voilà, au moins, une fois où il avait dû recourir aux services d'un médecin ! Qu'est-ce que ce serait si elle voyait la balafre qu'il avait sur le ventre ! Bah ! Elle ne serait peut-être pas émue outre mesure. Elle devait bien savoir que pas mal de détenus avaient tendance à se défouler sur ceux qui paraissaient les plus fragiles. Lui-même avait vite appris à ne rien laisser paraître de sa vulnérabilité, mais cela lui avait coûté deux visites à l'hôpital, dès le premier mois de son séjour à West Denver…

Perdu dans ces considérations, il s'était à peine aperçu qu'Anna Langtry s'était remise à lui parler.

— Je vous ai rappelé parce que j'avais oublié un formulaire, monsieur Mackenzie, dit-elle en lui tendant une feuille de papier.

Comme il ne réagissait pas, elle fit quelques pas dans sa direction, et s'arrêta à moins d'un mètre de lui.

Il respira son parfum et se laissa envahir par cette sensation enivrante. Depuis quatre ans, il n'avait plus senti que l'odeur du désinfectant à la sève de pin qu'utilisait le service de nettoyage de West Denver… Le parfum qui émanait de cette jeune femme n'était pas luxueux et sophistiqué comme les essences rares que choisissait Sophie. C'était plutôt une fragrance naturelle, une combinaison de shampoing, de savon et de vêtements propres — encore une chose que l'épouvantable laverie de la prison lui avait fait oublier ! *Parfum de femme*, pensa Joe dans un rêve. Il devina presque le goût que devait avoir sa peau…

« Fantasme que tout cela ! » se dit-il. Et il aurait voulu en rire. Mais, à ce moment-même, il avait tellement de mal à garder le contrôle de lui-même qu'il aurait été incapable de sourire. Il était paralysé à la pensée qu'il risquait de dire ou de faire quelque chose qui puisse lui nuire — l'humilier, dans le meilleur des cas ou, pire, le renvoyer en prison.

— Il s'agit seulement d'un formulaire attestant que le livret départemental du Code de la mise en libération conditionnelle vous a bien été remis, monsieur Mackenzie. Je vous serais reconnaissante de me le signer avant la fin du siècle...

Le ton narquois de sa réplique sortit Joe de sa torpeur. Il gribouilla une signature à l'endroit qu'elle lui indiquait, sans chercher à lire quoi que ce soit. C'était bien la première fois, depuis son arrestation, qu'il signait un document sans l'avoir lu et relu. Fallait-il qu'il soit sens dessus-dessous ! Bon sang ! S'il suffisait qu'il croise une fille sexy pour oublier toutes les leçons si chèrement payées, il ne donnait pas cher des projets élaborés au fil de ses 1 491 jours d'incarcération. Adieu toutes les cibles qu'il s'était juré d'atteindre...

Il lui rendit son stylo, et frôla sa main du bout des doigts. L'aiguillon du désir s'enfonça alors dans sa chair comme un glaive douloureux.

— Il faut que j'y aille, maintenant, dit-il, comme s'il s'arrachait à elle malgré sa volonté. Au revoir.

Il tourna brutalement les talons, et atteignit le bout du couloir avec un absurde sentiment de gratitude pour l'ascenseur qui semblait précisément l'attendre.

Les portes se refermèrent docilement, avec un bruit feutré. Lorsqu'il se retrouva seul, dans cet espace confiné qui lui rappelait étrangement l'univers familier de sa cellule, il recouvra enfin la faculté de respirer librement.

Quand l'ascenseur arriva au rez-de-chaussée, son corps avait recommencé à réagir à peu près normalement.

Décidément, le destin s'acharnait sur lui, pour l'avoir fait tomber entre les mains d'Anna Langtry. Qu'est-ce qu'il avait donc fait pour mériter que son juge d'application des peines soit justement une femme belle, attirante, intelligente…

Et son intelligence le troublait peut-être plus encore que son physique. Parce qu'il savait qu'il arriverait à contrôler son appétit sexuel : il l'avait bien fait pendant quatre ans… Mais il n'avait vraiment pas besoin d'un contrôleur judiciaire qui s'intéresse à son cas ! Il aurait pu tomber sur un fonctionnaire incompétent ou indifférent. Mieux encore, sur un type qui soit les deux à la fois. Et Dieu sait que ce spécimen ne manquait pas dans l'univers carcéral !

Frissonnant dans son petit anorak de Nylon, Joe se retrouva dehors, par une fin d'après-midi glaciale. Le ciel était bas et gris, la bise acérée. Il regagna péniblement la rue principale, content, tout de même, que sa veste ait une capuche et des poches profondes. Le bureau d'entraide aux prisonniers ne lui avait pas fourni de gants, considérant sans doute qu'on était presque au printemps.

Il n'avait rien mangé depuis le jus d'orange et les flocons d'avoine avalés à la prison avant de partir, ce matin. Il entra dans le premier McDonald's qu'il croisa, et commanda un hamburger-frites, dont le goût lui parut nettement moins merveilleux que dans son souvenir. Mais il fut réconforté de pouvoir s'asseoir au chaud dans un environnement vaste, propre et bien éclairé. De pouvoir regarder les gamins faire de l'escalade dans l'aire de jeux et se dire qu'il était un type comme les autres, qui pouvait manger son hamburger sans s'attendre, à chaque bouchée, à sentir la main de son geôlier s'abattre sur son épaule parce qu'il était temps de regagner sa cellule.

Joe s'attarda aussi longtemps qu'il le put sans risquer de paraître suspect. Puis il prit le bus jusqu'à Colfax Avenue, et se retrouva à son hôtel quarante-cinq minutes plus tard. S'il avait pu disposer de sa voiture, il ne lui aurait pas fallu plus de vingt minutes, et encore… Mais ses anciens employeurs avaient fait saisir tous ses biens, sous prétexte d'apurer les dettes inhérentes aux sommes prétendument détournées. Bah ! Il n'allait pas perdre son temps à pleurer là-dessus ! Il y avait beaucoup mieux à faire. Il s'agissait, maintenant, de mettre la main sur les salopards qui l'avaient fourré dans ce pétrin et de décider du traitement qu'il convenait de leur infliger.

Il avait déjà plusieurs scénarios tout prêts pour ce moment grandiose, toujours à base de passages à tabac, de sang et autres déchaînements de violence. « Et on ose dire que la prison ne vous apprend pas de choses utiles… », songea Joe avec cynisme. Avant que la société ne le boucle dans un but de redressement et de repentance, il n'aurait jamais levé le petit doigt contre l'un de ses semblables. Même pas contre son père… Plus d'une fois, pourtant, il avait brûlé d'envie d'arracher sa ceinture des mains de cette brute pour le battre comme plâtre.

Mais, maintenant, grâce aux bons offices du gouvernement fédéral, il avait acquis assez de force et de savoir-faire pour tuer un homme à mains nues…

Joe emprunta l'ascenseur crasseux qui le mena au troisième étage de son hôtel, et ouvrit sa porte. Il pénétra dans sa chambre, verrouilla derrière lui, et poussa un léger soupir de satisfaction devant tout cet espace dont il pouvait disposer : une chambre de trois mètres sur quatre, avec un linoléum usé et un store en plastique qui pendait devant la fenêtre. Et c'était une fenêtre *sans barreaux*…

Le mobilier se résumait à un lit orné d'un couvre-lit hideux en chenille jaune moutarde, une commode et une penderie métallique avec quelques cintres déformés qui suffiraient amplement pour ses deux jeans et le lot de sweat-shirts qu'il venait d'acheter à la friperie du coin. Il n'avait rempli qu'un tiroir avec des chaussettes et des sous-vêtements, et l'unique étagère murale accueillait sans peine le reste de ses effets personnels : un agrandissement de ses grands-parents, photographiés peu avant son arrestation, un journal de bord relié en cuir dans lequel il n'avait jamais écrit une ligne, et une demi-douzaine de livres. La pièce n'offrait même pas une chaise pour s'asseoir.

Il y a quatre ans, une chambre comme celle-là l'aurait horrifié. Aujourd'hui, tout ce qu'il voyait, c'est qu'il pouvait jouir d'une délicieuse autonomie et d'une petite salle de bains tout à fait décente. Le luxe que représentait le fait de pouvoir se doucher ou aller aux toilettes en toute indépendance compensait tout le reste. Peu importaient les serviettes usées jusqu'à la corde et les taches de rouille indélébiles sur le lavabo…

Joe se débarrassa de sa veste, s'approcha du lit, et considéra avec satisfaction l'oreiller neuf qu'il avait acheté avant même d'aller signer ses procès-verbaux de mise en liberté conditionnelle. Il avait aussi fait l'emplette de rasoirs jetables, crème à raser, dentifrice, déodorant et shampoing, pour un total de dix-sept dollars. Plus qu'il ne gagnait en quatre jours de travail au pénitencier… Voilà qui grevait singulièrement ses économies, étant donné qu'il devrait vite régler sa deuxième semaine d'hôtel. Mais il ne regrettait pas un cent de cet investissement qui lui permettrait de dormir enfin, pour la première fois depuis quatre ans, dans un lit impeccable, sans odeur de sueur ou d'urine…

Joe se réjouissait à la pensée d'être bientôt débarrassé définitivement de la couche de crasse qui lui semblait incrustée dans sa peau. On lui avait permis de se laver et se raser à 6 heures, ce matin, avant qu'il ne quitte la prison. Mais il s'était de nouveau douché dès qu'il avait pris possession de sa chambre d'hôtel, et il avait bien l'intention de s'octroyer encore une bonne douche avant de se mettre au lit, rien que pour le plaisir de constater que personne ne l'en empêchait et qu'il pouvait tirer autant d'eau chaude qu'il le voulait !

Joe sortait de la salle de bains, vêtu simplement d'un caleçon et d'un T-shirt. Il s'apprêtait à dormir deux heures avant d'aller prendre son travail pour la nuit, quand il entendit un bruit sourd dans le couloir, devant la porte de sa chambre. Il décida de n'en tenir aucun compte. L'une des premières choses que l'on apprenait en prison, c'est qu'il n'y avait que les idiots et les abrutis de première classe qui se mêlaient de ce qui ne les concernait pas directement.

Une altercation devait se produire juste devant sa porte. Un homme vociférait, vomissait les injures et les bordées d'obscénités classiques. Il était drogué ou il avait bu. Ou les deux à la fois. Joe haussa les épaules. Ce genre de nuisance ne l'empêchait plus de dormir. Il en avait entendu de bien pires. Il se retourna dans son lit, en toute sérénité.

Il allait sombrer dans un délicieux sommeil, au creux de son oreiller tout neuf, lorsqu'il sursauta. Il venait de reconnaître la voix d'Anna Langtry. Saccadée, assourdie, comme essoufflée. Puis un bruit mat qui ressemblait fort au choc amorti d'un corps à moitié assommé. Juste sur le pas de sa porte...

« Pauvre abruti ! » se dit-il en sautant à bas de son lit.

Il eut quand même le réflexe d'enfiler son jean avant d'ouvrir la porte.

Anna s'écroula littéralement dans la chambre. Un grand Black à la mine effrayante venait de lui sauter dessus en braillant des insanités, et il fourrageait sous la veste de la jeune femme, du côté gauche.

Bon sang ! Le revolver !

Le sang de Joe ne fit qu'un tour. Il envoya un coup de poing dans la mâchoire de l'agresseur. Surpris et à moitié sonné, l'homme tomba à la renverse. Joe n'eut que le temps de s'interposer entre lui et le corps inerte d'Anna. Il balança un deuxième uppercut dans l'estomac de son adversaire, qui s'affaissa comme une poupée de son, les yeux révulsés. Basique, mais toujours efficace, nota Joe avec satisfaction.

Au bout du couloir, une porte claqua. Joe tourna la tête en direction du bruit. Personne. L'occupant de l'hôtel, qui venait de refermer sa porte en comprenant qu'il y avait eu du vilain, était sacrement plus malin que lui... Celui-là savait certainement qu'il valait mieux ne pas se trouver sur place quand les flics arriveraient.

Joe en aurait bien fait autant pour ne pas risquer de se trouver mêlé à cette histoire, mais Anna était allongée en travers de sa porte.

Joe fit la grimace. Après tout, maintenant qu'elle était hors de danger, il pouvait bien la déplacer d'un mètre et rentrer tranquillement dans sa chambre. C'était son droit le plus strict…

Il avait beau essayer de se convaincre, il se sentait incapable de l'abandonner. La police pouvait débarquer d'un instant à l'autre, bien sûr, mais elle pouvait aussi n'arriver que dans une heure. Plus qu'il n'en fallait au Black pour se réveiller et faire un malheur…

Sans plus tergiverser, Joe s'agenouilla auprès du corps inanimé d'Anna. Merde ! Pourquoi était-elle venue se fourrer dans ce pétrin ? Et, justement, devant sa porte *à lui* !

Joe commença par lui retirer son revolver, au cas où Blacky aurait le projet de s'en emparer. Puis il prit le pouls d'Anna à la carotide. Il constata avec soulagement qu'il était net et à peu près régulier.

Il n'en aurait pas dit autant du sien, quand il se rendit compte qu'Anna avait ouvert les yeux et le regardait fixement. Il enleva immédiatement ses doigts du cou de la jeune femme, avec l'impression d'être pris en faute. Il ne faisait, pourtant, rien d'autre que de lui porter secours…

— Ah ! Vous voilà réveillée, murmura-t-il. Tant mieux !

Il ne trouvait rien de plus original à dire. En fait, il se sentait même complètement idiot, et ne savait plus quelle contenance prendre.

— Oui. Ça va, maintenant.

Elle reprit sa respiration.

—Anthony m'est tombé dessus. J'ai dû m'évanouir… Je suis restée comme ça longtemps ?

Elle plongeait son regard bleu dans celui de Joe. Misère ! Il suffisait qu'elle le regarde pour qu'il se sente de nouveau la cervelle en capilotade ! La bouche sèche, il ne sut que bafouiller vaguement :

90

— Deux minutes… Pas plus. Comment… comment vous sentez-vous ?

— J'ai la tête qui tourne. Et la gorge complètement desséchée.

Ses yeux s'arrêtèrent soudain sur le revolver que Joe tenait toujours à la main, puis sur l'homme effondré au milieu du couloir.

—Mon Dieu ! Qu'est-ce que vous avez fait à Anthony ?

— Si c'est de cette loque affalée derrière moi que vous voulez parler, on ne peut pas dire que je lui aie fait grand-chose. A part l'écarter un peu de vous quand il vous a envoyée dinguer contre le mur pour vous prendre votre arme. Il avait l'air suffisamment énervé pour tirer d'abord et s'inquiéter des conséquences *après*.

— C'est vrai qu'il était passablement excité, reconnut Anna.

— Voilà. Je vous rends votre bien.

Joe lui tendit son revolver, qu'il tenait posé sur le plat de sa main. Anna le reprit et se leva péniblement. Elle se sentait déjà mieux. Elle vérifia que la sécurité était toujours en place, et rangea l'arme dans son étui, avec l'aisance que donne l'habitude.

— Vous savez qu'il vous est totalement interdit de manier une arme, monsieur Mackenzie ? Pour cette fois, bien sûr, je fermerai les yeux…

— C'est très aimable à vous. Je me permets quand même de vous rappeler que c'est uniquement pour vous sauver la vie que je vous ai pris votre arme.

Anna fronça les sourcils.

— Vous avez peut-être eu l'impression qu'Anthony était violent, mais il ne m'aurait jamais tiré dessus.

— Alors, ça... je peux vous dire que si ! Défoncé comme il l'est ! Quand il s'est attaqué à vous, il devait déjà être en pleine hallucination !

— Peut-être, mais je suis certaine que ce n'est pas mon revolver qu'il voulait.

Anna passa une main lasse sur son front et ses tempes.

— Je comprends que vous ayez pu croire ça, mais je vous assure que la seule chose qui l'intéressait, c'était de reprendre le paquet d'héroïne que je venais de lui confisquer.

Elle plongea la main dans sa veste, et retira de sa poche intérieure un sachet de poudre blanche.

— C'était ça qu'il voulait. Mais il ne m'aurait fait aucun mal, je vous assure.

Joe ne chercha pas à dissimuler son incrédulité.

— S'il vous plaît de croire cela, noble dame, libre à vous. Mais, si vous gardez cette belle âme chevaleresque, votre famille risque d'être bientôt conviée à vos funérailles !

— Je connais bien Anthony. Il n'est pas violent, et...

— Aujourd'hui, si. Et il n'aurait pas hésité à nous tuer tous les deux pour récupérer sa marchandise.

Joe se demandait bien pourquoi il se fatiguait à essayer de la convaincre. Aucune considération de prudence, aucune émotion ne peuvent toucher un drogué quand il est en manque. Seule compte sa came, et il est capable de la pire violence si quelqu'un se met en travers de son chemin. Si Anna ignorait une vérité aussi élémentaire, elle devait faire un drôle de...

La jeune femme restait appuyée au mur. Elle était décomposée, et Joe ne put s'empêcher d'éprouver un élan de tendresse pour elle, malgré sa contrariété.

— Vous auriez besoin de renfort. Mais je n'ai pas le téléphone dans ma chambre. Il y a une cabine publique, au rez-de-chaussée. Voulez-vous que j'appelle une ambulance ?

— Merci. Non. J'apprécie votre aide, Mackenzie, mais je vais bien. Et, de toute façon, j'ai un téléphone portable.

Elle avait l'air triste.

—Malheureusement, ce ne sont pas les urgences que je dois appeler, dit-elle. C'est la police : Anthony va être ramené directement à la prison.

— Il fait partie des cas que vous avez en charge ?

Anna acquiesça.

— Il devait être placé dans un centre de désintoxication, mais les listes d'attente sont telles que ça n'a pas été possible, jusqu'à maintenant. Et, faute d'un traitement intensif, ce qui est arrivé était à peu près inévitable…

— Ça a l'air de vous faire de la peine…

Joe s'en voulut immédiatement de cette remarque : il lui avait donné un tour trop personnel, et c'était bien la dernière chose qu'il voulait.

Anna haussa les épaules, et Joe se demanda si c'était par colère ou par résignation.

— Je suis désolée pour lui, dit-elle. Anthony n'a pas eu la vie belle, jusqu'ici. Et la chance que pouvait représenter cette mise en liberté, il l'a laissée passer... Bah ! De toute façon, ça ne fait qu'un échec de plus pour aujourd'hui. Il y a des jours comme ça, hélas !

Joe se garda bien de lui demander des explications. Il n'avait aucune intention de se laisser embarquer plus longtemps dans cette conversation déplacée.

Anna, quant à elle, se détourna de lui dans une espèce de sursaut. Sans doute avait-elle pris conscience qu'elle en avait dit plus qu'il n'aurait fallu.

Elle se dirigea vers Anthony qui commençait à reprendre conscience. Avec une force surprenante, elle le fit rouler sur le ventre et lui passa les menottes. Après quoi, elle se redressa et regarda Joe.

— Merci pour votre aide, monsieur Mackenzie.

Elle avait repris le ton bref de leur entretien de l'après-midi.

—J'apprécie la bonne volonté dont vous faites preuve.

— Je vous en prie, madame.

Bravo. Il s'était comporté comme citoyen modèle. Oncle Sam en personne…

Seulement, c'était bien la première et la dernière fois qu'on l'y prenait. Il se jura que sa route ne croiserait plus celle d'Anna Langtry. Enfin, une fois par semaine, tout au plus, puisqu'on ne lui laissait pas le choix.

Quel pauvre imbécile ! Il n'avait qu'à la laisser se faire tuer par son Anthony. Et lui, Joe, ça lui aurait peut-être permis d'hériter d'un autre juge, incompétent ou négligent. En tout cas, pas d'une fille avec une tête de madone de Botticelli et un corps de top model…

Bon. Il n'allait pas passer une seconde de plus à penser à Anna Langtry.

Avec un bref signe de tête, il rentra dans sa chambre et ferma la porte à double tour.

Il était grand temps de se remettre sur le sentier de la guerre. Et de se concentrer uniquement sur sa vengeance.

5.

Diego n'avait jamais aimé collaborer avec les autorités. Cette fois encore, il s'ingéniait à défier les pronostics de ses médecins : il ne voulait, décidément, pas mourir.

Son foie, touché par deux balles, donnait de miraculeux signes d'amélioration, et son organisme affaibli avait eu raison des infections. Depuis le jeudi précédent, il était passé du « cas désespéré » à l'état de « grand blessé ».

Lorsque Anna appela l'hôpital, le samedi matin, elle eut la joie d'apprendre que les médecins étaient optimistes. D'après eux, Diego avait de bonnes chances de s'en sortir.

Décidément, la semaine finissait mieux qu'elle n'avait commencé.

Même si Anthony était de nouveau derrière les barreaux et que Stanley Swann menaçait de demander le divorce, en s'imaginant qu'on lui confierait la garde de ses enfants, sous prétexte que sa femme était trop dépensière. Anna avait, évidemment, tenté de lui démontrer qu'il avait peu de chances d'obtenir le droit de garde, mais l'important, pour l'instant, c'était qu'il ne soit pas retourné en prison et qu'il ait une chance de tenir encore pendant les deux mois de conditionnelle qu'il lui restait à faire.

Le week-end semblait réserver encore d'autres bonnes surprises : Ferdinand s'était abstenu de défoncer les coussins et de saccager les meubles pendant cinq longs jours, et même les prévisions météo étaient au beau fixe.

En temps normal, Anna en aurait profité pour contacter les amis de son club de randonnée et organiser une de ces fantastiques excursions qu'elle adorait faire dans le parc national des Rocheuses. Pendant les mois qui avaient suivi son évasion d'Alana Springs, elle avait découvert que l'exercice physique était un merveilleux remède à la dépression. Elle avait pu constater, par la même occasion, que la pratique du sport lui permettait de garder la ligne tout en mangeant autant qu'elle le voulait. Et ça, c'était très important pour elle car, à Alana Springs, les femmes devaient être dodues à souhait pour le plaisir de leur mari.

Chacune des performances sportives dont Anna se découvrait capable était donc devenue pour elle un symbole de liberté. Une manière de se défouler en faisant un pied de nez aux frères Welks et à toutes les valeurs qu'ils défendaient.

C'est ainsi que le ski, la varappe et les courses d'endurance avaient pris une place de choix dans sa vie.

Malheureusement, il y avait une ombre au tableau de ce week-end inespérément ensoleillé : Peter-le-Traître faisait partie du club de randonnée — c'était d'ailleurs là qu'ils s'étaient rencontrés. Et la jeune femme ne se sentait aucune envie d'escalader des pitons rocheux en compagnie de ce don Juan de pacotille qu'elle aurait sans doute envie d'assommer à la première occasion.

96

Après cinq jours de silence, Peter s'était présenté chez elle avec une brassée de roses rouges, une bouteille de saint-émilion et une boîte de truffons suisses. Il devait probablement se dire que le cocktail vin-fleurs-chocolats rachèterait sa lamentable tromperie.

En constatant qu'Anna ne lui tombait pas dans les bras, il s'était mis en colère.

— Mais enfin, Anna ! Tu ne vas tout de même pas me faire une scène pour une aventure d'une nuit ! Tu sais très bien que ça ne compte pas...

— Je n'en suis pas si sûre, en réalité.

— Je te jure que c'est vrai !

En cet instant, Peter arborait un air si honnête et si sincère que la jeune femme fut convaincue qu'il mentait. Il avait exactement le même comportement que les condamnés qu'elle voyait défiler : plus ils étaient coupables, et plus ils protestaient énergiquement de leur innocence, les yeux dans les yeux de leur interlocuteur et la main sur leur propre cœur...

Peter avait repris, avec un mélange d'étonnement et de reproche :

— De toute façon, quelle importance pour toi, que j'aie eu une aventure avec une autre femme ? Ce qui t'intéresse, dans notre relation, ce n'est pas le sexe. Reconnais-le, bon sang ! Tu es une vraie bonne sœur, ma pauvre Anna !

— Ce n'est pas vrai. Je t'interdis de...

— Bien sûr que si, c'est vrai ! J'ai l'impression de monter à l'assaut d'un bonnet de nuit, chaque fois que je couche avec toi. Ça peut avoir son charme, la première fois. Mais on s'en lasse vite, crois-moi !

De toute évidence, Peter cherchait à faire peser sur elle le poids de sa culpabilité. Et c'était bien vu : il avait touché la corde sensible. Cette accusation de frigidité n'était peut-être pas si fausse… Elle se rendait bien compte que tout était lié : Caleb Welks, la souffrance et la sexualité...

Quinze ans s'étaient écoulés depuis sa nuit de noces mais elle n'avait pas encore réussi à surmonter son angoisse ni à se libérer de ses inhibitions. Elle craignait toujours de se livrer à son partenaire en s'abandonnant tout entière.

Cependant, elle s'accrochait de toutes ses forces à l'idée que Peter ne jouait pas franc-jeu. S'il s'acharnait à lui reprocher son supposé manque d'appétit sexuel, c'est qu'il cherchait, avant tout, des excuses à sa conduite déloyale. Refusant de se laisser piéger, Anna ravala son humiliation et retrouva son aplomb. Ils n'allaient quand même pas se faire une scène et se hurler des insultes qu'ils regretteraient ensuite. Il était temps que l'un des deux se comporte en adulte. Et elle était la seule à en être capable.

— Peter, nous n'allons pas en venir aux mains pour cette histoire. Je suis d'accord : entre nous, ça n'a jamais fait d'étincelles, au lit. Et je suis désolée d'apprendre à quel point je t'ai frustré. Mais ce n'est pas une excuse pour ce que tu as fait la semaine dernière. Avant d'aller chercher ailleurs, tu aurais pu me faire part de mon inaptitude à assouvir ton appétit sexuel…

— *Ton inaptitude à assouvir mon appétit sexuel !* Bon sang, Anna ! Est-ce que tu pourrais parler comme une femme normale, de temps en temps ?

A sa grande surprise, Anna sentit la colère l'envahir. Une colère bouillante qui lui fit venir le feu aux joues : c'était bien l'émotion la plus intense qu'elle eût ressentie en présence de Peter depuis qu'elle le connaissait ! Elle lui adressa un regard étincelant de rage.

— Ah oui ? Tu veux vraiment savoir si je suis capable de parler comme une femme normale ? Attends… Ça te convient si je te dis : « Fous le camp de chez moi, espèce de salaud, et ne flanque plus jamais les pieds ici ! » Ça va comme ça ?

Comme Peter ne bougeait pas, elle se dirigea vers la porte et l'ouvrit toute grande :

—Tu as du mal à comprendre ce que je viens de te dire ? Bon, alors je vais être encore plus claire : tu es un trou-du-cul, Peter. Un trou-du-cul ennuyeux et prétentieux. Dégage de là ! Et ne t'avise pas de revenir ! Message reçu ?

Cette réaction était sans doute un peu puérile, mais quelle satisfaction de voir la tête de Peter ! Honteux et confus, il bredouilla des excuses. Anna lui fourra entre les bras sa bouteille de vin, ses fleurs et ses chocolats, puis le poussa vers la sortie. En chemin, il trébucha sur Ferdinand qui avait le génie de se trouver où il ne fallait pas.

Peter poussa un juron, et le chat, pour ne pas être en reste, lui mordit la cheville. Au total, une sortie réussie pour une histoire ratée...

Ce qui était beaucoup moins réussi, c'était la perspective d'un dimanche magnifique sans la moindre distraction.

Impossible de partir seule en randonnée, pour des raisons de prudence. Et tous ses bons copains faisaient partie du club... Leila Sworski, la seule sur qui elle pût toujours compter, se trouvait à vingt mille kilomètres. Elle avait pris un trimestre sabbatique pour partir au Pakistan, dans une équipe de volontaires, et enseigner les techniques de planning familial aux paysans illettrés. « Une chance pour les femmes pakistanaises, mais quelle guigne pour moi ! » songea Anna.

Plus que jamais, elle aurait eu besoin de l'humour à toute épreuve de sa meilleure amie.

Bon. Il fallait trouver quelque chose pour sortir de la routine. Anna décida de se dresser un plan de bataille couvrant toute la journée. Pour commencer, elle irait faire une petite visite à Diego, à l'hôpital, et puis elle s'offrirait quelques heures de shopping à la galerie commerciale de Cherry Creek. Peut-être aussi une séance chez le coiffeur, avec une manucure en prime. Ou bien, si elle arrivait à trouver un accord avec le chat, elle pourrait envisager de remplacer le coussin dépecé.

Bien qu'elle se fût trouvé une liste de choses intéressantes à faire, elle se sentait dans un état d'agitation inhabituel. Elle arpenta sa chambre, ouvrit toute grande sa penderie, et fit la grimace en constatant le piètre état de sa garde-robe. Elle ne s'était pas offert un seul vêtement depuis Noël dernier… Une virée dans les magasins s'imposait, et de toute urgence ! Elle aurait volontiers craqué pour un ensemble de soie, très « couture », qu'elle avait déjà repéré, histoire de se remonter le moral. Mais, à vrai dire, elle n'avait pas l'occasion de séduire grand-monde… Bien sûr, il ne tenait qu'à elle de changer de style de vie, de sortir du milieu déprimant où elle évoluait…

La vérité, c'est qu'elle était beaucoup trop difficile dans le choix de ses fréquentations — ses fréquentations masculines, en particulier. Elle réfléchissait à cet aspect de sa personnalité dans l'ascenseur qui l'amenait au parking de la résidence. Par exemple, Matt Jorgenson lui avait déjà proposé à deux reprises un dîner en tête à tête. C'était un garçon sympathique, et elle s'était toujours sentie bien avec lui quand il leur était arrivé de se retrouver à la cafétéria pour une pause-café. Pourquoi ne pas accepter, la prochaine fois ?

S'il y avait une prochaine fois, évidemment… En fait, elle pourrait même prendre les devants. On était au vingt et unième siècle, non ? Elle n'était peut-être pas obligée d'attendre que ce soit Matt qui renouvelle sa proposition…

Anna monta en voiture et abaissa sa vitre pour laisser entrer à flots le doux soleil du printemps. Elle décida qu'il faisait beaucoup trop beau pour être raisonnable et écouter les petites voix qui lui énuméraient les raisons de ne pas se lancer dans une aventure avec Matt Jorgensen.

Car, au fond, elle savait très bien pourquoi elle avait refusé les avances de Matt : le pauvre garçon l'enthousiasmait encore moins que Peter-l'Affreux...

Mais fallait-il absolument qu'un homme l'attire physiquement pour qu'elle accepte une invitation à dîner ? Dans ce cas-là, elle était mal partie car le seul qui ait allumé une quelconque étincelle en elle, ces derniers temps, c'était... Joseph Mackenzie !

Elle allait devoir réviser ses critères de sélection si elle voulait trouver un homme avec lequel il fût envisageable de sortir ! Un criminel comme Mackenzie, malgré le magnétisme quasi-animal qu'il exerçait sur elle, n'était certainement pas le partenaire qu'il lui fallait. Même pour meubler une solitude prolongée. D'ailleurs, sa carrière ne ferait pas long feu si jamais elle s'exhibait avec ce genre de personnage...

Et puis zut ! Qu'est-ce qui lui prenait de se monter la tête avec ce Mackenzie ? Comme si elle avait été sûre de s'envoler au septième ciel entre les bras de ce type ! Sa vie sentimentale et sexuelle allait-elle si mal que cela, pour qu'elle en arrive à fantasmer sur le premier beau mâle venu ? Surtout un individu comme Mackenzie, pour qui la tendresse devait consister à ne pas cogner trop fort !

C'était décidé : lundi, elle proposerait à Matt une soirée cinéma. Elle avait trente-deux ans : elle pouvait se permettre de prendre des initiatives avec les hommes.

C'était terrifiant de constater à quel point, quinze ans après avoir fui Alana Springs, elle restait marquée par les années d'endoctrinement de son adolescence.

Quand cesserait-elle de considérer que la procréation était la seule justification des relations sexuelles ?

Elle trouva une place au parking de l'hôpital, tout près de l'entrée. Forte de sa récente décision d'adopter une nouvelle attitude vis-à-vis de la gent masculine, elle adressa son sourire le plus charmeur au brave retraité qui assurait l'accueil.

Elle apprit que Diego se trouvait toujours aux soins intensifs de l'unité pénitentiaire de l'hôpital. Une infirmière lui confirma qu'il allait déjà suffisamment bien pour qu'on puisse envisager son transfert. Mais il faudrait encore attendre une semaine avant de le confier à l'infirmerie de la prison, où le suivi serait plus aléatoire.

— Il a de la chance, ce petit gars, dit l'infirmière avec un regard entendu. Quand on étudie la trajectoire des balles, eh bien, on s'aperçoit qu'à un millimètre près, il y passait. S'il avait perdu une once de sang en plus avant de pouvoir être transfusé, on n'aurait pas pu le sauver. Et si le meilleur chirurgien de Denver n'avait pas été de service, ce jour-là… il serait probablement mort, à l'heure qu'il est.

Elle hocha la tête.

—Vrai, mon petit : dans ce boulot, s'il y a une chose qu'on apprend, c'est que… tant que ce n'est pas votre heure, le bon Dieu ne veut pas de vous !

Anna entra dans la chambre. Ce que lui avait dit l'infirmière l'avait tellement revigorée qu'elle eut un choc quand elle vit Diego. Il avait encore ses perfusions, et son visage était effroyablement marqué par des ecchymoses qui n'étaient pas apparues tout d'abord. Quant à son corps… il semblait n'avoir plus que les os sur la peau.

Cette fois, le Père Patrick n'était pas là. Seule la femme de Diego veillait, assise à son chevet. Son visage, toujours pâle et tiré, ne portait plus de trace de larmes, et Anna remarqua qu'elle semblait s'être redressée, comme si le désespoir ne pesait plus aussi lourd sur les épaules.

Anna se trouva soudain impardonnable d'avoir aussi vite renoncé, le lundi précédent. N'avait-elle pas estimé, ce jour-là, qu'il valait mieux que Diego ne survive pas à ses blessures ?… L'infirmière avait cent fois raison, c'était vraiment une chance que Diego ait survécu : tant qu'il y a de la vie, il y a de l'espoir. Anna mesurait à quel point cet adage était vrai.

Et, si la chance ne le quittait pas, dans douze ans, il serait sorti de prison — pour peu qu'il fasse preuve de bonne volonté et qu'il se trouve confronté à un jury compréhensif. Son enfant serait alors au collège, et lui-même n'aurait qu'une quarantaine d'années. Il aurait la moitié de sa vie derrière lui, bien sûr, et Guillermina serait probablement remariée. Mais le père et l'enfant auraient encore pas mal de belles années devant eux pour se construire une relation solide.

Anna tenait dur comme fer à cette idée que parents et enfants pouvaient établir des relations harmonieuses et profondes, même tardivement, même s'ils avaient été séparés, au départ…

Guillermina se leva, et Anna dut se présenter de nouveau : la jeune femme ne l'avait pas reconnue. Elle était, évidemment, trop bouleversée, le lundi précédent, lorsqu'elle l'avait vue pour la première fois.

— Je n'ai pas l'intention de déranger votre mari, madame. Je préfère le laisser dormir. Dites-lui simplement ceci : s'il veut que je témoigne en sa faveur à l'audience, à propos de sa conduite de ces derniers mois, je le ferai sans hésiter.

— Est-ce que vous pourrez l'aider, *Señora* ?

Les yeux de Guillermina s'étaient soudain emplis de larmes. Pourtant, ce n'était pas le désespoir qu'Anna y lisait, mais plutôt une immense espérance.

—Ah ! Si vous pouviez dire aux juges combien mon mari a le cœur droit et bon ! Il ne voulait pas recommencer à vendre de la drogue mais il n'a pas pu faire autrement. Je le jure ! C'est à cause des Colombiens. Ils ont menacé de me tuer et de tuer le bébé s'il ne faisait pas ce qu'ils lui demandaient !

— Je ferai tout ce qui est en mon pouvoir. Mais il ne faut pas vous bercer d'illusions, madame Esteban. Diego s'est rendu coupable de nouveaux forfaits, alors qu'il était en liberté conditionnelle. Il n'y aura donc pas de nouveau procès mais une simple audience qui aura lieu dans l'enceinte même de la prison.

— Nous avons un bon avocat, reprit Guillermina, autant pour se convaincre elle-même que pour informer Anna. Il nous aidera.

« Un bon avocat payé avec l'argent de la drogue », songea Anna avec amertume. Un système bien ficelé, en somme. On plonge à cause de l'argent de la drogue, et on s'en sort par le même moyen...

Anna se sentait le devoir de mettre Guillermina en garde :

— Soyez quand même réaliste. Ne vous attendez pas à un miracle si vous ne voulez pas être déçue. Votre mari a tenté de tuer deux hommes, lors d'une altercation sur fond de trafic de drogue. Les deux individus en question affirmeront qu'il a tiré le premier, et...

— Mais c'est un mensonge ! Ce n'est pas lui ! J'étais là : j'ai tout vu ! Enfin… je me trouvais dans la cuisine, et Diego parlait dans la salle du restaurant avec Carlos et Miguel. Mais vous savez qu'il y a une porte vitrée entre la cuisine et le restaurant, et j'ai vu Carlos sortir son revolver le premier. Comme je vous vois ! Je vous le jure sur la tête de mon bébé !

— Je vous crois, madame Esteban. Mais le malheur, c'est que vous êtes l'épouse de l'inculpé. Le juge aura tendance à penser que vous mentez pour le couvrir.

Guillermina demeura silencieuse pendant quelque temps. Les sourcils froncés, elle semblait profondément occupée à réfléchir. Elle reprit enfin, au bout d'un moment :

— C'est particulièrement mauvais pour Diego que les coups de feu soient partis à cause d'une histoire de drogue ?

— Ça ne va certainement pas arranger les choses. Je ne suis pas juriste, et je ne connais pas ces questions dans leurs moindres détails. Mais il me semble que le motif de drogue ajouté au délit rend automatiquement Diego passible d'une condamnation ferme.

Anna s'interrompit brusquement. Guillermina ne comprenait probablement rien au jargon qu'elle venait de lui servir. Pourtant, lorsqu'elle voulut lui fournir une explication plus claire, la jeune femme l'en dispensa.

— Je comprends ce que signifie « automatiquement passible d'une condamnation ferme », dit-elle.

Elle avait posé les mains sur son ventre arrondi et, perdue dans ses pensées, elle rejoignit le chevet de son mari et l'embrassa délicatement sur le front.

Diego réagit à ce contact familier et bougea légèrement. Il poussa un grognement et ouvrit les yeux. Son regard s'alluma quand il vit sa femme penchée sur lui, mais il ne s'attendrit pas. Il lui dit en espagnol qu'elle aurait mieux fait de rentrer à la maison.

— Tu es là depuis trop longtemps, *chica*. Ce n'est pas bon pour toi ni pour le bébé.

Guillermina fit comme si elle n'avait pas entendu, et lui fit remarquer la présence d'Anna. Celle-ci s'avança aussitôt pour qu'il la vît sans être obligé de tourner la tête.

— Hello, Diego. Je suis bien contente de vous revoir. Je ne m'attendais pas que vous me fassiez ce plaisir !

Diego fit un mouvement dans sa direction, qui lui coûta un effort visible. Il fit une grimace qui correspondait probablement à un sourire.

— Eh oui ! Je suis encore là ! Je vous ai bien eus, tous ! Le curé, les toubibs, et vous aussi ! Conclusion : il en faut plus pour venir à bout d'un dur à cuire comme moi !

Sa voix était si rauque qu'elle faisait peine à entendre.

— Normal : ce sont les meilleurs qui s'en vont les premiers ! lança Anna en posant une main sur son épaule. Ce qui signifie que vous êtes parti pour faire un centenaire, mon vieux !

— M'est avis que vous, vous pouvez aller jusqu'à cent cinquante ans, reprit-il de sa pauvre voix.

Son regard semblait avoir retrouvé une étincelle d'humour.

— Diego, j'ai quelque chose d'important à te demander, dit Guillermina en coulant vers Anna un regard de biais.

Puis elle lui tint un discours précipité dans un espagnol très peu académique. Anna comprit qu'elle ne souhaitait pas être comprise. Dès que Guillermina s'interrompit pour reprendre son souffle, elle proposa de se retirer.

— Je vais vous laisser, maintenant. Vous avez certainement beaucoup de choses à vous dire. En ce qui me concerne, je voulais seulement prendre de vos nouvelles et vous dire

106

bonjour, Diego. J'ai expliqué à votre femme que j'étais toute disposée à déposer en votre faveur, à l'audience. Même si je doute que cela puisse servir à grand-chose...

— Je vous en prie, ne partez pas !

Diego et Guillermina avaient parlé à peu près en même temps.

— Vas-y, toi, dis-lui ! dit Diego à sa femme, tout en fermant les yeux.

Il semblait souffrir de nouveau. Les médecins avaient beau considérer qu'il était hors de danger, il était toujours très faible.

— Me dire quoi ? demanda Anna.

Guillermina se recueillit un instant avant de se lancer.

— La discussion entre Diego, Miguel et Carlos... Ce n'était pas une histoire de drogue...

Guillermina adressa à Anna un regard plein d'espoir.

—Vous avez dit que si c'était un motif de drogue, le juge enverrait Diego plus longtemps en prison... Eh bien, ce n'était pas pour ça. Alors, la condamnation pourra être plus légère, n'est-ce pas ?

— C'est vrai, reconnut Anna. Mais il faut que vous regardiez les choses en face, tous les deux. La police de Denver et la Brigade des stupéfiants surveillaient Diego depuis plusieurs mois. Ils savent que Miguel et Carlos travaillaient pour le compte de Diego. Vous ne leur ferez sûrement pas croire que ces deux-là vous faisaient une visite de courtoisie, samedi dernier. Surtout qu'ils sont arrivés après l'heure de fermeture du restaurant...

— Le juge croira ce qu'il veut mais la dispute n'avait rien à voir avec la drogue, répéta obstinément Guillermina. Sauf que Miguel et Carlos étaient drogués, et c'est pour ça qu'ils se sont mis à raconter des choses qu'ils auraient mieux fait de garder pour eux.

— Diego aussi était drogué, fit observer Anna. Les analyses l'ont prouvé. Il était sous l'effet de la cocaïne.

— Je sais.

L'espace d'un instant, le visage de Guillermina exprima de nouveau le désespoir. Elle lança un regard courroucé à son mari, un regard de colère et d'amour à la fois.

—Il est stupide… Il m'avait pourtant promis… Mais il n'a pas tenu sa promesse.

— Je te demande pardon, chérie. Je te demande pardon, murmura Diego en espagnol.

— J'essaie de te pardonner. Mais tu ne le mérites pas. Tu as de la chance d'être malade, tu sais : à cause de ça, je ne peux pas être autant en colère que je devrais. Mais quand même…

Guillermina ravala un sanglot, et murmura à l'adresse d'Anna :

— Ah ! Les hommes ! On n'en serait pas là si le bon Dieu avait bien voulu leur donner un cerveau. Rien qu'un petit ! Vous ne croyez pas ?

Anna se surprit à rire.

— Je n'en suis pas sûre. Je crois qu'ils font assez de dégâts comme ça. Avec un cerveau en bon état de marche, ils deviendraient franchement dangereux !

— Explique à Mlle Langtry ce qui s'est passé, dit Diego de sa voix enrouée. La police n'a entendu que Miguel et Carlos. Et ils mentaient.

Les deux jeunes femmes, qui avaient, un instant, oublié la gravité de la situation, retrouvèrent immédiatement leur sérieux, et Guillermina reprit le fil de son discours.

— Tu as raison. Je vais lui expliquer. Toi, repose-toi. C'est vrai que Diego avait pris de la cocaïne, samedi soir. C'est pour ça qu'il s'est conduit comme un imbécile et qu'il a perdu son calme. Et il n'a rien trouvé de mieux pour les arrêter que de leur tirer dessus.

Elle porta la main à son front, et essuya quelques larmes dues à l'exaspération autant qu'au chagrin.

—Mais ce n'est pas à cause de leur trafic que Diego était en colère. C'était qu'ils voulaient commettre un meurtre.

— Un *meurtre* ? demanda Anna, interloquée.

C'était la dernière chose à laquelle elle s'attendait. Si Guillermina avait l'intention de lui servir des boniments capables de la surprendre, c'était réussi.

—Vous voulez dire que Carlos et Miguel étaient assez dingues pour venir assassiner Diego dans son restaurant ?

— Non, *Señora*. Ce n'est pas Diego qu'ils voulaient tuer. Carlos vient du même village que moi : je le connais depuis l'enfance. Il est devenu un homme cruel et sans conscience, depuis qu'il a quitté la Colombie, mais je sais qu'il a dit la vérité, l'autre soir. En fait, il est venu se vanter auprès de mon mari que Miguel et lui étaient payés dix mille dollars pour tuer un homme qu'ils n'avaient jamais vu de leur vie. Ils ont montré à Diego les trois mille dollars qu'on leur avait donnés d'avance, et ils lui ont fait voir la photo de l'homme qu'ils devaient assassiner. Ils lui ont dit aussi qu'ils arrêteraient de travailler pour lui quand ils auraient touché le reste de l'argent. Qu'ils repartiraient en Colombie et qu'ils vivraient la belle vie avec leurs familles.

— Et la bagarre a éclaté parce que Diego a voulu les en empêcher ?

— *Si, Señora.* Diego était furieux qu'ils deviennent des assassins pour de l'argent. On ne peut pas tuer un homme qui ne vous a fait aucun mal ! Il était vraiment furieux, vous savez ?

Anna secoua la tête en signe d'impuissance, et se massa machinalement les tempes pour tâcher d'y voir un peu plus clair.

— Je comprends que tout cela soit décourageant pour vous, Guillermina. Mais vous savez bien ce que Miguel et Carlos vont déclarer haut et fort. Ils jureront que Diego leur a tiré dessus parce qu'ils lui annonçaient qu'ils ne voulaient plus travailler pour lui. Et ils n'en démordront pas, c'est évident !

A grand-peine, Diego déplaça sa tête pour que son filet de voix parvienne jusqu'à la jeune femme.

— Guillermina ne vous a pas tout dit, Anna. Elle a oublié le plus important.

— De quoi s'agit-il ?

— J'ai reconnu l'homme sur la photo. Il se trouve que c'est un ami à moi. Alors, j'ai explosé, et je leur ai dit que j'allais le prévenir.

Diego eut un léger sursaut qu'Anna interpréta comme un haussement d'épaules.

—J'aurais mieux fait de me taire, évidemment, mais la cocaïne m'empêchait de réfléchir. Et j'ai proféré toutes sortes de menaces. J'ai même dit que j'allais appeler la police. Malheureusement, Miguel et Carlos y ont cru…

La fin de sa phrase s'étrangla dans une quinte de toux.

— C'est quand mon mari les a menacés d'appeler la police que Carlos a tiré, dit Guillermina en reprenant le fil du récit. C'est Carlos qui a tiré en premier, avant même que Diego ait pu sortir son revolver. Et puis, Miguel a tiré, lui aussi.

Elle caressa tendrement le visage de son mari, écartant une mèche noire rebelle qui lui barrait le front. Puis elle se tourna vers Anna et lui agrippa le bras avec un regard suppliant.

110

— Diego a failli se faire tuer pour empêcher un meurtre. Il a tiré en légitime défense. Est-ce que c'est juste qu'on l'envoie passer le reste de sa vie en prison ?

« Toute cette histoire est rudement bien ficelée », pensait Anna froidement. C'était même ce qu'on pouvait faire de mieux dans le genre pour essayer d'obtenir la peine minimum. Allait-il tenter ce coup-là devant les juges, avec son avocat payé par l'argent de la drogue ? Elle regardait Diego en s'efforçant de garder la tête froide et de ne pas laisser ses sentiments prendre le pas sur sa raison.

— Est-ce qu'il y a ne serait-ce qu'une parcelle de vérité dans tout ce que vous me racontez ? lança-t-elle avec brusquerie. Ou bien êtes-vous encore en train de vous payer ma tête, Diego ?

— Tout ce que je vous ai dit est vrai. A cent pour cent. Y compris le fait que je planais à mort samedi soir, et que j'étais incapable de me contrôler.

— Avez-vous la plus petite preuve à avancer ?

— Non. Aucune preuve…

La voix de Diego faiblit de nouveau. Il ajouta dans un souffle :

—Et Carlos et Miguel ne sont sûrement pas près d'avouer qu'ils étaient devenus des tueurs à gages…

— J'ai cherché la photo qu'ils avaient montrée à Diego, dit Guillermina. Mais c'étaient trois jours plus tard, et je ne l'ai pas retrouvée. Je suppose que la police l'a récupérée. Mais ils ne voudront sûrement pas croire que c'était la cause des coups de feu.

— Vous m'avez dit que vous aviez reconnu l'homme de la photo, reprit Anna en s'adressant à Diego. Qui est donc ce supposé ami dont la vie était en jeu ? L'un de vos complices, je suppose ? Un dealer, lui aussi ?

Diego fit non de la tête.

— Rien à voir avec la drogue. Ce gars-là ne fume même pas. C'est un type que j'ai rencontré en prison. Pas très facile à cerner, comme bonhomme ; mais on était devenus bons amis, lui et moi. Je lui avais appris l'espagnol. Lui m'avait appris la comptabilité. Ça nous donnait quelque chose à faire, vous comprenez ? Enfermés pendant toutes ces journées… Il s'appelle Joseph Mackenzie.

— *Joseph Mackenzie ? !* Vous connaissez Joseph Mackenzie ?

— Oui. On partageait la même cellule.

Anna se demandait pourquoi cette nouvelle la stupéfiait à ce point. Après tout, il n'était pas extraordinaire que ces deux-là se soient connus : cela faisait plusieurs années qu'ils étaient dans la même maison d'arrêt. Quoi d'étonnant qu'ils soient devenus copains ?

— Joe m'a sauvé la vie quand on était en prison. J'ai voulu faire la même chose pour lui. Il faut le prévenir qu'il est en danger, mademoiselle Langtry. Allez lui dire que quelqu'un veut sa peau !

6.

Anna était contrariée. Cette nouvelle péripétie, véridique ou inventée, lui inspirait un malaise désagréable : dans l'intérêt de Mackenzie, elle espérait que cette histoire de complot et de meurtre était le fruit de l'imagination créative des Esteban. En même temps, elle aurait voulu que ce soit la vérité, ce qui aurait disculpé Diego.

Les détails rapportés par Guillermina et son mari faisaient froid dans le dos et pouvaient parfaitement correspondre à la réalité. D'un autre côté, comment faire crédit aux affirmations de Diego, qui lui avait menti depuis des mois ? Avant d'aller trouver la police et de porter des accusations graves, elle avait intérêt à réfléchir froidement et à mener son enquête quand elle ne serait plus sous le coup de l'émotion.

Tout en regagnant le parking de l'hôpital, Anna trouva une foule de raisons de ne pas croire à la version de Diego. Il fallait avouer qu'il avait de puissants motifs pour mentir... Et puis, contrairement à ce que l'on voit au cinéma, bien peu de meurtres sont commis par des tueurs à gages. Lorsque c'est le cas, le crime est généralement commandité par un partenaire sexuel éconduit...

Bien sûr, en dehors du fait que Mackenzie n'avait jamais été marié — du moins, d'après ce que disait son dossier —, on ne savait rien sur ses relations intimes. Peut-être avait-il laissé derrière lui une demi-douzaine de petites amies acharnées à vouloir sa perte ? Ce genre d'information figurait rarement dans les archives, sauf si elles étaient en rapport direct avec le corps du délit.

Anna était bien placée pour savoir que Mackenzie pouvait produire une forte impression sur la gent féminine... De là à imaginer qu'une ancienne maîtresse, folle de jalousie, en arrive à ce genre d'extrémité, il n'y avait qu'un pas. Surtout s'il s'était rendu coupable vis-à-vis d'elle de quelque indélicatesse d'ordre financier... Mackenzie avait bien escroqué ses clients les plus modestes de près d'un million de dollars. On pouvait aussi bien s'attendre qu'il dépouille de ses économies une compagne aveuglée par l'amour...

Anna décida que la mention *jamais marié* ne garantissait nullement que Mackenzie fût à l'abri d'une vengeance féminine. Et, même s'il n'y avait aucune femme bafouée à l'horizon, il avait très bien pu se faire des ennemis à l'intérieur de la prison : il y avait suffisamment de parrains mafieux dans les établissements pénitentiaires... Et Dieu sait qu'ils n'hésitaient pas à recruter des petites frappes pour régler son compte à un codétenu qui les aurait offensés pour quelque motif que ce soit. La chose arrivait couramment.

Tout bien pesé, Anna conclut que l'histoire de Diego n'était pas si abracadabrante que cela. Il fallait donc prévenir Joseph Mackenzie qu'il était peut-être la cible de tueurs à gages. Et cela ne pouvait pas attendre le lundi suivant.

De même, il était impératif de poser un certain nombre de questions à Miguel et à Carlos avant qu'ils aient eu le temps de consulter un avocat et de mettre au point une version des faits capable de les innocenter.

Anna devait également contacter les policiers qui avaient perquisitionné le restaurant, pour savoir exactement ce qu'ils avaient pu trouver. S'il y avait, effectivement, une photo de Mackenzie sur les lieux du crime, ce serait un élément important pour accréditer la version de Diego. Comment expliquer la présence de cette photo au restaurant, si l'on ne retenait pas l'explication des Esteban ?

Appuyée au capot de sa voiture, Anna sortit son téléphone portable de son sac et composa le numéro de Bob Gifford, l'officier qui avait arrêté Diego, le samedi précédent.

Avec un soupir d'aise, elle exposa son visage au soleil pendant que le téléphone de son correspondant sonnait. Même pour Denver, c'était un changement de temps spectaculaire : lundi, la neige et le froid et, aujourd'hui, une douceur printanière… Elle venait même de repérer un couple d'écureuils qui sautaient de branche en branche dans un sapin en bordure du parking.

Elle était tout à ce spectacle quand elle fut mise en communication avec la boîte vocale de Bob Gifford. Celui-ci était indisponible jusqu'au lundi suivant à 8 heures. En cas d'urgence, on pouvait contacter son collègue, Ed Barber, ou laisser un message.

Faisant contre mauvaise fortune bon cœur, Anna se résigna à appeler le collègue de Gifford et à lui faire un rapport complet de tout ce que lui avaient raconté les Esteban.

L'inspecteur Gifford lui avait fait une forte impression. Elle avait eu le sentiment d'avoir affaire à un type solide, perspicace et dynamique. En comparaison, son collègue Barber parlait d'une voix lasse et n'avait rien d'un foudre de guerre.

Il se montra à peine poli, et il était évident qu'il ne trouvait pas d'urgence particulière dans la situation qu'Anna lui décrivait. Il ne voyait pas le problème : Miguel et Carlos étaient sous les verrous, et Diego retournerait en prison, lui aussi, dès que les médecins auraient donné leur feu vert. Les trois compères allaient se retrouver à l'ombre pour un bon bout de temps... Dans ces conditions, il ne comprenait pas pourquoi Anna se faisait autant de souci. Tout cela pouvait largement attendre le surlendemain, que son collègue ait repris son service. Et, comme Gifford ne croulait pas sous le travail, en ce moment, il aurait bien le temps de s'en occuper dès son retour.

— Ça n'a pas l'air de vous gêner beaucoup que Joseph Mackenzie risque d'être assassiné, lui fit remarquer Anna, outrée.

— Le risque n'existe plus. Si tant est qu'il ait jamais été réel, répondit Barber d'un ton suffisant.

— Qu'est-ce que vous entendez par là ?

— Je vous rappelle que Carlos Inez et Miguel Ortega sont derrière les barreaux. Ça m'étonnerait bigrement qu'ils tirent sur Mackenzie depuis leur cellule ! Et puis, de vous à moi : vous n'allez pas me dire que vous croyez un traître mot du tissu de bobards qu'Esteban vient de vous déballer, tout de même ?

— Si, précisément. C'est même pour ça que j'ai appelé Bob Gifford et que je prends sur mon temps libre pour vous faire un rapport circonstancié.

— Ouais. Permettez-moi de vous dire que vous n'avez sans doute pas encore rencontré autant d'ordures que moi. Laissez-moi vous dire qu'ils passent leur temps à mentir, tous autant qu'ils sont.

— Je suis juge d'application des peines, inspecteur, pas jardinière d'enfants. J'ai déjà vu pas mal d'ordures. Et Diego Esteban n'en fait pas partie.

— Je n'en suis pas si sûr, voyez-vous. Ecoutez : la dernière fois que Diego a été arrêté, c'est moi qui me suis occupé de lui. C'est même moi qui ai été chargé par les Stup de dresser la liste des charges qui pesaient contre lui. Ce gars-là est mouillé jusqu'à l'os dans des histoires de drogue et de corruption. Il ne peut pas lever le petit doigt ni battre des cils sans en rendre compte au Cartel de Medellin. Tout ce qu'il dit, fait ou pense lui est dicté par ses patrons de Bogota. Alors, dans mon dictionnaire à moi, un type comme ça, ça s'appelle une ordure. Une sacrée saloperie d'ordure et même un sale fils de pute. Il est assez pourri pour inventer n'importe quel bobard capable de lui attirer votre indulgence ou celle des juges.

— Je ne suis absolument pas d'accord avec vous.

— Eh bien, c'est une preuve supplémentaire que j'ai raison ! Diego vous a bien roulée dans la farine, hein ? Il vous a menée par le bout du nez ! Vous avez avalé toutes ses histoires, pas vrai ?

Cela faisait bien un quart d'heure qu'Anna était poursuivie par cette pensée. Mais, comme par un fait exprès, moins l'inspecteur Barber semblait attacher d'importance à l'histoire de Diego, et plus elle se sentait convaincue qu'elle était vraie… Et, si elle était vraie, les charges pesant contre Diego s'allégeaient d'autant. Mais cela signifiait aussi que Joseph Mackenzie courait un danger imminent. Hypothèse dont l'inspecteur Barber semblait se moquer comme d'une guigne…

— La femme de Diego n'est pas une criminelle, elle. Et elle confirme les propos de son mari, fit observer Anna. Cela fait donc deux personnes qui déclarent que Joseph Mackenzie risque d'être assassiné.

L'inspecteur ricana.

— Parce que vous vous imaginez que la femme de Diego va aller raconter que son jules est un sacré menteur ? Tiens donc ! Elle a toutes les raisons d'abonder dans son sens ! Et puis, écoutez : quand bien même Diego aurait dit la vérité — une fois n'est pas coutume —, il n'y a pas de souci à se faire. Je vous ai dit que les deux lascars censés tuer votre Mackenzie étaient coffrés et non libérables sous caution. Alors, votre protégé peut dormir sur ses deux oreilles : Inez et Ortega ne sont pas près de venir lui tirer dessus !

— Mais ce n'est plus de ces deux-là qu'il s'agit, maintenant. C'est le type qui les a recrutés qui représente un danger. Et, tant que vous n'interrogerez pas Inez et Ortega, on n'aura pas la moindre idée de son identité. Ce qui signifie qu'il a tout loisir de louer les services de n'importe quel autre tueur, quand bon lui semblera !

— Ouais. Ça, c'est possible en théorie. Mais ça fait vingt-quatre ans que je suis dans la police, et je peux vous dire qu'il n'y a pas des tonnes d'assassins professionnels, à Denver.

L'inspecteur Barber s'efforçait de prendre un ton pédagogique et patient pour expliquer des évidences à son interlocutrice, mais il ne cherchait pas à cacher que toute cette histoire l'agaçait prodigieusement.

— Et moi, je pense qu'à Denver, on doit pouvoir trouver au moins un individu qui accepte de tuer quelqu'un pour de l'argent. Il suffit d'un seul, et Mackenzie est mort. Sans avoir eu le temps de faire ouf !

Anna serrait les dents pour ne pas en dire plus. En balançant à la figure d'Ed Barber qu'il n'était qu'un abruti incompétent et stupide, elle ne ferait probablement pas avancer les choses…

— Je suppose que vous avez raison. Il doit suffire d'un homme pour faire le boulot. Et Dieu sait qu'on ne pourrait pas se passer d'un bon et loyal citoyen comme Joseph Mackenzie, hein ? La société ne se remettrait sûrement pas d'une telle perte, pas vrai ?

— Il a payé sa dette. Il respecte les termes de sa libération conditionnelle. Il a droit à la pleine et entière protection de la police.

— Sûr ! Excusez-moi si je ne me précipite pas pour prendre les balles à sa place…

— Je ne vous en demande pas tant, inspecteur. Je veux seulement que vous montiez gentiment dans votre voiture pour prévenir Mackenzie qu'il a peut-être un tueur à ses trousses.

Barber poussa un profond soupir.

— O.K. Puisque ça vous cause tellement de souci, j'irai prévenir Mackenzie dès que j'aurai une heure à moi et que je pourrai quitter ce bureau. Mais, encore une fois, je suis persuadé que votre bonhomme ne court pas le moindre danger. Et c'est bougrement enquiquinant qu'il n'ait pas le téléphone !

— Ce n'est sûrement pas pour vous empoisonner la vie qu'il se passe de téléphone. C'est juste parce qu'il n'a pas les moyens.

Anna avait les mâchoires contractées par la rage. Elle aurait payé cher pour pouvoir déposer une plainte officielle contre l'inspecteur Barber. Mais il valait mieux ne pas s'y risquer, elle le savait bien. La police considérait, en général, les juges d'application des peines comme des travailleurs sociaux empêcheurs de tourner en rond, qui se souciaient, avant tout, du bien-être de leurs clients, plutôt que comme des auxiliaires des forces de l'ordre, soucieux de protéger la société. Anna savait parfaitement que les relations entre son département et la police étaient déjà suffisamment tendues. Inutile d'en rajouter avec une protestation officielle. Cela ne servirait qu'à rajouter de l'huile sur le feu.

— Alors, je peux compter sur vous pour avertir Mackenzie aujourd'hui même ? reprit-elle.

— Je vais essayer. Mais, si ça vous semble tellement important, pourquoi n'y allez-vous pas vous-même ? Vous pourriez essayer de savoir s'il a une petite idée sur les gens qui lui en veulent. Et vous me tiendriez au courant. Après tout, c'est un dossier à vous, n'est-ce pas ? Il vous en dira sûrement plus long qu'à moi. Vous savez que les ex-détenus n'ont pas une passion pour les flics…

« Ça, c'est certain », pensa Anna. Et c'était compréhensible. Surtout lorsqu'ils avaient affaire à des flics comme Barber !

— D'accord, inspecteur. Mackenzie est un cas qui m'a été confié. Il est sous ma responsabilité. Je vais aller le trouver, comme vous m'y invitez. Je vous suis infiniment reconnaissante pour votre aide précieuse.

Le sarcasme d'Anna eut l'air de passer très loin au-dessus de la tête d'Ed Barber, qui lui répondit comme si de rien n'était :

—Je vous en prie. Toujours content de pouvoir rendre service à un collègue.

« Tu parles ! »

Anna éteignit rageusement son téléphone portable, et songea avec nostalgie à la virée qu'elle avait envisagée dans la galerie commerciale…

Et puis zut ! Ce n'était pas si grave. Elle ferait ses courses une autre fois…

120

En montant en voiture, elle se remit à penser à Mackenzie : aurait-il perdu un peu de sa sauvagerie, six jours après sa libération ? Probablement pas. Il fallait généralement un bon mois pour se réadapter à la liberté. Bah ! Quelle importance ? Joseph Mackenzie pouvait se comporter comme il le voulait, elle s'en moquait éperdument ! Pourvu qu'il ne montre aucun signe d'ivresse et qu'il ne contrevienne pas aux termes de sa conditionnelle, c'était tout ce qu'elle lui demandait.

Elle traita par le mépris la drôle de sensation qu'elle éprouvait à l'idée de se retrouver bientôt en sa présence, et s'installa au volant de sa bonne vieille Subaru. Puis, elle fonça vers Colfax Avenue en direction de l'hôtel Algonquin.

7.

Joe travaillait de minuit à neuf heures du matin. Il partait
après le rush du petit déjeuner. Théoriquement, il était de repos
le vendredi et le dimanche, mais le sous-chef de cuisine lui
avait offert une prime intéressante pour travailler aussi le vendredi, et Joe avait sauté sur l'occasion. Car il avait plus besoin
d'argent que de temps pour mener à bien son enquête.

Aujourd'hui, pourtant, il avait décliné la proposition de nouvelles
heures supplémentaires pour le lendemain. Il était fermement
décidé à se lancer dans des recherches approfondies.

Après son service, il prit le repas auquel son contrat lui
donnait droit, et se dirigea vers l'hôtel Algonquin. Le soleil
brillait, le ciel était bleu. Joe se laissait aller au bonheur de
choisir le chemin qui lui plaisait, de s'arrêter quand bon lui
semblait et même de flâner à sa guise devant les vitrines, sans
qu'un garde lui balance un coup de matraque dans les jambes
et lui hurle d'avancer.

De retour dans la bienfaisante solitude de sa chambre, il
prit une douche, et emballa son linge sale de la semaine dans
sa taie d'oreiller. Il passa une heure à la laverie, et se plongea
dans la lecture d'un magazine vieux de six mois.

Il constata avec surprise que les célébrités du moment lui
étaient totalement inconnues. Il fut frappé par l'évidence :

le monde qui avait été le sien, quatre ans auparavant, était complètement révolu. A tous points de vue. En même temps, les histoires et les situations étaient toujours les mêmes ; seules les têtes et les noms changeaient…

Un article de la rubrique « Notre vie » présentait vingt-quatre heures de la vie d'une mère de quadruplés… Une star de cinéma venait de mettre au monde un magnifique petit garçon mais refusait de dévoiler l'identité du père… Joe aurait juré qu'il avait déjà lu ça dans la salle d'attente du dentiste, avant son arrestation !

La photo de couverture montrait un membre du Congrès dont le slogan électoral avait été « Retour aux valeurs familiales traditionnelles ». L'homme, cinquante-cinq ans, marié et père de famille, était poursuivi par trois anciennes stagiaires qui l'accusaient de les avoir contraintes à participer à des soirées échangistes. Le magazine en profitait pour régaler les lecteurs de détails croustillants sur les soi-disant parties fines. A en croire l'article, ce devait être une fameuse débauche…

La première réaction de Joe fut le mépris le plus total pour ce membre de Congrès. Il trouvait aussi passablement déconcertant que les stagiaires n'aient pas refusé de se soumettre aux exigences de leur patron et ne l'aient pas remis à sa place. Puis, il en vint à se demander si les accusations étaient vraies, et ressentit même une certaine sympathie pour l'accusé, en songeant que tout cela ne constituait peut-être qu'un tissu de mensonges. Quoi de plus facile, en effet, que de discréditer un adversaire politique avec des affaires de mœurs ? Ou, pour une épouse vindicative, d'obtenir, avec perte et fracas, un divorce juteux ? Quoi qu'il en soit, le bonhomme pouvait dire adieu à sa carrière au sein du Congrès. Le fait qu'il soit déclaré coupable ou innocent par les juges n'avait plus d'im-

124

portance, maintenant : le mal était fait. Et Joe était bien placé pour savoir ce que cela signifiait…

Tout en pliant son linge, il faisait la moue. Encore une conséquence pour le moins inattendue de son séjour en prison : il pouvait, désormais, éprouver de la sympathie pour un politicien. Voilà un événement digne de figurer dans le livre des records !

Il rentra chez lui en goûtant le soleil de midi, inspirant à pleins poumons la brise rafraîchissante qui descendait encore des montagnes enneigées.

Tout en rangeant sa petite pile de linge dans les tiroirs de sa commode, il prit conscience qu'il se sentait propre pour la première fois depuis quatre ans. Quel plaisir ! La sensation était tellement nouvelle qu'il ne l'avait pas tout de suite reconnue…

Joe examina la situation sous tous les angles : mais oui, il était heureux ! Et pourquoi pas ? Il avait du travail ; il toucherait sa première paie le vendredi suivant ; il avait une chambre à lui, des vêtements propres. Et il venait de s'offrir une excellente omelette jambon-fromage. Certes, sa vie sexuelle ressemblait encore au désert de la Soif, mais il s'y était habitué. Et puis, il avait la vie devant lui…

Quand il s'imagina en train de faire l'amour, l'image d'Anna Langtry s'imposa à lui avec une violence inattendue. Joe la chassa immédiatement. Il avait fait un remarquable travail sur lui-même, ces derniers jours, pour se convaincre que cette attirance ne présentait aucun caractère sérieux, et il n'avait pas l'intention de revenir là-dessus.

Les salopards qui l'avaient fait boucler pour quatre ans n'attendaient sûrement que ça : le moment où il se focaliserait sur une nana au point d'en oublier son désir de vengeance.

Mais ils auraient bientôt l'occasion de constater qu'ils se trompaient lourdement. Quatre ans de prison lui avaient appris à goûter les minuscules joies de la vie. Par exemple, ce beau samedi ensoleillé. Ces quatre ans de prison lui avaient aussi donné des raisons de renouer avec la haine, un sentiment qu'il croyait avoir éloigné de lui, depuis qu'il avait échappé aux griffes de sa brute de père.

Joe mit de côté le souvenir de ses sombres années d'adolescence, comme il s'était astreint à le faire depuis bien longtemps. Il ressortit pour se rendre à la bibliothèque municipale. Il avait besoin d'informations, de beaucoup d'informations, et le manque d'argent rendait ses recherches difficiles. Si seulement il avait disposé d'une partie de la somme qu'il était censé avoir volée ! Ce n'était pas la première fois qu'il se surprenait à le regretter… Sa vie aurait été rudement simplifiée si, effectivement, des milliers de dollars l'avaient attendu, au chaud, quelque part dans une banque à l'étranger !

Néanmoins, il gardait confiance. Il avait bon espoir d'arriver à retrouver celui ou ceux qui lui avaient fait passer quatre ans derrière les barreaux. En dépit de la difficulté que représentait le manque d'argent, en dépit du fait qu'il n'aurait pas le droit de sortir de la zone couverte par le métro de Denver… Parce que, de toute façon, il n'était pas question pour lui d'envisager un échec. Quelqu'un s'était débrouillé pour le faire incarcérer, simplement parce qu'il fouinait d'un peu trop près dans certaines opérations bancaires. Maintenant qu'il était de nouveau à pied d'œuvre, il avait bien l'intention de reprendre ses investigations là où il les avait laissées.

Mais, cette fois, il serait plus malin : il ne laisserait rien filtrer avant d'avoir tous les éléments en main. On pouvait compter sur lui pour ne pas se laisser avoir une seconde fois. Car rien n'était plus facile que de renvoyer en prison un ex-détenu : un petit sachet de poudre qu'on vous met dans la poche, un coup de téléphone aux flics et hop ! Au violon avant d'avoir eu le temps de faire ouf !

Quatre ans plus tôt, il était encore naïf. Il s'était laissé piéger comme un bleu. Même après son arrestation, il avait bêtement cru qu'il lui suffirait d'expliquer à son avocat les manipulations bancaires qui avaient permis d'escamoter des sommes énormes pour que l'on procède à des vérifications immédiates. Vérifications qui auraient permis d'établir son innocence.

Mais, à son grand étonnement, les enquêteurs du FBI n'avaient retrouvé aucune trace des mystérieuses sommes dont il leur avait parlé. Joe avait insisté, assurant qu'il pouvait démontrer l'existence de comptes-fantômes à l'intérieur du système bancaire. Des comptes utilisés, chaque mois, pour faire disparaître des sommes allant jusqu'à un demi-million de dollars. Il avait fait des relevés informatiques à propos des transactions les plus douteuses, et il les avait mis en lieu sûr, dans un coffre à la banque. Les clés se trouvaient dans un tiroir de son bureau. Le FBI n'avait qu'à vérifier...

Personne ne l'avait pris au sérieux. Personne ne lui avait permis d'accéder à son bureau. Pourquoi autoriser un accusé convaincu de détournement de fonds, déjà en état d'arrestation, à retourner sur les lieux de ses méfaits, alors qu'un examen approfondi des comptes de la banque n'avait révélé aucune irrégularité ? On lui avait donc refusé l'accès au système informatique.

Quant aux recherches dans les tiroirs de son bureau, elles s'étaient révélées infructueuses : pas la plus petite clé de coffre, pas le moindre relevé informatique montrant une transaction frauduleuse, mais une liasse de bons du Trésor de cinquante-cinq dollars, pour un montant total de quelque deux mille dollars...

Le fait que Joe ait poussé le scrupule jusqu'à ne porter aucune accusation tant qu'il n'avait pas réuni toutes les preuves s'était, finalement, retourné contre lui. Puisqu'il avait remarqué des irrégularités depuis un bon bout de temps, pourquoi n'en avait-il pas fait part au FBI ? Pourquoi n'en avait-il parlé à personne, même à son meilleur ami, Franklin Saunders ? Pourquoi n'en avait-il pas soufflé mot à sa fiancée, la charmante Sophie Bartlett, dont le père était un homme d'affaires influent qui aurait pu lui donner des conseils précieux pour ses investigations ?

Evidemment, c'étaient de bonnes questions et, sur le moment, Joe n'avait pas su y répondre correctement. En fait, s'il n'avait rien dit à Franklin, c'est parce qu'il le savait incapable de garder un secret. Quant à sa séduisante fiancée, il avait bien essayé de lui parler de ce qui se passait à la banque, mais, visiblement, le sujet ne l'avait pas passionnée : elle s'était endormie au beau milieu de ses explications !

Cela même aurait dû l'éclairer sur la nature de leur relation... Mais il ne se posait pas ce genre de question, à l'époque : il faisait de longues journées à la banque, pour tâcher de rembourser ses grands-parents qui avaient financé ses études. Et, quand il se retrouvait en compagnie de Sophie, il n'avait pas trop envie de parler boulot. Sophie était du genre à faire de l'amusement et du divertissement un art à part entière, alors que, jusque-là, Joe n'avait encore jamais réussi à faire entrer la frivolité dans sa vie. A sa grande surprise, il s'était découvert, sous l'influence de Sophie, une aptitude insoupçonnée à faire la fête, et cela avait été, pour lui, une expérience libératrice.

Bien qu'il eût pleinement goûté chacune des heures qu'il avait passées avec Sophie — particulièrement lorsqu'ils se retrouvaient dans le même lit — Joe avait toujours eu conscience que leur relation manquait de réelle complicité. C'était, d'ailleurs, sa faute à lui. Il n'était pas très doué pour l'intimité, et il n'aurait jamais épousé une femme qui exigeât de partager tous les secrets de son âme. En cela, Sophie lui convenait parfaitement. Il faut dire que, même avant d'avoir passé quatre années à méditer en prison, Joe était persuadé que les profondeurs de son âme étaient un univers ténébreux qu'il était préférable de laisser enseveli.

Voilà pourquoi il avait fait mine d'ignorer la question lorsque l'inspecteur Varek lui avait demandé pourquoi il n'avait pas informé sa fiancée des trafics qu'il prétendait avoir découverts à la banque. Il répétait qu'il était à deux doigts de faire un rapport circonstancié au directeur de la banque quand Varek s'était présenté chez lui et lui avait annoncé l'existence d'un trou de neuf cent vingt-trois mille dollars dans les pensions de retraite qu'il gérait.

Joe avait d'abord été abasourdi. Puis il avait compris que personne, absolument personne, ne voulait le croire. Il s'était, finalement, retrouvé dans le désarroi le plus total. A qui pourrait-il prouver que le problème véritable n'était pas dans sa gestion des fonds de pension mais dans une autre branche du système bancaire, et qu'il n'était que le dindon d'une farce considérable qui se jouait ailleurs ? Toutes ses protestations d'innocence s'étaient heurtées à un mur.

Avec le recul, Joe mesurait à quel point sa confiance inébranlable et stupide dans la puissance de la loi — qu'il avait toujours crue faite pour protéger les citoyens innocents — et sa loyauté indéfectible avaient été ridicules. Après toutes ces années, il comprenait enfin que les seules mentions de *conspiration* et de *coup monté* avaient suffi à l'envoyer en prison, sans même lui laisser le temps de prendre une brosse à dents ni de contacter son avocat...

En conséquence, son plan actuel était simple : il allait trouver *qui* était responsable du sale tour qu'on lui avait joué, et il s'occuperait personnellement de ce saligaud. Lui tout seul. Sans en référer aux flics ou à la justice.

La première étape de cette traque consistait à déterminer où se trouvaient ses anciens collègues de la banque : où ils travaillaient et où ils vivaient.

Ça lui prendrait peut-être un certain temps, mais ce n'était pas un problème : il avait appris la patience, une vertu essentielle dans tout projet de vengeance.

A la bibliothèque, Joe trouva un ordinateur libre, et s'installa en prenant bien soin de rester en dehors du champ de vision du surveillant. En 1997, la succursale de la Banque du commerce et de l'industrie à Durango n'employait que neuf personnes. Trouver le fils de pute qui l'avait poignardé dans le dos ne devait pas être une tâche insurmontable.

Par certains côtés, c'était presque une chance que les agents de la répression des fraudes aient aussi mal fait leur boulot, se dit Joe en lisant les instructions qui se déroulaient sur l'écran de l'ordinateur.

L'agent Varek, du FBI, qui avait mené l'enquête, avait dû décider, dès son arrivée à Durango, que Joe était un menteur et un escroc. Si bien qu'il n'avait pas jugé bon d'éplucher les dossiers.

La réaction des administrateurs de la banque avait été à l'image de celle du FBI : d'après ce que Joe savait, le siège social avait demandé un audit mais il s'était limité à examiner en détail les comptes de la clientèle, sans aller chercher plus loin. D'ailleurs, les commissaires aux comptes s'étaient focalisés sur les retraits suspects. Personne ne s'était intéressé le moins du monde aux sommes substantielles qui étaient déposées, chaque mois, sur des comptes dont Joe était convaincu qu'ils appartenaient à des associations bidon ou à des hommes de paille.

Il espérait ne pas être trop optimiste en s'imaginant que le vrai fraudeur avait été négligent. Parbleu ! L'entourloupe faite à ce pauvre crétin de Mackenzie avait été un tel succès que le criminel le plus endurci avait dû s'enhardir et pousser le bouchon encore plus loin ! Dans le meilleur des cas, les escroqueries continuaient. Sinon, les preuves de l'ancienne fraude devaient subsister quelque part. Et, dans ce cas-là, il ne serait pas difficile de les faire réapparaître.

Joe se connecta sur Internet en donnant le code d'accès de l'adolescente assise devant l'ordinateur voisin. La vitesse de connexion avait plus que triplé pendant qu'il était en prison, même sur les ordinateurs préhistoriques de la bibliothèque. Les sites avaient proliféré de manière sidérante, mais ses compétences en informatique étaient suffisamment solides pour que les années passées derrière les barreaux ne le gênent pas trop.

Un moteur de recherche lui permit de trouver rapidement le site de la Banque de commerce et d'industrie du Colorado. Le sommaire de la page d'accueil proposait une rubrique pratique qui donnait la liste complète des employés à temps plein, avec leurs fonctions dans les différentes succursales. Le site avait été mis à jour trois semaines auparavant. Les données que Joe allait trouver étaient donc d'actualité.

Il s'était imaginé qu'il aurait à faire preuve d'habileté, sinon de ruse, pour retrouver les coordonnées des collègues avec lesquels il travaillait, à l'époque où il avait été arrêté. Le site Web de la banque rendait les choses ridiculement aisées, au point qu'il adressa intérieurement un coup de chapeau aux agents chargés des relations publiques de la BCI du Colorado.

Il s'intéressa, en premier lieu, à Franklin Saunders, parce qu'il était à la tête du service Emprunts de la succursale de Durango à l'époque où Joe y travaillait.

Frank avait un an de plus que lui ; c'était le genre de type ouvert et sociable qui s'entend bien avec tout le monde. Joe, au contraire, n'avait que peu de talent pour se faire des amis, et c'était sans doute la raison pour laquelle chacun avait immédiatement accordé foi à la version que Frank avait donnée, au moment des faits, tandis que personne n'avait voulu croire à la sienne.

Célibataire, issu d'une riche famille bostonienne dans la plus pure tradition de la Nouvelle-Angleterre, Frank était un banquier passable mais un skieur talentueux. Il répétait souvent, avec une note d'amertume, que les heures passées à la banque auraient été infiniment mieux employées à slalomer sur les pistes des Rocheuses.

Si Joe était loin de skier aussi bien que Frank, par contre, il s'y prenait beaucoup mieux avec les femmes. Il avait même appris à son ami comment obtenir rapidement un rendez-vous. En échange, Frank lui avait enseigné l'art d'attaquer la poudreuse sur les pistes noires. Et, apparemment, chacun y avait trouvé son compte…

Le site Web indiquait que Frank travaillait toujours à la BCI. Mais il n'était plus à Durango. Il avait bénéficié d'une promotion, peu après la condamnation de Joe, et il occupait, désormais, le poste de directeur du service Clientèle à l'agence centrale de Denver. Une manière de le récompenser d'avoir découvert la fraude de son collègue Mackenzie, songea Joe, la rage au cœur. Car, le fait que ce soit Frank qui ait mis le doigt sur le déficit de Joe, et non pas un commissaire aux comptes extérieur à l'entreprise, avait permis de sauver l'honneur de la banque. Le grand public n'avait pas eu vent de l'affaire, et l'image de marque de la maison n'en avait pas souffert…

Frank avait dû se réjouir de l'aubaine, lui qui détestait la province et qui rêvait de vivre à Denver ! Voilà qui cadrait beaucoup mieux avec le personnage !

En fait, Frank avait largement contribué à faire plonger Joe, par les éléments qu'il avait apportés au dossier du FBI. D'abord, c'était lui qui avait signalé le trou dans les fonds de pensions. Par la suite, son témoignage avait constitué une pièce maîtresse du procès, d'autant plus qu'il se trouvait être un proche de l'accusé. Appelé à la barre, il n'avait pas caché que Joe était son meilleur ami. Partant de là, l'hésitation avec laquelle il avait déclaré — pour la forme — que jamais Joe n'aurait volé ses clients, avait renforcé les soupçons qui pesaient sur son ami, au lieu de plaider en sa faveur.

Sur le moment, Joe s'était bercé d'illusions et n'avait pas imaginé, un instant, qu'il pouvait être la victime d'accusations montées de toutes pièces contre lui. Il n'arrivait même pas à réaliser qu'on lui intentait un procès et qu'il se trouvait dans le box des accusés !

Pourtant, il avait beau être hébété, il s'était quand même rendu compte que la déposition de Frank était ce qu'on pouvait faire de pire pour indisposer un jury. S'il était arrivé en criant haut et fort que son « meilleur copain » était un escroc, ça n'aurait pas été pire !

Pourtant, Joe avait résisté à la tentation d'incriminer Frank : il n'arrivait pas à croire que son ami l'eût, de sang-froid, fait trinquer pour un crime qu'il aurait lui-même commis. Non. C'était trop simple. Il se demandait si Frank n'était pas plutôt victime, lui aussi, d'un coup monté visant à lui faire croire à lui, Joe, que son copain Frank l'avait trahi. Bien sûr, il y avait aussi le fait que Frank ne lui avait jamais rendu visite quand il était en prison. Mais cela ne voulait pas dire grand-chose. Frank était probablement trop gêné vis-à-vis de lui, et lui-même était trop fier…

La vérité, c'est que tous ces éléments n'étaient pas suffisamment probants pour que Joe puisse tirer des conclusions ni même de simples hypothèses sur le rôle véritable que Frank avait joué dans l'affaire. *Tirer des conclusions*, voilà ce qu'il aurait fait autrefois.

Autrefois. Quand il avait l'arrogance de celui qui a vaincu l'adversité, de celui qui a surmonté les dégâts causés par une enfance malheureuse et qui a fait un pied de nez au mauvais sort.

Mais voilà. Le nouveau Joe Mackenzie était beaucoup plus difficile à piéger, depuis qu'il avait touché les limites de l'infortune… Avec sa nouvelle vision de la vie, plus d'un, à sa place, se serait lancé à corps perdu dans une existence de tête brûlée : quand on n'a plus rien à perdre, pourquoi faire preuve de prudence ? Joe, au contraire, était devenu plus avisé et plus calculateur qu'avant. Il était farouchement déterminé à ne pas se laisser entraîner au fond, même si le destin avait envie de le tirer par les pieds. Il garderait la tête hors de l'eau, envers et contre tous, et il lutterait jusqu'à son dernier souffle.

Comme il ne voulait rien imprimer, Joe mit à la mémoire les données qui l'intéressaient concernant Frank, avant de s'attaquer à Caleb Welks.

Welks était déjà administrateur de la succursale de la BCI de Durango depuis plusieurs années lorsque Joe y était arrivé. Apparemment, Caleb occupait toujours la même position. Ce qui signifiait implicitement qu'à Denver, la direction générale n'avait pas considéré qu'il entrât pour quoi que ce fût dans l'affaire du soi-disant détournement : ni promotion ni limogeage dans le cas de Welks.

Etant donné qu'il avait maintenant cinquante-sept ans, il y avait tout lieu de penser que Welks resterait à Durango jusqu'à l'âge légal de la retraite, c'est-à-dire soixante ans. Originaire d'une petite ville du sud du Colorado, Caleb n'avait, semblait-il, jamais été dévoré d'ambition. Il paraissait assez improbable qu'à la veille de la retraite, il se soit soudain mis à l'affût d'un « coup ».

Caleb avait été un bon gestionnaire, sans charisme particulier, sans le moindre souffle créatif. Il avait travaillé pour la Banque communale de Montrose, après des débuts comme assistant de gestion à la Banque communale de Cortez, pendant au moins dix ans.

Recruté par la Banque de commerce et d'industrie au début des années 90, il avait acquis une solide réputation dans le milieu des affaires de Durango. Il avait été président de la campagne pour l'Union Nationale pendant deux années d'affilée, et avait consacré du temps à diverses associations à caractère social, où son engagement avait toujours donné entière satisfaction. C'était probablement la raison pour laquelle les instances supérieures de Denver avaient choisi de le laisser en place après le scandale de l'arrestation de Joe. Pour les clients de la succursale de Durango, Caleb devait apparaître comme une figure rassurante qui faisait contrepoids à l' « Affaire ».

Il n'y avait qu'un aspect de la biographie de Caleb Welks qui ne collait pas avec son image d'employé de banque de la classe moyenne, entre deux âges : c'était son mariage. Welks correspondait tellement au stéréotype du conservateur, classique et conventionnel, que Joe l'aurait vu automatiquement marié avec une petite amie rencontrée à l'université, à qui il aurait fait des enfants avant de devenir un bon grand-père gâteau. Au lieu de cela — preuve qu'on a toujours tort de trop vite classer les gens — Caleb était marié à une femme plus jeune que lui de vingt-cinq ans.

La différence d'âge n'aurait pas été à ce point surprenante, si Christine avait été sa seconde femme. Mais ce n'était pas le cas. Welks avait raconté à Joe et à Frank, dans l'un de ses rares moments de confidences, qu'il était resté célibataire jusqu'à plus de quarante ans. Et puis, un jour, il avait rencontré Christine, à l'occasion d'un pique-nique organisé par son frère. Et là, vlan, le coup de foudre ! Caleb avait quarante-trois ans, et Christine terminait tout juste ses études. Etant donné leur différence d'âge, ils avaient préféré attendre toute une année avant de se marier, pour être absolument sûrs que c'était bien leur souhait à tous les deux.

L'organigramme de la banque ne faisait pas mention de la situation de famille de ses employés. Joe ne pouvait donc pas savoir si le ménage Welks tenait toujours. Mais, comme le couple fonctionnait depuis déjà neuf ans, à l'époque où Joe avait été arrêté, on pouvait penser, raisonnablement, qu'il continuait sur sa lancée.

Sur toutes ces questions, Joe s'était fait sa philosophie depuis longtemps. Tout ce que l'on pouvait dire, en matière de sentiments amoureux, c'est qu'il n'y avait pas de règle. Chacun voyait midi à sa porte...

Christine était jolie mais pas très dynamique, et elle n'avait jamais rien d'intéressant à raconter lorsqu'il lui arrivait d'accompagner son mari à une réception ou à une manifestation à caractère social. Qui plus est, sa sœur cadette, Lynette, qui devait avoir dix-huit ans, vivait chez les Welks, à l'époque où Joe était en poste à Durango.

Lynette était encore plus éteinte que Christine. Elle ne semblait pas chercher à entrer à l'université ni à gagner sa vie, et Joe avait toujours trouvé bizarre que Caleb ait ainsi accepté sous son toit cette adolescente nonchalante et désœuvrée.

Joe ne voyait pas ce que Christine pouvait avoir de si attirant pour qu'un vieux célibataire comme Caleb ait, finalement, succombé au charme du mariage — surtout que la fiancée avait charge de famille ! Mais Joe ne voyait déjà pas très clair dans ses propres élans amoureux, alors il ne s'estimait pas qualifié pour juger ceux de Caleb Welks...

Joe était tombé amoureux de Sophie dès leur première rencontre. Il l'avait même aimée à la folie. Du moins le croyait-il. Quand il y repensait, maintenant, il n'arrivait plus bien à se rappeler ce qui lui avait tellement plu chez elle.

Ils s'étaient fiancés trois mois avant son arrestation et, pendant ces trois mois, jamais Joe n'avait remis cet engagement en cause. Jamais il ne s'était demandé s'il avait fait le meilleur choix.

Quand il avait dû abandonner tout espoir d'être remis en liberté sous caution — on avait trop peur qu'il en profite pour prendre la tangente —, il s'était mis à ruminer tout un tas de questions : quelles étaient les raisons qui l'avaient poussé à demander Sophie en mariage ? Etait-ce parce qu'elle aimait les mêmes restaurants que lui, les mêmes films ? Etait-ce parce qu'elle le faisait craquer quand elle était moulée dans son pantalon de ski ? Ou parce qu'elle était une maîtresse excitante et émancipée, libérée de toute inhibition ?

Qu'avaient-ils en commun, dans le fond ? Certainement pas une confiance mutuelle à toute épreuve... Dès son arrestation, Sophie avait cru à sa culpabilité. Et elle n'avait même pas cherché à le cacher.

Joe voulait croire qu'il existait entre eux un lien plus puissant que le plaisir sexuel qu'ils prenaient ensemble ou leur goût pour les films dont les héros se livraient à la guerre interstellaire dans les galaxies du fin fond de l'univers...

Certes, ils passaient ensemble des week-ends du tonnerre et, visiblement, cela leur suffisait à tous les deux.

Rien d'étonnant à ce que l'aspect superficiel de leur attachement se soit révélé dans toute sa nudité à partir du moment où il avait été arrêté.

Sophie avait manifesté son intention de rompre dans les jours qui avaient suivi. Ça, c'était déjà assez moche. Mais ce qui l'était plus encore, c'était le peu de chagrin qu'il en avait éprouvé.

La prochaine fois qu'il se croirait amoureux, il réfléchirait un bon bout de temps avant de se remettre un fil à la patte. Ça pourrait même attendre les calendes grecques...

Joe fronça les sourcils et tâcha de rassembler ses idées : il était là pour se concentrer sur Caleb Welks, pas pour laisser vagabonder inutilement son imagination. Si son bon copain Frank était le mieux placé pour l'avoir mis dedans, Caleb venait tout de suite après sur la liste. D'autant plus qu'il avait accès à toutes les données informatiques de la banque, en tant que directeur de la succursale de Durango. Evidemment, les grands manitous du siège de Denver avaient un droit de regard sur les activités de Caleb, mais, en pratique, il disposait d'une marge de manœuvre à peu près illimitée. Rien ne l'aurait donc empêché de faire porter le bonnet à l'employé Joseph Mackensie si cette solution l'avait arrangé.

Pourtant, Joe voyait mal Caleb prêter le flanc au chantage ou à la corruption. Comment les malfrats qui utilisaient la banque pour blanchir leurs profits illicites auraient-ils donc eu prise sur Caleb Welks ? Joe ne lui connaissait pas de vice susceptible de lui coûter aussi cher : il ne buvait pas, ne jouait pas, ne trompait pas sa femme, n'avait pas d'amant dans les milieux gays… Pas plus, d'ailleurs, que les autres employés de la banque qui semblaient tous mener une existence exemplaire.

En fait, même après quatre années passées à tourner et retourner dans sa tête les différentes pièces du puzzle, Joe n'avait toujours pas réussi à le reconstituer : le véritable coupable du détournement de fonds avait-il été victime d'un chantage ou bien s'était-il laissé corrompre ? Joe n'avait pas progressé d'un pouce dans la résolution de l'énigme. Une seule chose était sûre, c'est qu'il y avait, nécessairement, une personne corrompue à l'intérieur de la banque.

D'après les estimations de Joe, les comptes-fantômes fonctionnaient depuis au moins trois ans lorsqu'il avait découvert leur existence. Les sommes qui avaient transité par ces comptes étaient considérables. Il était donc impossible qu'elles aient échappé à la vigilance des commissaires aux comptes sans la complicité de quelqu'un à Durango. Quelqu'un qui s'assurait que les comptes en question échappaient au collimateur des différentes instances de contrôle.

Malheureusement pour Joe, personne d'autre que lui, à la banque, ne vivait au-dessus de ses moyens. C'était, du moins, ce qui ressortait des enquêtes du FBI et de la police. Joe n'avait pas manqué de protester : le fait que personne n'ait fait de dépenses extravagantes, parmi le personnel de Durango, ne prouvait rien, sinon que le véritable coupable avait été suffisamment malin pour laisser dormir l'argent sale jusqu'à ce que la fièvre soit retombée et que le FBI ait classé l'affaire.

L'argument ne manquait pas de bon sens. Manque de chance, le FBI avait déjà repéré un employé de la banque qui avait accusé de vilaines pertes au jeu, qui faisait des dépenses somptuaires et qui vivait très largement au-dessus de ses moyens. Un employé du nom de Joseph Mackenzie.

L'agent Varek n'avait pas jugé nécessaire de pousser plus loin ses investigations, dans la mesure où Joe n'était pas fichu de fournir la moindre preuve de son innocence. Il avait cru s'en tirer en inventant une histoire invraisemblable d'association de malfaiteurs dont les entreprises criminelles supposées auraient été basées à Durango et auraient utilisé la BCI pour blanchir leurs hypothétiques profits illicites.

Lorsque l'arrestation de Joe avait été de notoriété publique, la plupart de ses collègues de la banque l'avaient traité comme un pestiféré. Seul Frank était resté à ses côtés jusqu'au procès.

Après avoir fait preuve d'une certaine bienveillance, Caleb Welks avait fini par se rallier aux détracteurs de Joe. Néanmoins, le jour de l'arrestation, il s'était rendu au commissariat pour dire et de redire combien il espérait voir bientôt dissipées les charges qui pesaient contre Joseph Mackenzie.

Joe revoyait la scène : Caleb suant à grosses gouttes dans le parloir surchauffé, et ne tarissant pas d'éloges sur la compétence de Joe : il ne croyait pas un instant à sa responsabilité dans la disparition des fonds ; c'eût été une erreur grossière de s'en prendre à lui, sous prétexte qu'il gérait les comptes déficitaires. Même le fait qu'on eût utilisé son mot de passe pour procéder aux retraits illégaux ne constituait pas une preuve suffisante...

Joe avait été si mal traité, au cours des heures précédentes, que les propos de Caleb lui avaient fait chaud au cœur.

— Vous m'accordez, au moins, le bénéfice du doute, Caleb ? Personne ne me croit, au FBI. Les flics me regardent comme si j'avais une pancarte « coupable » autour du cou.

— *Tout le monde* devrait vous accorder le bénéfice du doute, Joe, dit Caleb d'une voix ferme. Vous êtes innocent aussi longtemps que le contraire n'aura pas été démontré. C'est la loi. Le FBI ferait bien de s'en souvenir, et les flics aussi.

— Ça, c'est la théorie, Caleb, vous le savez aussi bien que moi.

— Une théorie incontournable, Joe. De toute façon, même si votre mot de passe et votre code d'accès ont été utilisés pour des retraits illicites, qu'est-ce que ça prouve ? N'importe qui aurait pu les trouver et s'en servir. D'ailleurs, de vous à moi, je suis à peu près sûr que la moitié des gens qui travaillent à la banque les connaissent. A commencer par moi... Non, vraiment, ça ne tient pas la route.

La tête dans les mains, Joe se massait les tempes en écoutant Caleb : ce satané mal de crâne ne le quittait pas depuis son arrestation. Dans un soupir, il avait ajouté :

— Vous devriez expliquer ça à l'agent Varek.

— Je le lui ai déjà expliqué ! Je me suis tué à lui dire que nous n'étions que neuf titulaires à Durango, et que c'était un jeu d'enfant de connaître le code d'accès de son voisin. Je suis certain que vous ne le changez pas aussi souvent qu'il le faudrait. Moi-même, je n'ai pas changé le mien depuis des semaines…

Caleb avait alors ôté ses lunettes et s'était frotté les yeux. Joe se rappelait ce geste avec netteté — les mains de Caleb l'avaient toujours surpris : de vrais battoirs complètement disproportionnés.

— Vous êtes un homme intelligent, Joe. Si vous aviez réellement commis ces détournements honteux, je présume que vous auriez eu l'astuce d'utiliser le mot de passe de quelqu'un d'autre. Vous auriez été suffisamment malin pour ne pas laisser d'empreintes électroniques sur les fonds détournés !

— Je vous remercie pour cette marque d'estime. Vous avez raison, évidemment. Je n'aurais sûrement pas laissé de carte de visite.

Après avoir acquiescé à cette évidence, Caleb avait repris :

— Néanmoins, il faut que je vous signifie votre licenciement, Joe. Vous m'en voyez navré, mais vous imaginez bien qu'on ne m'a pas laissé le choix, en haut lieu. Mais j'ai bon espoir de vous voir bientôt reprendre votre place parmi nous.

— Je voudrais en être aussi sûr que vous, Caleb.

— Vous devriez.

— A quoi bon ? Le FBI n'a pas d'autre suspect à se mettre sous la dent. Ils n'en cherchent pas, d'ailleurs…

— Cela pourrait changer : j'ai insisté pour que la police cherche du côté de l'équipe de nettoyage. Je viens d'apprendre que l'un des gars est un Russe immigré qui était, autrefois, général de l'Armée Rouge. Voilà quelqu'un qui a plus d'intelligence et d'astuce qu'il n'en faut pour se procurer votre mot de passe, et qui a peut-être de bons motifs de détourner de l'argent : vous seriez content de vous retrouver balayeur, vous, après avoir été à la tête de milliers d'hommes ? Moi, je crois que ce type doit se sentir passablement amer. Et, pour soigner sa frustration…

Joe s'était remis à espérer, l'espace d'un instant.

S'appuyant sur la table métallique crasseuse qui les séparait, Caleb lui avait glissé, sur le ton de la confidence :

— Ecoutez, Joe, ne prenez pas mal ce que je vais vous dire, mais… Vous ne devriez pas trop compter sur la police pour faire la preuve de votre innocence. Nos flics locaux sont de braves types, mais sans doute pas aussi malins qu'on pourrait le souhaiter. Et ils sont en train de vous coller sur le dos des transactions financières auxquelles eux-mêmes ne comprennent pas grand-chose. Il vous faudrait quelqu'un qui soit à cent pour cent de votre côté. Quelqu'un qui pourrait asticoter le FBI pour qu'il aille chercher dans la bonne direction. Croyez-moi, Joe : prenez un super-avocat. C'est votre seule chance de vous en tirer.

— Je le pense aussi. J'ai déjà contacté l'un de mes amis, avocat à Denver, pour qu'il me recommande quelqu'un. Il a promis de me rappeler demain matin.

— Parfait. Et, si vous voulez un avocat qui soit sur place, j'ai entendu dire que Daniel Dwight était très bien. Je n'ai pas eu personnellement recours à ses services, bien sûr, puisque je n'en ai jamais eu besoin. Mais je l'ai vu à l'œuvre, pendant la campagne pour l'Union Nationale : à la défense, c'est le

143

meilleur avocat du district. Vous devriez l'appelez. Est-ce qu'on vous autorise à téléphoner ? Sinon, je m'en occupe moi-même.

Avec l'aide de Caleb, Joe avait obtenu que Daniel Dwight s'occupe de son affaire. Il ne pouvait pas trouver mieux : ce type était le meilleur défenseur du sud du Colorado : astucieux, éloquent et sympathique. Seulement voilà, il était surchargé de dossiers, et il avait laissé tout le travail préparatoire à une jeune avocate fraîche émoulue de l'école de Droit, qui s'était révélée d'une incompétence notoire, ce que Joe n'avait, malheureusement, découvert qu'à l'issue de son procès...

De toute façon, même si Dwight avait été à la hauteur de sa réputation, Joe aurait eu du mal à s'en tirer. L'ex-général soviétique avait subi un interrogatoire serré, qui l'avait, finalement, mis hors de cause, de même que les autres membres de l'équipe de nettoyage.

La police avait aussi interrogé très soigneusement Sally Warner, la caissière en chef, et les cinq autres employés aux comptes. Sans aucun résultat...

En revanche, les preuves s'accumulaient contre Joe. Ce qui pesait le plus lourd, c'étaient les six mois de bringue qu'on lui collait sur le dos : avant son arrestation, il y avait eu ce prétendu week-end à Las Vegas, au cours duquel il était censé avoir perdu cinquante mille dollars dans les machines à sous et cent quarante-cinq mille aux tables de black-jack. Rien que cette petite fantaisie lui avait soi-disant coûté deux fois son salaire annuel. Et puis, les virées à Blackhawk, le plus grand complexe de jeux du Colorado, où il avait, paraît-il, réussi à perdre trente mille autres dollars en faisant monter les enchères au poker...

Sans parler des autres folies qu'on lui imputait : achats de vins fins — de quoi monter tout un cellier — une toile de maître en attente dans un coffre-fort, à Denver, un séjour aux Bahamas en plein cœur de l'hiver : quatre jours dans la suite royale de l'hôtel le plus luxueux de l'île, en compagnie de deux demoiselles de petite vertu... une escapade qui aurait suscité une ponction de soixante-dix mille dollars sur sa carte de crédit, sans compter cinq mille dollars de pourboire à chacune des deux « dames ».

Joe ne regrettait qu'une chose, c'était de ne pas avoir participé pour de bon à cette partie de plaisir ! Surtout que c'était ce dernier point qui avait servi de prétexte à Sophie pour rompre leurs fiançailles. Bon sang ! Quitte à perdre sa fiancée pour un week-end torride aux Bahamas, autant en profiter pour de bon !

Naturellement, Joe s'était bien défendu d'avoir jamais mis les pieds aux Bahamas — il était allé rendre visite à ses grands-parents dans le Kansas, pendant les quatre jours en question. De même, il nia avoir acheté des caisses de vin, encore moins une toile de prix, étant donné qu'il n'avait jamais été féru de peinture.

Mais les agents du FBI s'étaient montrés sceptiques. D'autant plus que, si son grand-père avait confirmé sa visite, sans, toutefois, se montrer catégorique sur les dates, sa grand-mère commençait déjà à donner des signes de démence sénile. Dans ces conditions, l'avocat général n'avait eu aucun mal à invalider le témoignage du couple. Encore un élément a priori favorable qui se retournait contre Joe...

Pire encore, l'histoire de la BMW qu'il était censé avoir laissée en dépôt dans un garage de la périphérie : quand on lui avait présenté la facture prouvant qu'il avait acheté le véhicule, Joe avait perdu son calme et s'était mis à hurler. Jamais il n'avait vu cette voiture !

Pour dissiper le doute, le FBI avait organisé une confrontation avec le gérant du garage. Celui-ci avait reconnu Joe sans la moindre hésitation : c'était bien lui qu'on voyait régulièrement arriver dans une Ford Taunus bleue et repartir au volant de la BMW gris métallisé.

A ce moment-là, Joe avait été pris de panique. Il s'était demandé, un instant, s'il était une espèce de docteur Jekyll et Mister Hyde, qui commettait des crimes dont il ne gardait aucun souvenir… Il avait très vite rejeté cette hypothèse mais elle lui avait permis de comprendre pourquoi l'inspecteur Varek le regardait avec un drôle d'air, depuis le début de l'affaire.

Après que le gérant du garage l'eut identifié comme étant le propriétaire de la BMW, la vie de Joe avait basculé. Son procès avait été expédié en deux temps trois mouvements. A l'occasion d'une de ses rares entrevues avec Daniel Dwight, il avait tenté, une fois de plus, d'exposer sa théorie, selon laquelle il était la victime d'un coup minutieusement monté. Mais les arguments lui manquaient, il perdait le fil de sa démonstration, ses accusations étaient trop vagues.

Dwight l'avait à peine écouté. En tout cas, pas en détail. Pourquoi l'aurait-on utilisé comme bouc émissaire ? Quelle vaste conspiration aurait pu nécessiter ces six mois de coûteuse mise en scène ? Pour quelle raison aurait-on dépensé presque tout l'argent détourné pour l'impliquer, lui, Joseph Mackenzie ?

Joe s'était empressé de répondre, craignant que Dwight ne le prît pas au sérieux.

— On n'a pas *tout* dépensé pour me faire plonger. Plus de neuf cent mille dollars manquent dans mes comptes, mais le FBI n'a trouvé de preuves que pour un demi-million de dollars…

L'argument n'avait pas eu l'air de convaincre Daniel Dwight.

— Un demi-million, c'est tout ce que le FBI a pu trouver, d'accord, mais ça ne veut pas dire que ce soit la totalité de ce que vous avez dépensé. Enfin, de ce que vous avez *prétendument* dépensé.

— Mais bon Dieu ! Comment faut-il vous dire que je *n'ai pas* dépensé cet argent ? C'est bien ça, le problème : c'est quelqu'un d'autre qui a fait le coup !

L'avocat avait esquissé une moue éloquente.

— O.K., Joe. Je voudrais bien vous croire, mais je suis obligé de vous dire que votre histoire de complot ne tient pas la route. Si c'est quelqu'un d'autre qui a volé l'argent, comment se fait-il que ce soit vous qui ayez été vu aux Bahamas ? Que ce soit vous qu'on ait identifié comme l'homme à la BMW ? Et où auriez-vous trouvé tout cet argent ? Vous êtes très loin de gagner suffisamment pour mener un tel train de vie !

Joe avait serré les mâchoires à s'en faire grincer les dents.

— Je vous répète que je ne me suis pas offert ces vacances et que je n'ai pas acheté de voiture de sport. Si j'avais une carte American Express Platinum, je le saurais, non ? Je vous dis qu'on m'a flanqué tout ça sur le dos !

Dwight n'avait pas relevé la dernière phrase. Il s'était contenté de soupirer.

— Mais les reçus de carte de crédit ont été signés de votre main. La police les a fait analyser par un expert assermenté qui témoignera devant la cour.

— Il pourra jurer jusqu'à en devenir bleu ! Je n'ai pas signé ces reçus, affirma Joe. Ce sont des faux.

— Alors, il faut croire que l'un de vos collègues à la banque est un spécialiste du détournement de fonds, doublé d'un faussaire de génie, capable de tromper tous les experts de la police.

Dwight cachait mal son scepticisme devant l'entêtement de son client.

— C'est exactement ça. Ou bien il a engagé un faussaire pour signer à ma place. Tout ce que je sais, c'est que je n'ai *jamais* ouvert de compte American Express, que je n'ai jamais mis les pieds aux Bahamas et que je n'ai jamais signé aucun de ces putains de reçus !

Exaspéré, Dwight avait levé les yeux au ciel.

— Vous savez bien qu'un employé de l'Hôtel Royal vous a identifié sur une photo, Joe. Et qu'on vous a vu, à plusieurs reprises, au volant de la BMW.

— Les témoignages oculaires n'ont aucune valeur.

— Bien sûr. Et nous allons bâtir notre défense là-dessus. Mais, dans l'hypothèse où le tribunal nous accorderait ce point-là, il restera à expliquer pour quel motif le voleur a sacrifié la moitié des sommes détournées pour faire retomber l'accusation sur vous…

— C'est pourtant ce qui s'est passé…

— Aucun jury ne voudra croire qu'un voleur puisse consacrer plus de la moitié de son larcin à faire condamner un type à sa place !

Joe mourait d'envie de taper du poing sur la table. Ou sur les murs. Ou sur la jolie figure de son honnête, de son cher avocat…

Au lieu de cela, il avait pris une profonde inspiration, et s'était relancé dans ses explications. Patiemment. En se maîtrisant.

— Je n'aurais pas dû me perdre en digressions. Le fond de l'affaire, ce n'est pas les neuf cent vingt-trois mille dollars qui manquent dans mes comptes. Ça, c'est la façade : l'arbre qui cache la forêt. Derrière tout ça, il y a une autre entreprise de détournement. Mille fois plus grave. Si on a procédé à ces retraits, ce n'est pas pour l'argent : c'est pour me faire arrêter. C'était une bigrement bonne façon de m'empêcher de fouiner dans les affaires de la banque, non ?

Daniel Dwight avait, de nouveau, manifesté sa lassitude par un soupir, encore plus profond que le précédent.

— Ecoutez, Joe. En tant qu'avocat, je dois vous avertir : avec toutes vos histoires de complot, vous allez vous mettre les juges à dos — sans parler des jurés, que cela risque d'indisposer encore plus. Oui ou non, avez-vous la plus petite preuve que quelqu'un, à la banque, ait eu intérêt à se débarrasser de vous ? Etes-vous en mesure de démontrer que votre emprisonnement permettrait d'étouffer une affaire encore plus grave que le million de dollars que vous avez volé ? Pardon, que vous avez *prétendument* volé ?

Dwight s'était corrigé en voyant le regard terrible que Joe lui avait lancé. Et Joe avait repris ses explications — de façon plus cohérente, cette fois — à propos des comptes suspects qu'il avait repérés et qui devaient servir à blanchir de l'argent sale.

— Certains mois, il y a jusqu'à deux cent cinquante mille dollars qui transitent par ces comptes. J'estime que, pour l'année fiscale 1997, ce sont trois millions de dollars qui sont ainsi passés par la banque. Rien que pour le premier trimestre 1998, un autre million… Ce qui tendrait à prouver que les sommes à blanchir sont de plus en plus importantes. En tout cas, suffisamment pour justifier que l'on dépense un demi-million à seule fin de me faire disparaître du paysage. Pour avoir les coudées franches, vous comprenez ?

Dwight ne savait quelle contenance prendre. Il avait l'air à la fois impressionné par ce que lui racontait Joe, et toujours dubitatif.

— Comment de telles sommes auraient-elles pu passer inaperçues, voyons ?

— Grâce à de puissants appuis à l'intérieur de la banque. C'est à cela que je voulais en venir : celui ou celle qui se sert de notre banque pour blanchir tout cet argent a nécessairement besoin de complicités *à l'intérieur* ! Et moi, je suis devenu un empêcheur de tourner en rond dès l'instant où j'ai eu le malheur de mettre le doigt sur ce qui se trafiquait… Voilà pourquoi je me retrouve derrière les barreaux, à attendre ce satané procès. L'argent détourné, c'est à ça qu'il a servi, pas à autre chose !

— Si je comprends bien, vous prétendez qu'on vous a mis sur la touche parce que quelqu'un se sert de la banque pour blanchir des millions de dollars, chaque année, avec la complicité d'un employé de la succursale de Durango ?

— Exactement.

Dwight n'avait toujours pas l'air convaincu. Pourtant, c'était un homme de loi consciencieux : il avait donc obtenu que le FBI passe une seconde fois les comptes de la banque au peigne fin, à l'affût de la moindre irrégularité. Il y avait aussi le problème des relevés que Joe soutenait avoir faits mais qui avaient disparu avec le reste…

Dwight avait tenu à assister personnellement aux investigations du FBI. Force avait été de constater qu'il n'existait pas la moindre trace des manipulations illégales dont parlait Joe.

150

C'est à l'issue de cette seconde opération, tout aussi infructueuse que la première, que Dwight avait suggéré à Joe de plaider coupable.

— Tâchez d'expliquer que vous avez perdu le contrôle de la situation à cause d'importantes dettes de jeu. Nous obtiendrons peut-être une assistance sociopsychologique sous contrôle judiciaire. De mon côté, je vais essayer de convaincre le procureur de la République de requérir une peine qui n'excède pas dix-huit mois ferme. Ce sera le minimum, étant donné l'importance des sommes détournées. D'autant que vous n'êtes pas en mesure de rembourser, j'imagine ?

Joe, têtu comme une mule, avait répondu sur un ton glacial :

— Je vois deux obstacles majeurs à la solution que vous proposez, maître. Primo, je n'ai pas de *problème de jeu* et, secundo, je n'ai pas détourné un centime. Je suis victime d'un coup monté.

L'écran de l'ordinateur se mit à clignoter. C'était le signal que vingt minutes s'étaient déjà écoulées. Joe reprit conscience de la situation. La surveillante-bibliothécaire lança un regard inquisiteur dans sa direction, et regarda ostensiblement sa montre. De toute évidence, elle n'allait pas tarder à s'approcher pour lui faire observer que l'accès à Internet était limité à trente minutes.

C'était bien la dernière chose qu'il souhaitait : se faire remarquer. Il se déconnecta sans perdre un instant, se promena dans les rayons pendant une dizaine de minutes, puis alla s'installer dans une autre section de la bibliothèque. Il se connecta de nouveau, et s'intéressa aux cinq autres employés qui travaillaient à Durango à la même époque que lui : Doris

Argyle avait été promue aux fonctions de caissière en chef, après la démission de Sally Warner.

Malgré la concordance des dates, Joe ne croyait pas un instant à la culpabilité de Sally Warner. Il voyait mal cette mère de famille, bavarde comme une pie, tramer une escroquerie de grande envergure. Il aurait fallu qu'elle fût passée maître dans l'art du camouflage et de la duplicité... Selon toute probabilité, la démission de Sally n'avait rien à voir avec son arrestation et sa condamnation à lui. Néanmoins, Joe se promit de vérifier qu'elle n'avait pas fait un « gros héritage », justement à cette période...

Il fallait aussi savoir ce qu'était devenue Jennifer Alvarez, l'autre employée qui avait quitté la banque entre-temps. Bah ! En voilà une qui devait être encore plus inoffensive que la brave Sally : une toute jeune fille, gentille comme tout mais principalement intéressée par ses flirts — assez nombreux, au demeurant. Elle gloussait à la moindre occasion, et Joe la trouvait un peu « nunuche ». Cela dit, il n'écartait aucune hypothèse. Cette fille pouvait être une simulatrice de premier ordre...

Joe décida de se renseigner sur Sally Warner et Jennifer Alvarez sans attendre. Ce serait même sa priorité dès qu'il aurait du temps libre.

Après avoir quitté le site de la Banque du commerce et de l'industrie, comme aucune employée n'était en vue, il décida d'en profiter pour regarder si le *Courrier du Colorado* avait un site Web. C'était le cas. Il n'eut qu'à donner un nom et une adresse fictifs pour avoir accès aux archives du journal.

Mû par une vague arrière-pensée, Joe tapa le nom de Sophie. En fait, il était encore loin de se sentir totalement détaché d'elle… Il prit une profonde inspiration, et commença à dérouler le menu.

Les entrées étaient nombreuses. Rien d'étonnant à cela : Arthur Bartlett, le père de Sophie, était P.-D.G. de la Bartlett Nutrition Company, l'une des fabriques de vitamines et de produits diététiques les plus florissantes du pays. Quant à Sophie, elle avait toujours tenu le haut du pavé dans le gotha local. Mais, pour elle, il n'y avait plus d'entrée à compter de la fin 98 — c'est-à-dire sept mois après l'arrestation de Joe et moins de deux mois après sa condamnation.

Pour quelle raison ? Sophie avait-elle déménagé pour rompre plus facilement avec le passé ?

Joe passa en revue les différents articles, jetant un coup d'œil rapide sur les manchettes où il était question de dîners de bienfaisance et de galas pour des œuvres de charité. Autant d'occasions pour Sophie de paraître dans le monde. Ce rôle de dame de cœur, elle le remplissait, d'ailleurs, sans beaucoup de conviction, uniquement pour servir l'image de l'entreprise paternelle. Elle s'occupait de ses relations publiques, en quelque sorte…

Soudain, Joe tomba sur un article intitulé « Noces Bartlett-Saunders. Une cérémonie inoubliable ». Il n'y avait qu'un petit journal de province pour utiliser encore le mot « noces », se dit Joe.

Tiens ! Pourquoi s'était-il focalisé sur ce détail sans importance ? Etait-ce pour tenir à distance l'émotion qu'il sentait monter en lui ? Il osait à peine se l'avouer…

Il cliqua sur une photo de Sophie, radieuse dans sa robe de mariée. Suivait tout un paragraphe de blabla sur le soleil flamboyant et la neige scintillante qui avaient accompagné le somptueux cortège du « Mariage du Siècle » à Durango.

Enfin, Joe trouva la confirmation qu'il attendait à propos de l'heureux époux.

Franklin Saunders.

Bon sang ! Son ex-fiancée et son meilleur ami d'autrefois…

Joe sentit ses traits se durcir et son visage afficher le masque d'indifférence qu'il s'était forgé en prison, pour ne laisser paraître aucune émotion, aucune vulnérabilité.

Sa fiancée avait à peine attendu qu'il soit emprisonné pour épouser son meilleur ami. Et alors ? Il venait de passer dix minutes à s'avouer que Sophie et lui n'avaient jamais été réellement amoureux l'un de l'autre…

Le problème, c'est que la raison n'avait rien à voir là-dedans ! Au fur et à mesure qu'il parcourait l'article, le choc qu'il avait ressenti, au départ, se transformait en une rage froide.

« Entouré de cinq amis de longue date, M. Franklin Saunders a été uni par les liens sacrés du mariage à Mlle Sophie Jessica Bartlett, en cette veille de Noël 1998. Le frère cadet du marié, Augustin Saunders, qui réside à Laguna Hills, lui servait de témoin.

Mlle Bartlett avait choisi comme demoiselles d'honneur sa sœur Amy, ainsi que deux de ses cousines et trois autres ravissantes jeunes femmes, qui formaient un cortège de charme. La mariée portait une robe de soie grège très ajustée et dégagée aux épaules, dessinée pour elle par un grand couturier de ses amis.

Elégamment protégée de la froidure du soir par un manteau de cour en velours assorti à sa robe, Mlle Bartlett tenait dans ses bras une gerbe de roses rouges mêlées de roses de Noël — allusion charmante aux festivités du moment. Dans la même veine, le cortège d'honneur était aux couleurs de Noël, avec des robes-fourreaux de satin vert sapin et des bouquets d'orchidées rose pâle.

Les parents et grands-parents des mariés s'étaient tous déplacés pour l'occasion — certains d'entre eux n'ayant pas hésité à venir de Floride, de l'Illinois ou du Tennessee.

Les trois cent cinquante convives ont ensuite été reçus au Durango Country Club où le célèbre Chef Paul Pierret — venu par vol spécial de La Nouvelle-Orléans sur demande expresse de la mère de la mariée — avait préparé des agapes somptueuses, avec des vins fins choisis dans la cave personnelle de M. Arthur Bartlett, père de la mariée.

Après le dîner, le célèbre crooner Kelsey Zimmer, accompagné par l'orchestre Ginger Mountain, a maintenu les convives sur la piste de danse jusqu'à l'aube.

Les heureux mariés se sont envolés le jour de Noël pour une lune de miel de quinze jours à Tahiti. De retour aux Etats-Unis, le jeune couple résidera à Cherry Hills Village, dans la banlieue élégante de Denver. M. Franck Saunders, diplômé d'Etudes commerciales de la Duke University, travaille pour la Banque du commerce et de l'industrie du Colorado depuis plusieurs années ; il vient d'être promu au poste de directeur-adjoint de cet établissement. La nouvelle Mme Saunders, titulaire d'une maîtrise en communication de l'Université du Colorado, a le projet d'ouvrir un cabinet d'immobilier à Denver. »

D'après Joe, il manquait à cet article un paragraphe important qui aurait achevé de réjouir les lecteurs. Quelque chose de ce genre :

« Pendant ce temps, à la Maison d'arrêt de West Denver, Joseph Mackenzie, le fiancé que la délicieuse Sophie Bartlett venait de laisser tomber, portait un flamboyant survêtement de Nylon orange, et dégustait son festin de Noël — composé d'une dinde carcérale dans son jus grumeleux, agrémentée de baies au sirop directement sorties d'une boîte de conserve —, malgré un bras cassé et trois côtes enfoncées. Lesquelles côtes lui avaient été gracieusement enfoncées par le célèbre Gang des Aryens, qui n'avait pas apprécié la façon dont M. Mackenzie avait regardé l'un de leurs membres pendant l'exercice d'évacuation incendie du 7 décembre précédent. »

Joe éteignit brutalement l'ordinateur et se leva, furieux contre ce soudain accès d'apitoiement sur lui-même. Il savait depuis quatre ans que Sophie et lui auraient été malheureux comme les pierres s'ils s'étaient mariés. Il n'allait quand même pas reprocher à la jeune femme de l'avoir trahi. Ni se mettre à nourrir un sentiment de jalousie contre Frank…

Joe se dirigea vers la sortie de la bibliothèque en regardant ses pieds, la mine délibérément inexpressive. S'il n'avait, objectivement, aucune raison d'être jaloux de Frank, il pouvait quand même s'accorder le droit d'être en colère. Il s'était toujours défendu contre l'idée que Frank l'avait fait condamner. Pas seulement à cause de leur amitié mais aussi parce que Frank n'avait pas de motif valable pour fomenter une trahison aussi grave.

Sans être richissimes, les parents de Frank étaient plus qu'à l'aise financièrement. Leur fils cultivait donc cette superbe indifférence pour l'argent que seuls peuvent se permettre les gens qui n'ont jamais su ce que *se priver* veut dire.

Dans l'esprit de Joe, l'appât du gain ne pouvait pas être un motif suffisant pour pousser Frank à se mettre hors la loi et à faire accuser un ami à sa place.

156

Par contre, Frank aurait pu se laisser corrompre à cause de Sophie… Joe se rendit compte qu'en fait, il avait toujours su, au fond de lui-même, que Frank était amoureux de Sophie. Or, l'arrestation du fiancé légitime libérait de son engagement la femme qu'il désirait. Organiser une fraude bancaire massive et faire emprisonner un ami pour les beaux yeux d'une femme ? Cela pouvait paraître bigrement léger, comme motif, mais, aux yeux de Joe, cela semblait plus crédible que le simple appât du gain.

Quoi qu'il en soit, une virée du côté de Cherry Hills Village s'imposait. Il avait quelques petites questions à poser aux tourtereaux. Et ils auraient intérêt à y répondre.

Pas très étonnant que Frank ne soit jamais venu le voir en prison ! Qu'aurait-il pu lui dire : « Coucou, c'est moi ! J'ai épousé ta fiancée et je t'apporte des dragées » ?

Mû par une idée subite, Joe fit demi-tour et gagna un autre secteur de la bibliothèque. Il s'empara d'un annuaire de Denver et se mit à tourner les pages sans ménagement. Il éprouvait une certaine satisfaction à passer ses nerfs sur le malheureux répertoire.

Il n'y avait pas de Franklin Saunders. Ni de Sophie J. Bartlett ni aucune combinaison des deux noms. Joe ne put retenir une grimace de dépit. Il aurait volontiers balancé l'annuaire au beau milieu de la salle de consultation.

Fort heureusement, il parvint à reprendre ses esprits. Frank et Sophie devaient être sur liste rouge, et ce n'était pas plus mal. Qu'est-ce qui lui était passé par la tête ? Aller chez eux, comme ça ; sonner à la porte et sommer Frank d'avouer que c'était lui qui avait détourné l'argent ? Riche idée… Voilà qui aurait sûrement servi ses affaires !

Pour un début fracassant, ç'eût été vraiment réussi ! Lui qui s'était promis de procéder avec la plus extrême prudence dans ses investigations ! Il avait failli faire tout rater dès le premier jour, sous prétexte qu'une fille qui ne l'intéressait plus avait épousé un type qu'il n'avait pas vu depuis quatre ans !

Cette fois, Joe sortit bel et bien de la bibliothèque et se dirigea vers l'arrêt de bus.

Ah ! Les femmes ! Elles avaient le don de vous faire tourner en bourrique, songeait Joe en guettant l'arrivée de son bus. Après le coup que lui avait fait Sophie, il n'était pas près de se relancer dans une histoire d'amour. Ni même dans une aventure.

Sans qu'il sût pourquoi, l'image d'Anna Langtry s'imposa à lui avec une insistance qui frôlait l'indécence. Allons, bon ! S'il y avait une chose plus bête que de s'énerver au sujet de Sophie et Frank, c'était bien celle-là : se sentir attiré sexuellement par son juge d'application des peines — même s'il s'agissait d'une ravissante jeune femme !

Après quatre ans d'âneries, il était plus que temps de se montrer astucieux. Joe réussit, finalement, à chasser l'image importune dans un recoin sombre de son âme — c'était, d'ailleurs, de là qu'elle avait surgi, sans aucun doute.

Mais pourquoi avait-il tant de mal à chasser Anna Langtry de son esprit ? Lui qui n'aimait pas les rousses ! Enfin... Anna n'était pas vraiment rousse. Ses cheveux faisaient plutôt penser à de l'or sombre avec des reflets d'acajou chatoyant...

En montant dans le bus, Joe était toujours aussi furieux contre lui-même.

8.

L'ascenseur de l'Algonquin était encore en panne. Joe dut grimper l'escalier de service jusqu'au quatrième étage. La première chose qu'il vit, dès qu'il eut poussé la porte coupe-feu, ce fut la femme qu'il s'était évertué à chasser de ses pensées pendant toute la durée de son trajet en bus. Elle attendait, debout devant la porte de sa chambre, en griffonnant quelque chose sur un petit carnet à spirale. Animés de mille reflets par la lumière artificielle du couloir, ses cheveux auburn semblaient l'auréoler avant de retomber en vagues souples sur ses épaules.

Elle était, tout simplement, éblouissante.

Les mâchoires serrées, Joe tâchait de se rappeler qu'il préférait nettement les blondes, mais son corps ne tint aucun compte de cet avertissement. Il couvrit silencieusement les quelques mètres qui le séparaient d'elle, sans pouvoir s'empêcher de remarquer que son *juge d'application des peines* portait un pull vert mousse et un jean délavé qui dessinaient ses hanches sveltes et le galbe de sa poitrine avec une précision terriblement attirante… Comme elle était concentrée sur ce qu'elle était en train d'écrire, elle tenait la tête penchée, et fronçait les sourcils en se mordant la lèvre.

Joe ferma les yeux, luttant contre les symptômes du désir irrépressible qui s'emparait de lui. Pourquoi fallait-il que cette fille se trouve justement là ? Etait-ce pour le torturer en ravivant sa frustration ? Lui qui ne voulait plus rien avoir à faire avec elle… Même en faisant abstraction de ce qu'elle représentait officiellement pour lui, il était sûr de ne pas l'apprécier si jamais il la connaissait personnellement. Elle était le type même de la femme efficace, froide et maîtresse d'elle-même. Avec, peut-être, quand même, un soupçon de vulnérabilité — très déconcertant, d'ailleurs. Rien à voir avec la sensualité insouciante qui l'avait tellement attiré chez Sophie.

Cette attirance pour Anna était-elle liée à son besoin de défier l'autorité que la jeune femme représentait à ses yeux ? Dans ce cas, c'était plutôt malsain… Mais peu lui importait, au fond : quelles que soient les raisons profondes de son trouble, il était bel et bien là, embarrassant et même dévorant.

— C'est moi que vous attendez ?

Sa voix avait une intonation presque menaçante, qu'il ne maîtrisait pas. Mais tant mieux, au fond, si ça pouvait cacher la nature véritable de son émotion…

— Ah, monsieur Mackenzie ! Je suis contente de vous voir. J'étais, justement, en train de vous laisser un message.

Anna chassa avec impatience un flot de boucles acajou, et les ramena derrière son oreille.

Joe crut que son cœur allait lâcher lorsqu'elle lui sourit.

— Il y a trop de bruit, ici, reprit-elle. Je ne vous avais pas entendu venir.

Subjugué par le sourire d'Anna, Joe n'avait absolument pas fait attention à l'ambiance qui les entourait : Eminem sur une mauvaise radio, un couple qui se hurlait des obscénités dans une chambre voisine, des coups de marteau — le vacarme des ouvriers qui réparaient l'ascenseur. Dire qu'il en était arrivé à ne même plus remarquer toutes ces nuisances ! C'était affligeant de constater à quel point la prison avait attaqué ses facultés sensorielles...

Pas question de partager ces considérations pitoyables avec Anna, naturellement. Il se composa le visage le plus inexpressif possible, et se contenta d'un geste vaguement interrogateur.

— Vous aviez quelque chose à me dire, madame ?

— Oui, monsieur Mackenzie. J'ai une communication importante à vous faire. Mais j'aimerais autant ne pas être forcée de hurler pour me faire entendre. Est-ce que nous pourrions entrer chez vous ?

Voir sa chambre à travers les yeux d'Anna ! Tout, plutôt que d'avoir à subir cette humiliation ! Elle était peut-être minable, cette chambre, mais c'était tout ce qu'il avait. C'était son havre de paix, et il était hors de question de le livrer au regard d'Anna — à son mépris ou, pire, à sa commisération. Il ne supportait pas l'idée qu'Anna pût le prendre en pitié.

— Il n'y a pas de chaise dans ma chambre.

Sa voix se fit encore plus grognon.

—Il faudra rester debout ou s'asseoir sur le lit. A vous de voir.

Il se révoltait intérieurement à la perspective d'étaler son indigence, d'admettre que cette chambre d'hôtel sordide, c'était tout ce qu'il pouvait s'offrir. Surtout, il était affolé à la perspective de se retrouver assis à côté d'Anna sur ce matelas défoncé qui vous faisait immanquablement rouler au milieu du lit...

Il gardait obstinément les yeux rivés au sol, découragé d'en revenir toujours à la même obsession.

— Il m'est déjà arrivé d'entrer dans une chambre comme celle-ci. Je sais à quoi ça ressemble. Quelque chose me dit que la direction se soucie assez peu de soigner la déco !

Elle avait dit ça avec un petit sourire de connivence. Il aurait payé cher pour pouvoir lui rendre son sourire. Il regarda délibérément vers le mur du couloir, d'une épouvantable couleur vert caca d'oie, en prenant un air profondément blasé. Puis, lentement, il reporta son regard sur Anna.

— En effet, madame. Je crois qu'on peut dire ça.

Il avait remarqué qu'elle tiquait, chaque fois qu'il lui donnait du « Madame ». Ça semblait l'indisposer. Il prenait donc un malin plaisir à le faire aussi souvent que possible…

Elle lui lança un regard scrutateur, et il eut le sentiment qu'elle savait parfaitement à quoi s'en tenir sur la courtoisie excessive qu'il affectait à son égard. Bah ! C'était évident : quatre-vingt-dix pour cent des libérés qu'elle prenait en charge devaient avoir le béguin pour elle, étant donné leur état de frustration sexuelle !

Drapé dans sa fierté, Joe s'appliqua à regarder un morceau de vieux papier peint arraché qui pendait en hauteur, vestige de la splendeur révolue de l'établissement.

— Je n'ai pas déjeuné, et je commence à avoir faim, déclara brusquement Anna. Que diriez-vous d'un café avec quelque chose à grignoter ?

Joe avait follement envie d'accepter. Depuis combien de temps ne s'était-il pas offert un plaisir aussi innocent qu'un café en compagnie d'une jeune et jolie femme ?

Pour la cinquième fois en l'espace de cinq minutes, il dut se rappeler à l'ordre : pas question de regarder Anna comme une femme : elle était son juge d'application des peines. C'est-à-dire une créature à part.

162

Au prix d'un immense effort, Joe fit taire son envie et s'efforça de la regarder en face.

— Est-ce que c'est un ordre, madame ?

Pour le coup, il n'était plus question de courtoisie. Il avait bien conscience d'être franchement grossier. Mais la grossièreté, c'est souvent tout ce qui reste quand on n'a plus la moindre force...

Les yeux d'Anna — ses yeux incroyablement bleus — soutinrent son regard, malgré tout.

— Je dois absolument vous parler, monsieur Mackenzie. Alors, disons que c'est un ordre.

— Dans ces conditions, madame, je serai ravi de prendre un café avec vous. Je vous remercie de cette invitation.

Joe s'était incliné avec ironie. Il plongea les mains dans les poches de son jean, pour qu'Anna ne remarque pas à quel point il était nerveux.

Que pouvait-elle avoir de si urgent à lui dire pour venir le trouver chez lui un samedi après-midi ? Quelle bourde avait-il donc commise, depuis le lundi précédent ? Il n'avait pas mis les pieds dans un bar, à part pour boire un soda. A sa connaissance, son patron n'avait pas eu à se plaindre de lui. De quoi pouvait-il s'agir, alors ?

Joe sentit la peur le prendre à la gorge — la peur du prisonnier qui ne sait jamais trop ce que les autorités vont exiger de lui...

Mais Anna Langtry ne s'y serait sûrement pas prise de cette façon si elle avait voulu lui signifier sa réincarcération...

Il descendit l'escalier derrière elle. Il s'attendait à l'accompagner jusqu'au bar le plus proche — un troquet sordide au bout de la rue. Au lieu de cela, elle l'invita à monter dans une Subaru grise garée sur le terrain vague qui servait de parking à l'hôtel.

Lorsqu'elle s'installa à la place du conducteur, il sentit son parfum l'effleurer. Il boucla sa ceinture de sécurité, tout en s'empressant de regarder dehors. Il tenait les jambes serrées, les mains croisées sur les genoux, et mettait toute son application à ne rien laisser paraître de son trouble physique. Le fait qu'Anna le prenne pour un malotru, passe encore. Mais surtout pas pour un pauvre type affamé de sexe !

Ils firent le trajet en silence, slalomant entre les files de voitures. Puis Anna s'arrêta devant un bar disposant d'une terrasse couverte avec des stores-bannes à rayures, une pergola et des tables en fer forgé. De chaque côté de la porte, des bacs de bois remplis de jonquilles et de crocus en pleine floraison…

C'était incroyable de penser qu'autrefois, il passait devant des endroits de ce genre sans remarquer à quel point ils étaient liés au plaisir de vivre. Avant son séjour derrière les barreaux, il trouvait que les fleurs n'étaient que des fleurs, des taches de couleurs agréables, sans plus.

Est-ce que c'était ça, la liberté ? Pouvoir se payer le luxe de passer à côté des choses sans se soucier de savoir si elles étaient belles ou laides puisque, de toute façon, on les trouverait encore là le lendemain ?

— Je vais aller commander, dit Anna.

C'étaient ses premiers mots depuis qu'ils étaient montés en voiture.

—Comment voulez-vous votre café, monsieur Mackenzie ? Expresso ? Cappuccino ? Avec ou sans sucre ?

— Un café au lait sans sucre, s'il vous plaît, madame.

164

Elle lui lança un regard qui montrait qu'elle avait compris ce que recouvrait ce « Madame » superflu et insistant. Puis elle lui désigna les tables, d'un signe de tête.

— Installez-vous, Mackenzie. A moins que vous ne trouviez qu'il fait trop frais à l'extérieur ?

— Non, non. J'ai une veste et j'aime bien l'air frais.

— Moi aussi. Et puis, ça fait vraiment du bien, un peu de soleil, après tous ces mois d'hiver… Je reviens tout de suite.

Joe se leva automatiquement quand la jeune femme revint avec deux tasses pleines de mousse fumante et deux énormes cookies sur un plateau.

— Je n'ai pas pu résister, dit-elle. Chocolat blanc aux noix de pécan, c'est ce que je préfère. J'espère que vous aimez ça, vous aussi.

— Beaucoup.

Assis en face de cette femme, il aurait tout trouvé délicieux.

—C'est une bonne idée d'être venus ici. Je vous remercie. C'est très agréable.

Pour une fois, il n'y avait pas d'ironie dans ses remerciements.

— Oui, c'est un endroit que j'aime bien. Je m'y arrête souvent quand je passe dans le coin, parce que je suis sûre de pouvoir déguster un vrai café. Très important, ça, pour une droguée du café, comme moi !

Son sourire était si engageant… Comment ne pas y répondre ? Joe sentit qu'il baissait les armes.

— Même chose pour moi. Je crois que c'est ce qui m'a le plus manqué, pendant quatre ans.

— Je comprends ça.

Elle s'interrompit un instant pour déposer le plateau sur la table en fer forgé.

—Les personnes libérées dont je me suis occupée m'ont souvent raconté que, paradoxalement, ce sont les petites choses qui vous manquent le plus, en prison. Il paraît qu'on arrive plus facilement à accepter les grandes privations.

— C'est vrai. Moi aussi, j'ai ressenti ça.

Joe lui tira sa chaise pour qu'elle s'assoie, et se hâta d'ôter ses mains du dossier quand elle y appuya ses épaules. Il se rassit ensuite en face d'elle.

« Attention, mon vieux ! N'oublie pas tes belles résolutions ! Assez de sourires ! Assez de confidences ! Pas d'allusions à ta vie en prison. Tu ne veux quand même pas que cette fille en sache plus sur toi que ce qui figure dans ton dossier ? »

Anna buvait son café à petites gorgées, apparemment perdue dans la contemplation des jonquilles. Puis elle se décida à regarder Joe.

— J'aurais voulu trouver une entrée en matière un tant soit peu délicate mais je n'y arrive pas. Alors, je vais aller droit au but.

— Oui, madame.

Elle prit une profonde inspiration.

— Eh bien… J'ai appris, tout à l'heure, que deux types ont été payés pour vous tuer. D'après mes sources, vous avez de la chance d'être encore en vie, parce que les gars avaient déjà reçu une avance pour faire le travail samedi soir. Ils avaient ordre de vous régler votre compte avant votre rendez-vous du lundi avec moi. Heureusement pour vous, il semble que les assassins en puissance aient été détournés de leur but avant d'avoir accompli leur besogne : ils étaient drogués, ils se sont battus avec un troisième gaillard, il y a eu des coups de feu et on les a coffrés. Comme ils étaient déjà fichés à la police, le juge ne les a pas relâchés sous caution. Ce qui signifie qu'ils sont momentanément hors d'état de vous nuire.

166

Anna marqua une pause. Comme Joe ne disait rien, elle reprit la parole.

— Bon. Ça, c'était la bonne nouvelle. La mauvaise, c'est que nous ne savons pas qui les a embauchés. Pas la moindre indication. Ce qui veut dire qu'on ne sait pas non plus si l'individu en question a l'intention de payer quelqu'un d'autre pour faire le boulot. Tant que nous n'aurons pas réussi à faire cracher le nom de leur patron à ces deux minables, vous avez intérêt à ouvrir l'œil. Il se pourrait bien que vous soyez en danger, monsieur Mackenzie.

Au début, Joe n'avait pas réagi à ce que lui disait Anna. Mais, quand elle eut fini de parler, il se rendit compte qu'il s'était automatiquement remis en état d'alerte. A l'instant même où elle avait commencé son laïus. En même temps qu'il l'écoutait, il s'était mis à passer en revue, machinalement, tous les détails environnants. Auparavant, il n'avait pas remarqué le couple assis à une table voisine ; maintenant, il tendait l'oreille pour saisir leur conversation, tout en écoutant Anna — ils discutaient du film qu'ils iraient voir, le soir.

Sûrement des gens complètement inoffensifs qui n'étaient là que pour boire un café. Mais il continua à les tenir à l'œil, au cas où... C'était l'une des leçons que lui avait apprises la prison : être toujours conscient de l'environnement et des menaces éventuelles.

Son cerveau se mit à enregistrer tout ce qui l'entourait, la distance qui le séparait de la rue et la meilleure façon de se protéger en cas d'attaque. Il était beaucoup trop à découvert, et Anna se trouvait juste dans la ligne de mire, si quelqu'un voulait lui tirer dessus en passant en voiture. Qu'est-ce qui lui avait pris de s'asseoir à la terrasse ? De l'intérieur, il aurait beaucoup mieux contrôlé la situation. Décidément, il n'avait pas mis longtemps à perdre toute prudence…

Il avait fallu cet avertissement pour qu'il en prenne conscience et qu'il se remette sur la défensive. Une semaine avait suffi pour qu'il oublie la nécessité de se tenir toujours en alerte, d'être toujours en train de scruter les alentours afin de parer à toute éventualité.

Au moins, il avait eu le réflexe de s'asseoir face à la route, le dos appuyé au mur… Il y avait quand même des choses qui s'étaient suffisamment ancrées en lui, pendant ces quatre années, et qui ne disparaîtraient pas sans un effort conscient de sa part !

Joe se mit à réfléchir à toute allure, analysant les risques potentiels en moins de temps qu'il n'en faut pour le dire. En même temps, il parvenait à regarder Anna avec un air, apparemment, détaché. Encore un bon vieux réflexe de défense acquis en prison. Seigneur ! Que tout cela était lourd à porter… Ça ne finirait donc jamais ? Il n'en pouvait plus de jouer la comédie. De ne pouvoir faire confiance à personne. De vivre sur la défensive, vingt-quatre heures sur vingt-quatre.

— C'est gentil de m'avertir, madame, dit-il d'une voix sourde. Je vous remercie. Je vais me tenir sur mes gardes.

— C'est tout ce que vous trouvez à dire, monsieur Mackenzie ?

Anna semblait déçue mais pas vraiment surprise.

—Je vous apprends que vous êtes la cible de deux tueurs à gages, et vous vous contentez de me remercier poliment de vous avoir averti ! Vous ne croyez pas que vous poussez le bouchon un peu trop loin ? On a le droit d'être macho, mais à ce point !

Joe but une longue gorgée de café avant de lui répondre. On venait lui dire que quelqu'un voulait le tuer : O.K. Mais était-ce une raison pour gâcher ce moment si intense et cet excellent café au lait ?

— Qu'aimeriez-vous que je vous dise… madame ?

Elle reposa sa tasse avec humeur, de sorte que la mousse de son café se répandit sur la table en fer.

— Pour commencer, j'apprécierais que vous cessiez de m'appeler « Madame » à tout bout de champ sur ce ton hypocrite que je trouve carrément insultant.

Joe la regarda avec une expression de défi qu'il ne chercha pas à contrôler, cette fois.

— Comment souhaiteriez-vous que je vous appelle ? Comment doit-on s'adresser à son juge d'application des peines quand on a été condamné pour détournement de fonds ? Ayez l'obligeance de me renseigner, madame.

Elle dut remarquer une lueur inquiétante dans son regard car elle se hâta de reprendre sur un autre ton :

— « Mlle Langtry » suffira… Bien. Revenons à ce qui vous concerne. Voyez-vous une raison pour que quelqu'un ait envie de vous tuer, monsieur Mackenzie ?

Il haussa les épaules.

— J'en vois pas mal, oui.

— Alors, vous allez m'en citer quelques-unes. Pour commencer, qui a pu engager ces deux tueurs, à votre avis ?

— Ça, je n'en sais rien.

Joe faisait semblant de tomber des nues, mais il savait qu'il devait quand même se montrer coopérant pour ne pas attirer l'attention d'Anna sur ce qu'il suspectait en réalité.

— Je me suis, forcément, fait des ennemis quand j'étais en prison, reprit-il. C'est toujours comme ça, vous savez ? Il suffit d'offenser le chef d'un des gangs qui sévissent là-bas, et ses potes se disputent l'honneur de vous envoyer à l'hôpital. Comme, en plus, je n'avais pas envie d'entrer dans les conflits ethniques, je me suis attiré les foudres d'un certain nombre de connards fanatiques qui en avaient plus dans le slip qu'entre les deux oreilles.

Il espérait la faire réagir en étant vulgaire. Mais elle ne broncha pas.

— Avez-vous provoqué l'un de ces types en particulier ? Au point qu'il cherche à vous éliminer, maintenant que vous êtes en conditionnelle ?

— Pas que je sache. Mais ça ne prouve pas grand-chose. La plupart du temps, les taulards n'ont même pas besoin de vraie raison : ils vous haïssent, un point c'est tout. Tenez, par exemple, il y avait des types du gang des Aryens qui m'en voulaient à mort, sous prétexte que j'étais copain avec des prisonniers différents de moi sur le plan ethnique. Et surtout parce que j'étais resté ami avec plusieurs musulmans, après l'attentat du 11 septembre. Est-ce qu'ils m'avaient dans le nez au point de chercher à me faire assassiner, au moment de ma libération ? Je dirai que non. En prison, les types sont plutôt obsédés par ce qui se passe *à l'intérieur*, et ça se comprend…

Anna balaya d'un geste de la main les miettes de cookie répandues sur la table. Elle gardait les sourcils froncés, visiblement concentrée sur ce que Joe lui disait.

— O.K. Donc, vous vous êtes fait pas mal d'ennemis mais vous n'en voyez aucun qui puisse vous en vouloir assez pour vous tuer ? Et du côté de vos amis ?

Il haussa de nouveau les épaules.

— J'en avais quelques-uns.

— Vous connaissiez un certain Diego Esteban, n'est-ce pas ? Est-ce que vous le considériez comme un ami, quand vous étiez en prison ?

Elle avait une idée derrière la tête, c'était évident. Et Joe aurait bien aimé savoir où elle voulait en venir, avant de lui

170

répondre. Naturellement, un simple coup de téléphone avait dû lui suffire pour savoir que Diego et lui partageaient la même cellule. Donc, pas la peine de chercher à mentir.

— Oui, je connaissais Diego.

Cela le rendait malade de penser que celui qu'il considérait comme son meilleur ami avait pu le trahir. Mais Diego était cocaïnomane depuis dix ans ; c'est-à-dire bien avant d'avoir été relâché sous condition. S'il y a bien une chose dont on peut être sûr, avec un toxico, c'est qu'il y a toujours moyen de l'acheter. Diego était un garçon dont Joe répondait comme de lui-même — quand il était à jeun. Le reste du temps, il n'aurait pas parié un centime sur sa loyauté.

Anna se pencha vers lui, et se mit à parler plus bas, sur le ton de la confidence.

— Monsieur Mackenzie, je sais que le code de l'honneur, en prison, exige de ne jamais donner une bribe d'information aux autorités, même sous la torture. Mais je ne suis pas en train de vous faire subir un interrogatoire de police. Nous ne sommes pas au tribunal. Ni même dans mon bureau. Croyez-moi, je n'ai qu'un seul but en vous parlant comme je le fais : vous aider. Pourriez-vous, s'il vous plaît, répondre à mes questions ?

Le fait que quelqu'un cherche à l'aider, c'était vraiment nouveau pour Joe. Ça ne lui était pas arrivé depuis si longtemps qu'il se sentit presque désemparé. La tentation d'accepter était grande. Le soutien d'Anna aurait été le bienvenu. Seulement, c'était bien trop dangereux, compte tenu de la nature de ses projets.

Que pouvait-il bien lui dire sans que cela risque de se retourner contre lui ?

Ne sachant quel parti prendre, il se donna le temps d'avaler ce qui lui restait de café. Puis il regarda la jeune femme en prenant son air le plus indifférent.

— Je pensais vous avoir répondu, mademoiselle Langtry. Oui, je connaissais Diego Esteban. Nous étions dans la même cellule. Mais ça fait presque un an qu'il est sorti de prison. Il m'a, d'ailleurs, écrit deux ou trois fois, depuis.

— Donc, vous le considériez comme un ami ?

Décidément, elle n'en démordait pas ! Il hésita à répondre. Il voulait se protéger et ménager sa fierté. Mais il avait encore plus besoin d'informations que de satisfactions d'amour-propre. Si Diego l'avait trahi... eh, bien, ça ne ferait jamais qu'une trahison de plus !

— Oui, dit-il dans un souffle. Diego et moi étions des amis.

— C'est bien comme ça qu'il voyait les choses, de son côté. Il est à l'hôpital, à l'heure qu'il est. Vous étiez au courant ?

— Non, je ne savais pas.

« Pauvre Guillermina ! » se dit Joe. Mais il savait qu'Anna le regardait et qu'elle était à l'affût de la moindre de ses réactions. Elle pouvait toujours courir pour qu'il laisse transparaître quoi que ce soit ! Grâce à son stage en prison, il était passé maître dans l'art de cacher ses pensées et ses émotions. Il passa la main sur son menton où pointait une barbe de vingt-quatre heures, avant de risquer une question.

— Qu'est-ce qu'il lui est arrivé ? Une overdose ?

— Non. Il s'est fait tirer dessus par deux Colombiens.

— Je suis désolé. Vraiment désolé.

Il lui fallut quelques secondes pour retrouver le contrôle de sa voix.

— Est-il grièvement blessé ?

172

— Oui. Il a été touché par cinq balles : une dans le foie, une autre dans la rate, deux dans l'épaule et, si j'ai bien compris, la dernière est passée à moins de deux millimètres du poumon gauche.

— Nom de Dieu !

Il avait beau se sentir soulagé d'apprendre que Diego était toujours en vie, il était furieux qu'il se soit exposé de cette manière. Bougre d'imbécile ! Il ne pouvait donc pas se tenir tranquille ?

— Logiquement, il aurait dû succomber à ses blessures, reprit Anna. D'ailleurs, il y a une semaine, tout le monde le donnait pour mort. Mais, à l'heure actuelle, il semble qu'il ait de bonnes chances de s'en sortir. A l'Hôpital Général, ils disent que son cas tient du miracle.

— J'espère vraiment qu'il va s'en tirer. Sa femme doit être rudement soulagée. Elle va bientôt avoir un bébé, n'est-ce pas ?

— Dans six semaines, je crois.

— Est-ce que les flics savent pourquoi on lui a tiré dessus ?

En posant la question de cette façon-là, Joe espérait la rendre anodine.

— Des histoires de drogue. Enfin, c'est la version officielle : Diego et les deux Colombiens étaient shootés. Mais, bien entendu, il y a deux sons de cloche différents. Diego soutient que les deux types sont venus le trouver alors qu'ils étaient drogués, et qu'ils n'ont pas aimé ce qu'il leur a dit. Ils auraient arrosé le restaurant et, pour finir, ils lui auraient tiré dessus. Ce n'est qu'après cela que Diego aurait tiré à son tour. En état de légitime défense. Naturellement, les deux autres ont une version toute différente.

— J'imagine. Ce que je peux dire, c'est que j'ai passé trois ans dans la même cellule que Diego. On peut difficilement être plus proches, n'est-ce pas ? Eh bien, il m'a toujours fait l'effet de quelqu'un qui cherche, avant tout, à éviter la violence.

— C'est vrai ?

Anna se carra contre le dossier de sa chaise, et regarda Joe dans les yeux.

—Les types qui ont voulu le tuer étaient d'anciens copains : Miguel Ortega et Carlos Inez. Est-ce que ces noms vous disent quelque chose ?

Cette fois, Joe put répondre en toute sincérité.

— Absolument rien.

— Dommage. Parce qu'en plus d'avoir tiré sur Diego, samedi soir, ces deux types sont, semble-t-il, ceux qui ont été payés pour vous tuer...

— Et Diego ? Ils étaient payés pour le tuer, lui aussi ?

Joe était tellement abasourdi qu'il en oublia de dissimuler sa surprise. Et s'il avait fait complètement fausse route en se figurant que toute cette histoire avait un rapport avec Durango ? Lui qui s'était imaginé qu'on voulait l'éliminer à cause de ce qu'il avait découvert à la banque ! Peut-être qu'en fait, le coup était commandité pour d'autres motifs. Peut-être que Diego et lui étaient visés parce qu'ils avaient offensé un gros bonnet, au pénitencier...

— Qu'y aurait-il de si surprenant à ce que Diego soit visé, lui aussi, monsieur Mackenzie ?

Sapristi ! Cette Anna Langtry était rudement rapide à la détente ! Rien ne lui échappait.

Joe lui décocha un sourire cynique en espérant détourner sa curiosité.

— Diego ne s'est pas fait autant d'ennemis que moi, en prison. Il savait adopter le profil bas. Et puis, il avait des relations puissantes. Et ça, ça évite certains ennuis…

— Des relations avec Medellin, je suppose ?

Elle devait déjà connaître la réponse, alors, autant acquiescer sans se faire prier.

— Oui. Et les prisonniers qui ont de la jugeote ne se frottent jamais à vous si vous êtes protégé par les Colombiens. D'ailleurs, même ceux qui ne sont pas avertis apprennent vite la leçon !

— D'après Diego, Miguel et Carlos avaient reçu dix mille dollars pour vous tuer. Il a essayé de les en empêcher en leur disant que vous étiez un de ses amis, mais ils n'ont rien voulu entendre : on leur avait déjà versé trois cents dollars d'avance, et ils avaient hâte de toucher le reste pour s'offrir des vacances.

— C'est vraiment chouette de la part de Diego d'avoir voulu faire ça pour moi, dit Joe gravement.

Il marqua une pause avant de reprendre :

—Je suppose que je devrais être vexé de ne valoir que dix mille dollars… En tout cas, ça signifie que celui qui a payé mes deux tueurs pensait pouvoir se débarrasser de moi à bon compte.

— Ça peut aussi vouloir dire que le commandataire n'a pas une grosse expérience en la matière. De fait, un « habitué » n'aurait pas payé deux gars ramassés dans la rue — des drogués, en plus — avant d'avoir une preuve tangible que vous étiez bel et bien mort.

Si le coup avait été monté à partir de Durango par des cols blancs, ce n'était pas étonnant qu'ils n'aient pas su comment s'y prendre avec des tueurs à gages. Les soupçons de Joe s'en trouvaient renforcés. Oui, tout cela était probablement en rapport avec le trafic à la banque de Durango, et non pas avec des ennemis qu'il se serait faits en prison.

Jusqu'alors, en dépit de tout ce qui s'était passé, Joe n'avait jamais pensé que sa vie pût être en danger. Son raisonnement était simple : si on avait voulu le supprimer, ce serait fait depuis longtemps. Et si on ne l'avait pas tué, quatre ans auparavant, pourquoi le faire maintenant ?

Encore une question à ruminer. Mais, pour cela, il attendrait que le regard perspicace d'Anna ne soit plus rivé sur lui…

Il s'était tu trop longtemps, et elle l'observait. Alors, il se mit à parler très vite, pour donner le change.

— En somme, je dois une fière chandelle à mon assassin présumé ! Je devrais le remercier d'avoir choisi des tueurs aussi minables ! Remarquez, ça ne doit pas être facile de recruter des types compétents quand on est derrière les barreaux.

— Vous vous hâtez peut-être un peu vite de conclure que c'est un détenu qui a commandité votre assassinat, fit observer Anna. Il y a quand même d'autres hypothèses : une ex-femme qui vous en voudrait à mort, par exemple ?

— Impossible. Je n'ai jamais été marié.

— Une ex-petite amie, alors ? Une fiancée qui aurait des raisons de se débarrasser de vous ? Quelque chose dans ce genre… Non ?

Il pensa à Sophie. En voilà une qui n'avait pas eu besoin de le faire liquider pour passer dans d'autres bras sans le moindre remords…

— Non. Aucune qui se soucie plus de moi que de sa première chemise.

Il aurait voulu jouer les blasés. A son grand mécontentement, il sentait qu'il devait plutôt avoir l'air d'un homme blessé.

176

Comme pour confirmer ce qu'il redoutait, Anna lui lança un regard perçant. Heureusement, elle n'eut pas la cruauté d'enfoncer le clou.

— Dans ce cas… Ecartons cette possibilité. Par conséquent, il ne nous reste guère de pistes pour trouver qui est derrière tout ça.

— Non, en effet.

— Votre conclusion, c'est qu'Inez et Ortega ont été recrutés par un détenu qui cherche à se venger de vous, c'est bien ça ?

— Il faut le supposer… Sinon, qui d'autre ?

— *Moi,* je ne sais pas. Mais *vous*… quelque chose me dit que vous avez votre idée sur la question !

Après quatre ans de prison, mentir lui était devenu une seconde nature. Joe se composa donc une expression où ne perçaient que de l'étonnement et le désir de se montrer coopératif.

— Je vous assure que vous vous trompez, mademoiselle Langtry. Je ne vois pas de qui il pourrait s'agir. Vraiment pas.

Anna chiffonna sa serviette en papier d'un geste brusque, et la déposa dans sa tasse vide.

— Alors, répondez-moi, monsieur Mackenzie. Si vous avez suscité autant de haine chez un détenu, pourquoi ne vous a-t-il pas tué sur le moment ? C'était si simple d'arranger ça à la prison… Une bagarre, deux costauds qui vous empoignent et un troisième qui vous plante son couteau entre les côtes… Pourquoi attendre que vous soyez dehors et, par conséquent, beaucoup plus difficile à coincer ?

— C'est au cinéma qu'on voit ça. Dans une vraie prison, les détenus ne se liquident pas comme ça, à la petite semaine ! Les gardiens se chargent d'interrompre les bagarres avant

177

qu'il y ait un mort sur le carreau : ça leur fait beaucoup trop de paperasse à remplir quand un détenu leur claque entre les doigts. Ils tâchent toujours d'éviter. Vous voyez ce que je veux dire ?

Anna choisit, visiblement, de ne pas relever la provocation.

— Les gardiens n'ont pas toujours le temps d'intervenir. Il y a des prisonniers qui meurent. Pourquoi pas vous ?

— Je ne sais pas.

— Cherchez un peu !

Il fronça les sourcils en se demandant ce qu'il allait bien pouvoir répondre. Cette fille était vraiment très forte. Pour la première fois, il chercha à être le plus sincère possible.

— Les gardiens savent généralement qui a commencé. Et, s'ils ne le savent pas, il y a toujours un mouchard pour le leur révéler. Il faut croire que l'intéressé s'est dit qu'on l'identifierait à coup sûr, si j'étais tué en prison. Et il ne devait pas avoir envie de prendre ce risque.

— C'est possible, mais...

Anna n'avait pas l'air convaincu.

—Un détenu bien décidé à vous liquider aurait très bien pu s'arranger pour ne pas être inquiété, vous ne croyez pas ? Il se serait adressé à deux condamnés à perpétuité, et leur aurait offert des témoins prêts à jurer que vous les aviez attaqués et qu'ils n'avaient fait que se défendre... Vous ne croyez pas que ç'aurait été plus facile et moins cher que de louer les services d'un tueur extérieur ?

Plus facile et moins cher pour un détenu, évidemment. Mais pas pour un col blanc en liberté, sans accointances avec l'univers carcéral... Tout cela ne faisait que renforcer les soupçons de Joe : le coup venait de Durango, et certainement pas d'un déjanté du gang des Aryens.

Il ne savait vraiment pas quoi répondre à Anna. Elle avait l'air sincèrement préoccupée de son sort, et désemparée de ne pas réussir à remonter la filière jusqu'à son assassin potentiel. Comme si elle avait à cœur de trouver ce salaud avant qu'il parvienne à ses fins. Comme si elle ne voulait pas qu'on lui fasse de mal. A lui, Joe ! C'était bien le genre de truc auquel il n'était pas préparé ! Ça faisait si longtemps que personne ne tenait plus à lui ! Il était beaucoup plus vulnérable à la sollicitude qu'il ne l'aurait imaginé. Il se décida enfin à répondre.

— Ça n'aurait pas été si facile que cela de m'avoir, vous savez ? J'avais des amis à l'intérieur. Ils n'auraient pas laissé faire ça.

— Vos ennemis auraient pu vous attaquer quand vous étiez seul. A la douche ou…

— On ne se retrouve jamais seul à la douche quand on est en prison, dit Joe abruptement. Et puis, de toute façon, j'étais de taille à me défendre tout seul s'ils m'avaient coincé quelque part. J'aurais certainement réussi à tenir au moins jusqu'à ce que les gardiens arrivent.

— Vous êtes de taille à vous défendre contre des brutes entraînées aux combats de rue depuis leur plus tendre enfance ? Vraiment ?

Elle semblait sceptique, ce qui n'avait, d'ailleurs, rien d'étonnant. Il aurait voulu éviter d'en dire trop, mais les mots lui vinrent malgré lui.

— Moi aussi, j'ai eu une certaine expérience des combats de rue, quand j'étais enfant. Qui plus est, je suis ceinture noire de judo.

— Pas possible !

— Eh si ! Il se trouve que j'éprouvais le besoin de m'affirmer quand je suis entré à l'université.

— Je n'aurais jamais cru que le judo tel qu'on le pratique à l'université puisse être d'un grand secours contre un coup de poing américain ou une attaque à la lame de rasoir !

Joe laissa échapper un sourire, et reprit avec amertume :

— Ouais. C'est vrai que le judo ne m'a pas beaucoup servi, au début. Je l'ai compris après deux ou trois stages à l'infirmerie, et j'ai totalement changé de tactique. A l'université, j'avais une petite amie dont les parents étaient cascadeurs à Hollywood. Pendant les vacances, il m'était arrivé d'aller travailler avec eux sur des films. Ils m'avaient fait voir des petits trucs tordus qu'on ne trouve pas dans les règles de l'art du judo… Au bout de six mois, les autres détenus ne m'ont plus cherché noise, vous voyez ?

Et ce n'était pas peu dire ! Au pénitencier, il n'y avait pas d'armes à feu mais des couteaux « en veux-tu, en voilà ». Or, dans un combat rapproché, Joe savait se défendre contre l'attaquant le plus implacable ou le plus déloyal. Bien avant d'avoir fini de purger sa peine, il s'était fait une réputation redoutable, à la prison.

Mais, visiblement, il avait déjà oublié tout ce qu'il avait appris derrière les barreaux ! En particulier, combien il est précieux de savoir tenir sa langue. Le pire est qu'il savait parfaitement pourquoi il avait failli à la règle : il était en train de tomber amoureux de son juge d'application des peines. Au point de ne pas pouvoir résister au besoin de lui en mettre plein la vue… Il était ulcéré à la pensée de n'être rien d'autre pour elle que le énième ex-détenu qu'elle voyait passer.

En tout cas, son histoire de cascadeur marchait à fond. Anna ouvrit de grands yeux.

— Bigre ! Vous m'impressionnez ! Je croyais qu'à Hollywood, les syndicats étaient tellement puissants qu'il était impossible de se faire engager quand on n'était pas de la maison.

180

— C'est vrai. Mais les parents de ma petite amie m'avaient parrainé.

— Quelle veine !

Anna eut un grand sourire. Cette fois, elle était sous le charme.

— Dans quels films avez-vous tourné ?

— Dans *Piège de cristal*. Et dans trois films d'action qui sont passés sur les chaînes câblées et qui n'ont laissé aucun souvenir.

— Vous étiez dans *Piège de cristal* ?

Elle eut un soupir d'aise qui le fit sourire intérieurement.

— Ma foi, oui ! Il est même resté quatre minutes de ma scène après toutes les coupes !

— J'adore cette série. J'adore surtout voir Bruce Willis sauver la planète. Rien qu'avec ses muscles et malgré son T-shirt en loques !

Joe sourit pour de bon, oubliant un instant son personnage cynique.

— Attendez. Quelque chose me dit que vous êtes une fan de Bruce Willis !

— Gagné ! J'ai même réussi à lui pardonner d'avoir fait *Incassable* ! Est-ce que vous avez eu l'occasion de lui parler ou de le voir de près ?

— Ah oui, ça, on peut le dire ! C'était mon deuxième jour sur le plateau, et j'ai cafouillé dans mon timing. Total : Bruce Willis a trébuché sur mon pied, qui aurait dû se trouver à deux ou trois mètres de là. Nous nous sommes retrouvés les quatre fers en l'air, lui et moi, sa tête coincée sous mon épaule. En dix secondes, la moitié de l'équipe était là en train de tâter Willis, pour vérifier si je ne leur avais pas endommagé leur star et s'ils pourraient tenir leur sacro-saint planning !

— Et alors ?

— Bah ! Il n'avait rien du tout ! C'est un coriace. Et puis, il sait tomber sans se faire mal, Dieu merci !

Anna s'amusa à pousser un soupir de soulagement exagéré, puis elle se mit à rire.

— Quel gâchis ! Je suis sûre que vous n'avez même pas apprécié ! Un corps à corps avec Bruce Willis ! Ce n'est pas à moi que ça arriverait !

— Kayla m'a dit la même chose. Presque mot pour mot.

— Qui est Kayla ?

— Ma petite amie de l'époque. A ce moment-là, j'étais un étudiant de vingt-deux ans. A la rentrée suivante, quand j'ai laissé entendre, sur le campus, que j'avais travaillé à Hollywood comme cascadeur, je me suis rendu compte que l'expérience en valait la peine… Je peux vous dire qu'on ne fait pas mieux pour que les filles vous tombent dans les bras ! A part, bien sûr, être soi-même une star !

Anna riait franchement, maintenant.

— Et ça ne vous a pas donné envie de continuer ?

— Non. Les cascades, c'est beaucoup trop dangereux quand on n'est pas complètement tête brûlée. En plus, c'est prodigieusement ennuyeux : des heures à rester là à tourner en rond, et puis cinq minutes d'action avant que le metteur en scène ne hurle « Coupez ! » Ça vous semblera peut-être incroyable, mais je trouve infiniment plus stimulant de travailler dans une banque que de sauter du haut d'un immeuble ou de bondir d'une voiture en flammes. Dans une petite succursale, en gérant l'argent de manière avisée, vous pouvez vraiment contribuer au mieux-être de la collectivité tout en faisant réaliser un profit confortable aux actionnaires. Mon grand-père…

Joe prit brutalement conscience du tour qu'avait pris leur conversation, et il s'interrompit, consterné. Il avait suffi d'une

182

réponse faite sans y penser, et voilà qu'il allait déballer sa vie personnelle à son juge d'application des peines !

Anna sembla partager son embarras soudain. Elle dit à mi-voix :

— Dommage que vous ayez perdu votre bel idéalisme en ce qui concerne les « petites succursales », monsieur Mackenzie. Vous auriez pu faire un travail formidable si vous vous en étiez tenu à cette vision des choses...

Joe ne comprit pas tout de suite où elle voulait en venir. Il lui fallut quelques instants pour comprendre à quel point son petit discours avait dû lui sembler hypocrite, compte tenu de la situation dans laquelle il se trouvait aujourd'hui ! Il y avait de quoi rire... Au temps pour lui. Il ne se laisserait plus aller, dorénavant.

Anna se leva et disposa les tasses vides et les emballages des cookies sur le plateau.

— Il vaudrait mieux y aller, maintenant, monsieur Mackenzie. J'ai une foule de choses à faire, cet après-midi, et je suppose que vous avez l'intention de dormir un peu avant de prendre votre service.

— Oui.

Il se leva, en s'écartant un peu pour qu'elle puisse aller déposer son plateau sur le chariot. L'autre couple était toujours attablé devant un journal grand ouvert à la page des spectacles. Ils ne manifestèrent pas le moindre signe d'intérêt lorsque Joe fit mine de s'éloigner.

— Je vais vous ramener, proposa Anna.

— Non, merci.

Il se sentait incapable de rester plus longtemps tête à tête avec Anna Langtry.

—Je préfère marcher, dit-il. Il y a à peine trois kilomètres jusqu'à l'hôtel : ça me donnera l'occasion de faire un peu d'exercice.

Elle ne chercha pas à le faire changer d'avis, et se contenta de la mettre en garde.

— Soyez prudent, monsieur Mackenzie. Et, quand vous irez travailler, ce soir, à la nuit tombée, prenez le bus, s'il vous plaît. Tâchez aussi d'éviter les rues désertes.

Ouais. Comme si ce genre de précaution suffisait pour être en sécurité !

Il reprit son ton bourru :

— Merci de m'avoir averti pour Inez et Ortega. J'apprécie que vous ayez pris sur votre week-end pour ça.

— Ce n'est rien.

Il n'attendit pas de la voir monter dans sa voiture, et ne lui dit même pas au revoir. Quand on n'a plus qu'un lambeau de fierté à préserver, tourner les talons et disparaître est la seule solution qu'il vous reste.

9.

Anna était habitée par une étrange sensation de malaise, depuis qu'elle avait quitté Joseph Mackenzie. Il y avait quelque chose qui clochait mais elle aurait été bien incapable de dire ce dont il s'agissait… Cet homme-là n'était pas de la même trempe que ceux qu'elle était amenée à rencontrer dans l'exercice de sa profession.

Pour commencer, il y avait cette surprenante attraction charnelle qu'il exerçait sur elle, c'était entendu. Mais ça, ce n'était qu'une partie du problème. Il y avait autre chose. Quelque chose de beaucoup plus mystérieux que le simple fait qu'elle ait passé une heure à discuter avec un escroc en se demandant quel genre d'amant il était…

Anna freina en catastrophe pour ne pas rentrer dans la voiture de devant. Message reçu. Il était temps qu'elle arrête de penser à la façon dont Mackenzie se comportait au lit ! D'ailleurs, elle était partie pour faire du shopping, non ?

Elle s'appliqua à comparer les avantages respectifs d'un magasin de dégriffés chic et d'une maison de haute couture. Peine perdue. Ses pensées revenaient toujours à Joseph Mackenzie. Il savait pertinemment *qui* lui en voulait, elle en aurait mis sa main au feu. Mais cette espèce d'âne bâté préférait se faire trouer la peau plutôt que d'accepter son aide. Quel macho, vraiment ! Son orgueil de mâle risquait-il de souffrir tant que cela s'il lui livrait une information utile ?

Arrêtée à un feu rouge qu'elle avait réellement vu, cette fois-ci, Anna se rendit compte qu'elle n'avait plus aucune envie de faire des courses. Comme son téléphone portable sonnait, elle allongea la main pour l'attraper, et obliqua dans une petite rue transversale afin de se garer et répondre à loisir.

Elle dut admettre qu'elle était légèrement déçue lorsque son interlocuteur déclina son identité : c'était Ed Barber. Qu'avait-elle donc espéré ? Que ce « gros-bras » de Mackenzie se soit ravisé et qu'il ait décidé de lui raconter sa vie ?

— Je suis allé jeter un petit coup d'œil sur les pièces à conviction recueillies chez Esteban, sur les lieux de la fusillade, dit l'inspecteur, sans autre préambule. C'est un fait que, dans le lot, il y a une photo d'un individu d'une trentaine d'années, de type européen. La photo est un peu déchirée mais ça n'empêche pas d'identifier le...

— Je peux faire un saut, coupa Anna, et vous dire s'il s'agit bien de Joseph Mackenzie.

— Pas la peine. Je suis déjà allé voir son dossier.

Barber marqua une pause.

—Ça correspond parfaitement : c'est bien lui. Ce qui confirme que quelqu'un trimbalait une photo de votre type dans le restaurant de Diego, samedi dernier.

Il marqua un nouveau temps d'arrêt, et eut un petit rire.

—Plutôt beau gosse, hein, le Mackenzie ?

Anna pensa intérieurement que *sauvagement et dangereusement sexy* auraient été des qualificatifs mieux adaptés, mais elle se contenta d'un murmure évasif.

Une fois de plus, elle avait la preuve que l'on a toujours tort de coller une étiquette aux gens... Elle aurait juré que Barber était du genre à mettre une éternité avant d'aller examiner les pièces à conviction rapportées par ses collègues. Au lieu de cela, il avait fait le nécessaire en moins de deux heures.

Toute contente de s'être trompée sur son compte, elle le remercia chaleureusement. Le policier offrit de se rendre à l'Hôpital Général dès le surlendemain, pour prendre la déposition de Diego. Si celui-ci pouvait prouver qu'il avait tiré en état de légitime défense, Barber promettait d'intervenir auprès du procureur pour qu'on ne retienne pas la charge de tentative de meurtre qui pesait sur lui.

— Etant donné que Diego a été touché par une demi-douzaine de balles sans qu'aucune des siennes ait fait mouche, il est permis de penser que les autres ont dégainé les premiers. Et qu'il était déjà grièvement blessé quand il a commencé à tirer.

A entendre Barber, on aurait dit qu'il était convaincu, depuis le début, qu'Inez et Ortega étaient les coupables ! Anna se contenta d'abonder dans son sens, sans faire de triomphalisme.

— Ça correspond tout à fait à la version de Diego. Et à celle de sa femme.

Ed Barber émit un grognement.

— Ouais. Il faut croire que même une planche pourrie shootée comme Diego doit pouvoir dire la vérité de temps à autre. Le problème, quand on a affaire à *trois* planches pourries shootées, c'est de choisir laquelle on va croire !

— Je reconnais que ça pose un problème, dit Anna d'un ton léger.

Elle était tellement soulagée que Barber ait pris l'affaire au sérieux et qu'il ait mis la main sur une preuve, qu'elle le laissait volontiers se défouler en traitant Diego de planche pourrie. Et, puisqu'ils étaient passés au registre de la coopération, elle le mit succinctement au courant de son entrevue avec Joseph Mackenzie.

Lorsqu'elle lui rapporta que Mackenzie prétendait ne pas savoir qui voulait le tuer, Barber haussa les épaules — ils avaient beau être au téléphone, Anna le voyait comme si elle y était ! Il suffisait d'entendre le ton sur lequel il lui avait répondu.

— Ouais, admettons… Enfin, vous l'avez averti, pas vrai ? Vous avez fait ce que vous pouviez. Mais je vous paie mon billet qu'il en sait beaucoup plus long qu'il ne veut bien le dire.

Elle répondit, avec une certaine brusquerie, qu'elle en était bien consciente.

— Ne vous laissez pas bouffer par tout ça, mon petit, reprit Barber avec une perspicacité qui surprit Anna. Vous ne pouvez pas sauver la Terre entière. Si Mackenzie refuse que vous l'aidiez, c'est son problème. Vous en avez déjà fait beaucoup. Et même plus que vous n'auriez dû. A partir de maintenant, c'est moi qui me charge de son affaire.

— A votre avis, est-ce qu'on a une chance que Miguel et Carlos lâchent le nom du type qui les a recrutés ?

— Je vais mettre le paquet pour ça. Le problème, c'est qu'ils ne le savent peut-être pas eux-mêmes. Je vais commencer par me renseigner du côté de la prison pour voir s'ils auraient eu vent d'une histoire entre Mackenzie et un autre détenu. S'il y a eu du vilain au point qu'un gars soit prêt à payer des tueurs pour descendre Mackenzie, ça devrait se savoir, là-bas. Et si ça ne donne rien, j'irai faire une petite visite personnelle à Mackenzie. On verra si j'arrive à l'intimider et à en sortir quelque chose !

— Eh bien, bon courage, inspecteur ! Parce que je n'ai pas l'impression que Mackenzie soit du genre à se laisser intimider !

—Dans ces conditions, il a de bonnes chances de se retrouver mort avant longtemps…

Anna était, hélas, tout à fait d'accord sur ce point. Avec un soupir, elle remercia encore le vieux policier pour son aide, et coupa son téléphone.

Elle remit le contact et se coula de nouveau dans la circulation en direction du centre commercial.

Elle mit la main sur une robe de cocktail noire moulante, soldée à la moitié de sa valeur, mais cela suffit à peine à lui remonter le moral. Elle n'arrivait pas à être sereine, et brûlait de retourner voir Mackenzie à son hôtel, pour essayer de mettre un peu de plomb dans cette cervelle de mâle imbécile.

Sur la route du retour, elle croisa, sans les voir, les joggers de Cheeseman Park. Un couple de gays traversa devant elle, en survêtements lilas, assortis aux rubans noués dans les longs poils de leurs deux lévriers afghans. Mais même cette vision ne parvint pas à retenir son attention.

Dès qu'elle serait chez elle, elle appellerait des amis pour leur proposer une sortie au cinéma. Elle était décidée à tout faire pour ne pas passer la soirée seule entre les quatre murs de son appartement.

Elle verrouilla sa voiture et adressa un signe de tête machinal à l'un de ses voisins.

Mackenzie n'était pas son seul sujet de préoccupation, en fait : on était le lundi 1er avril, et elle n'avait toujours pas reçu son courrier annuel de la part des Ford. Cela aussi expliquait qu'elle se sente comme un poisson hors du bocal. En général, l'enveloppe des Ford lui parvenait par l'intermédiaire de l'avocat, au cours de la troisième semaine de mars. Jamais plus tard. Est-ce qu'il s'était passé quelque chose, cette année ?

Si elle n'avait pas de nouvelle des Ford lundi prochain, elle appellerait le cabinet de Derek Boyd, son avocat.

Elle laissa sa Subaru au parking situé derrière l'immeuble, et refit le tour pour entrer par-devant et prendre son courrier dans la boîte aux lettres. Son cœur se mit à battre très fort lorsqu'elle vit l'enveloppe matelassée parmi les factures et les circulaires. Elle avait été expédiée par M. et Mme Ford, à l'adresse du cabinet Boyd.

Ses photos d'anniversaire étaient arrivées.

Elle sentit sa respiration s'arrêter, puis reprendre de plus belle. Vite ! Elle voulait être tranquille pour examiner le contenu de son précieux courrier… Arrivée au sixième étage, elle courut dans le couloir jusqu'à la porte de son appartement, mais ses doigts étaient agités d'un tremblement nerveux et elle laissa tomber son sac à main en cherchant ses clés.

Quand elle eut enfin réussi à ouvrir sa porte, elle donna un coup de pied dans son sac pour l'envoyer à l'intérieur de l'appartement, trop impatiente pour le ramasser. Elle claqua la porte d'un coup de pied et se jeta sur le canapé, éparpillant le reste du courrier sur le tapis. Elle en oublia même Ferdinand. Le chat, qui n'avait pas l'habitude d'être ainsi traité par le mépris, se retira avec dignité, la queue dressée pour manifester sa profonde déception.

Anna ne s'en rendit même pas compte. Elle déchira le rabat de l'enveloppe et s'enfonça dans le canapé. Son cœur battait la chamade. L'enveloppe était plus grosse que d'habitude. Et s'il y avait plusieurs photos ? Elle poussa un petit cri de joie — de déchirement, aussi — en constatant que, cette année, il y avait une douzaine de clichés.

190

Elle les sortit complètement de leur pochette et les parcourut si vite qu'elle ne vit, tout d'abord, qu'un tourbillon de couleurs. Se forçant à modérer son ardeur, elle essuya le plus calmement possible ses mains moites sur les jambes de son pantalon, et étala une à une les photos sur la table basse devant le canapé.

Pas de doute : sa fille était bien la plus belle enfant du monde ! Anna sourit, les yeux embués de larmes. Elle battit des paupières et s'essuya les joues. Allons ! Il fallait se ressaisir et ne pas risquer d'abîmer les photos avec des larmes. Elle ne les avait même pas encore bien vues !

Cette année, en plus du portrait obligatoire réalisé par un photographe professionnel, ainsi que le stipulait leur accord légal, les Ford lui avaient envoyé une douzaine de photos prises sur le vif, ainsi que la photocopie du bulletin scolaire de Marina. Ils n'avaient même pas fait disparaître le nom de l'école, ce qui permit à Anna de se représenter précisément, grâce à un plan de Seattle, l'endroit où vivait sa fille.

Elle n'en avait jamais reçu autant de la part des parents adoptifs de Marina. Tant de générosité lui gonflait le cœur. Peut-être, après quatorze années, les Ford avaient-ils décidé qu'ils pouvaient lui faire confiance, qu'elle tiendrait son engagement de ne pas chercher à entrer en contact avec sa fille avant ses dix-huit ans.

Et si elle leur envoyait une lettre de remerciements, par l'intermédiaire de l'avocat ? Une lettre dans laquelle elle les prierait de lui envoyer un enregistrement vidéo, l'année prochaine ? Ce serait tellement prodigieux de pouvoir entendre la voix de sa Marina...

Les jambes flageolantes, Anna emporta les photos près de la fenêtre, de manière à les regarder à la lumière naturelle. Elle scruta attentivement le visage de l'adolescente.

A quatorze ans, Marina se mettait à ressembler davantage à une femme qu'à une petite fille. Elle avait minci, ces douze derniers mois, et son visage avait perdu le caractère poupin de la petite enfance. Devant ces signes évidents de maturité, Anna se sentait déchirée entre le soulagement et la panique : enfin, la douloureuse attente allait s'achever ! Enfin, elle allait voir sa fille en chair et en os. Mais ce ne serait pas son bébé qu'elle serrerait dans ses bras. Elle n'avait plus de bébé…

Elle laissa courir ses doigts sur les longs cheveux châtains de Marina, sur ses mèches souples balayées de somptueux reflets auburn… Par chance, elle avait pris le meilleur dans la chevelure de sa mère : les reflets mais pas la couleur ! Sur le portrait, le photographe avait disposé les cheveux de Marina comme une aura autour de ses épaules, et ses extraordinaires yeux bleu-gris, avec leurs longs cils sombres, exprimaient une confiance sereine. Un regard de bonheur, résultat d'une vie épanouie entre deux parents adoptifs aimants et attentionnés.

Comme toujours, c'était en vain qu'Anna cherchait un indice de la paternité de Caleb Welks dans les traits de sa fille. Peut-être s'aveuglait-elle inconsciemment ? Mais non. Marina n'avait *vraiment* rien de son père : Caleb avait des traits quelconques, sans caractère particulier — à part ses oreilles, exceptionnellement petites —, et il était passé sans laisser de traces… Dieu merci !

Les autres photos montraient une Marina nettement plus décontractée et vivante que le portrait réalisé en studio. Prises en différentes occasions, lors des précédents mois, elles donnaient à Anna un aperçu de la vie de sa fille au quotidien.

Sur l'un des clichés, Marina était agenouillée auprès d'un sapin de Noël, et riait face à l'objectif. D'autres instantanés la montraient en train de lécher une cuiller de bois dégoulinante de chocolat, de rattraper une balle de tennis à la volée, d'exécuter un plongeon parfait ou bien encore adossée à un arbre avec un chaton minuscule dans les mains, tandis qu'un chien d'une race indéterminée la regardait avec adoration.

Anna aurait voulu entrer dans chacune de ces photos pour aller y chercher sa fille. Le besoin de la serrer dans ses bras était si fort qu'il en devenait quasiment insupportable.

Il n'y avait pas de lettre des Ford — il n'y en avait jamais — mais le bulletin scolaire en disait long sur le profil intellectuel de Marina : A en anglais, espagnol et sciences sociales, B en algèbre et dans les matières scientifiques. Une observation de son tuteur pédagogique mentionnait que Marina était appréciée de ses professeurs et de ses camarades mais qu'elle avait un effort à faire pour remettre ses devoirs à temps. Les deux «B» étaient dus à des retards dans la remise des copies. Le tuteur suggérait d'alléger son programme d'activités extrascolaires. Appartenir à une équipe de haut niveau et participer à des compétitions de tennis devenait peut-être trop prenant, maintenant qu'elle était au lycée.

Anna eut un moment de panique à la pensée que les Ford n'arrivaient pas à gérer au mieux l'emploi du temps de Marina… mais elle se faisait probablement un monde avec un rien !

Elle regarda les photos pendant deux bonnes heures. Elle laissait libre cours à son imagination, et s'inventait des histoires pour répondre aux questions muettes que lui posaient les regards et les attitudes de Marina, et aussi pour tâcher de combler le vide affreux que laissait dans sa vie l'absence de sa fille.

Quelle ironie du sort ! Dire qu'elle avait remué ciel et terre pour s'enfuir de chez Caleb avant de tomber enceinte ! Elle avait invoqué tous les saints du Paradis pour ne pas être liée à lui par un bébé. C'était même cette pensée obsédante qui lui avait donné la force de s'enfuir d'Alana Springs.

Si elle avait su qu'il était déjà trop tard, qu'elle portait déjà l'enfant de Caleb, se serait-elle ainsi sauvée après sa nuit de noces ? Elle n'était pas sûre de la réponse. La vie dans une grande ville américaine avait si bien modifié sa mentalité qu'elle avait, maintenant, du mal à se représenter l'état d'esprit de la jeune fille qu'elle était alors.

Quoi qu'il en soit, à ce moment-là, elle ne savait pas qu'elle était enceinte. Et elle s'était enfuie, habitée par l'espoir de voir s'ouvrir devant elle un avenir heureux si elle arrivait à échapper aux griffes de Caleb. C'était la seule chose qui comptait pour elle.

Avec l'aide de l'Armée du Salut, elle avait été hébergée dans un foyer pour adolescents en détresse, elle avait trouvé du travail dans une grande surface et elle avait pu s'inscrire à l'université pour la rentrée suivante.

Pendant tout un mois, elle avait nagé dans la félicité. Puis elle avait pris conscience qu'elle était enceinte. Terrifiée, désespérée, cherchant à tout prix un moyen de garder son enfant sans être, pour autant, forcée de retourner vivre sous la tutelle de Caleb, Anna avait voulu appeler sa mère au secours. Mais c'était Ray qui avait décroché, et il avait refusé de la laisser parler à Betty Jean.

Anna avait rappelé à un moment où elle espérait que Ray ne serait pas à la maison. Cette fois, c'était tante Patsy qui avait répondu, et qui l'avait informée froidement que personne, chez Ray, n'était disposé à parler à Anna tant qu'elle ne serait pas rentrée à Alana Springs afin de reprendre la place où Dieu

194

l'avait mise, c'est-à-dire aux côtés de son époux. La jeune femme avait crié qu'elle avait quand même le droit de parler à sa propre mère, mais tante Patsy lui avait répondu qu'elle n'avait aucun droit. Elle avait déjà de la chance que Ray et Caleb ne l'aient pas fait rechercher par la police et n'aient pas déposé plainte pour le vol de la voiture.

Certes, Anna avait passé six ans complètement coupée du monde avant son mariage, mais quatre mois passés dans la société réelle lui avaient largement suffi pour comprendre que les menaces de tante Patsy étaient dérisoires, que tout cela n'était que du bluff. Personne, à Alana Springs, ne se serait risqué à attirer l'attention des autorités sur la fugue d'une mineure contrainte de devenir la troisième épouse d'un polygame de vingt ans son aîné !

Qui plus est, Anna avait renvoyé les clés de la voiture à Caleb en lui indiquant où il pouvait la récupérer. Ç'avait même été son premier soin, dès que l'Armée du Salut lui avait trouvé un autre endroit pour dormir…

Quoi que Ray et sa famille aient pu prétendre, Anna avait clairement conscience de n'être coupable ni aux yeux de la loi ni vis-à-vis de sa propre conscience. Elle n'avait commis aucun délit, et Caleb était totalement dépourvu d'argument pour la contraindre à revenir. En écoutant les vaines menaces de tante Patsy, Anna avait compris que, si elle retournait à Alana Springs, ce serait uniquement parce qu'elle aurait choisi de se rendre.

Même enceinte, même sans ressources, même terrifiée, Anna ne voulait pas entendre parler de revenir à un style de vie qu'elle abhorrait, auprès d'un mari qu'elle avait en abomination. Son coup de téléphone chez Ray avait été un réflexe de survie, un S.O.S. lancé dans la direction de sa mère. Malgré la soumission servile de Betty Jean aux moindres volontés des frères Welks, Anna n'avait pu s'empêcher d'espérer un sursaut de sa part.

Quand elle s'était entendu répondre que Betty Jean refusait purement et simplement de lui parler, Anna s'était ressaisie, et elle avait recouvré ses esprits. Elle avait fini par se rendre à l'évidence : sa mère croyait sincèrement que le mariage « naturel » était voulu par Dieu. Que c'était la volonté du Seigneur de voir les femmes vivre dans des harems, réduites à l'état de servantes de leurs maris. Jamais Betty Jean n'aurait défié la communauté dans laquelle elle avait choisi de faire sa vie : non pas par manque de courage mais parce qu'elle devait être convaincue que sa fille avait commis un péché mortel en s'enfuyant. Anna avait alors compris qu'elle avait fait fausse route en s'imaginant que sa mère la soutiendrait.

Malgré tout, elle s'était rendu compte qu'elle souhaitait passionnément garder son bébé — à en perdre le sommeil et la santé. Mais pas pour en faire le septième enfant de Caleb.

Anna n'avait que dix-sept ans et ne connaissait pas grand-chose en matière de religion et de théologie — à part le credo qui lui avait été inculqué par Ray et les autres membres de l'Eglise des Saints des Derniers Jours et de la Vraie Vie. Pourtant, elle était sûre d'une chose : si Dieu avait choisi de créer une humanité avec autant d'hommes que de femmes, c'était certainement avec l'idée qu'une seule femme épouse un seul homme. Elle voulait également croire que, dans le plan de Dieu, il y avait un projet personnel pour elle. Mais ce n'était sûrement pas de vivre à Alana Springs. Ça, elle en était certaine.

Avec quinze ans de recul, Anna se disait qu'elle aurait mieux fait de planter un couteau dans le ventre de Caleb avant qu'il ne la viole au nom du sacro-saint mariage « naturel ». En remuant toutes ces pensées, les mâchoires serrées, elle caressait nerveusement le ventre de Ferdinand. L'animal, sentant que sa maîtresse avait besoin de réconfort, sauta sur ses genoux et vint frotter sa tête contre son cou…

D'un autre côté, si elle avait tué Caleb, Marina n'existerait pas. Et, malgré sa douleur et sa frustration d'être séparée d'elle, elle ne pouvait se résoudre à souhaiter que sa fille, sa splendide, sa talentueuse fille, n'existe pas.

Quand elle avait compris qu'il n'y avait aucune aide à attendre de sa mère, Anna avait passé deux jours prostrée dans le désespoir. Puis elle avait refait surface. Elle s'était forcée à penser au bébé qu'elle portait comme à l'enfant de Caleb et non comme au sien. Cela lui avait donné la force de se rendre au Centre de Planning familial.

Tout cela était profondément injuste. Elle se révoltait à l'idée de devoir affronter une nouvelle catastrophe dont elle n'était pas responsable. Et elle en voulait à la Terre entière.

Son angoisse s'était encore amplifiée lorsque la conseillère lui avait parlé des possibilités d'adoption. Cette bonne femme était complètement nulle ! Tout ce qu'Anna souhaitait, c'était arracher de son corps le bébé de Caleb. Elle voulait un avortement en bonne et due forme !

Cependant, elle était tenue d'attendre vingt-quatre heures, d'après les informations que lui transmit la conseillère. C'était la loi. Soulagée de s'être suffisamment bien débrouillée pour qu'on lui réponde comme à une adulte — qui n'avait donc pas besoin d'autorisation parentale —, Anna insista : elle était absolument sûre de sa décision. Mais rien n'y fit. La conseillère lui répondit, sans se départir de son calme, qu'elle devait quand même attendre vingt-quatre heures.

Anna prit le premier rendez-vous possible pour le lendemain matin, et arriva à la clinique avec une ponctualité exemplaire. Elle n'avait pas plutôt signé le registre qu'elle fut saisie d'une nausée et dut courir aux toilettes. Avec l'excuse de son malaise, elle retourna dans la salle d'attente. Quelques minutes plus tard, elle avertit la réceptionniste qu'elle ne se sentait pas bien et qu'elle reviendrait le lendemain.

Le lendemain, elle revint, effectivement. Et elle se sauva de nouveau…

La troisième fois qu'elle se présenta, une infirmière l'attrapa par le bras au moment où elle allait encore prendre la poudre d'escampette, et la conduisit auprès de la conseillère.

A l'issue de ce nouvel entretien, on la mit en rapport avec Derek Boyd… Boyd était un juriste de premier ordre, qui arrangeait des adoptions avec une attention extrême vis-à-vis des parties concernées et avec une très grande délicatesse. Quelque temps après, une échographie révéla qu'Anna attendait une petite fille.

Après quelques entretiens, Anna avait choisi Jennifer et Stuart Ford parmi une longue liste de couples qui cherchaient, depuis longtemps, à adopter un bébé.

Stuart Ford était pédiatre et Jennifer, violoniste à l'Orchestre symphonique de Seattle. Mariés depuis six ans, ils avaient tous deux trente-sept ans ; ils étaient donc sensiblement plus jeunes que la plupart des couples qui cherchent à adopter.

Ils avaient pris l'avion jusqu'à Denver et avaient passé un week-end en compagnie d'Anna, alors qu'elle était enceinte de sept mois. Ils lui avaient donné l'impression d'être un couple harmonieux — pour autant qu'on puisse en juger de l'extérieur. Le fait qu'ils soient mariés depuis quatorze ans tendait, du reste, à le prouver.

Anna avait donc traversé bien des tribulations pendant la première année qui avait suivi son évasion d'Alana Springs. C'était, probablement, cela qui avait si fortement développé chez elle ce sentiment de solidarité envers les marginaux, et qui lui avait donné envie de les aider à prendre un nouveau départ. Comme elle-même avait été aidée par toutes sortes de gens, à commencer par les parents adoptifs de Marina.

Les Ford avaient, en effet, pris en charge tous les frais médicaux d'Anna, comme cela était stipulé dans le contrat d'adoption. Mais ils avaient, en outre, ajouté dix mille dollars à la somme forfaitaire versée au cabinet de Derek Boyd. Cet argent était censé permettre à Anna de se loger décemment et de se nourrir correctement pendant sa grossesse.

Anna s'était longtemps reproché d'avoir accepté ces dix mille dollars mais, lorsqu'elle avait eu dix-huit ans révolus et que les aides sociales avaient cessé, elle s'était réjouie de les avoir pour poursuivre ses études universitaires. Grâce à ses bons résultats, elle avait obtenu une bourse et avait pu subvenir toute seule à ses besoins. Mais, quand il lui arrivait de faire des cauchemars, elle se voyait en train de vendre son bébé pour dix mille dollars…

Officiellement, l'adoption était ouverte, c'est-à-dire qu'aucune des données relatives à la naissance n'étaient tenues secrètes, ce qui laissait à Marina la possibilité de connaître à tout moment l'identité de sa véritable mère. Mais, comme Derek Boyd avait vu beaucoup de procédures d'adoption échouer en cours de route parce que la mère biologique avait changé d'avis après avoir accouché, il avait fait mentionner dans le contrat qu'Anna ne devait pas avoir de contact personnel avec sa fille avant que Marina ait atteint l'âge de la majorité légale. Il avait établi un contrat en béton qui interdisait toute rencontre entre Anna et son enfant. Mais le document faisait aussi obligation aux parents adoptifs d'informer la petite, à l'âge de trois ans, qu'elle avait été adoptée.

Deux points avaient été concédés à Anna : la petite fille serait prénommée Marina, en souvenir de sa grand-mère paternelle, et les Ford devaient s'engager à lui envoyer au moins une photo, chaque année.

Anna avait accepté les clauses du contrat. Au fond de son cœur, elle comprenait que c'était pour le bien de Marina. Mais, partant de là, elle s'était interdit de penser à l'enfant qui grandissait en elle. C'était la seule façon de continuer à vivre sans devenir folle.

Elle avait donc fait comme si elle n'était pas enceinte ; elle était allée en classe et avait assisté aux cours jusqu'au jour de la naissance.

Après l'accouchement, elle avait insisté pour rester deux heures seule avec son bébé, bien que les Ford fussent déjà arrivés de Seattle.

Quand les deux heures avaient été écoulées, Anna avait déposé l'enfant dans les bras de Jennifer Stuart, et était rentrée dans sa chambre d'hôpital sans faire la moindre histoire.

Une semaine plus tard, la jeune femme reprenait ses cours, et elle finit cinquième au classement de fin d'année, dans les derniers jours de mai. Mais elle passa ensuite l'été dans un état de dépression absolue. Si elle ne s'était pas tuée, à ce moment-là, c'est qu'elle n'avait même plus assez d'énergie pour ça.

C'est une conseillère de son lycée, une certaine Leila Sworski, qui la prit sous son aile en dehors de son temps de travail, et qui réussit, à force d'obstination, à la ramener sur la rive des vivants.

Après l'intervention de Leila, c'est tout naturellement qu'Anna décida de passer son diplôme de conseillère aux affaires familiales.

Depuis, maintenant, quatorze ans, Anna vivait comme un véritable traumatisme l'arrivée du courrier qui coïncidait avec l'anniversaire de Marina. Elle avait appris comment apprivoiser la douleur, et avait trouvé, vaille que vaille, quelques trucs pour servir de dérivatif à la crise qui suivait toujours la réception des photos envoyées par les Ford. Un effort psychique intense, c'était ce qui lui permettait de tenir, pendant les premières vingt-quatre heures.

Cette année, elle s'était constitué un stock de rouleaux de papier peint qu'elle tenait prêts pour ce moment-là.

Elle passa le reste de la journée du samedi à arracher la tapisserie à rayures bordeaux qui recouvrait les murs de sa salle de bains, et le plus clair du dimanche à poser son nouveau papier. Elle avait choisi une tapisserie assez gaie : des papillons multicolores sur un fond crème.

La salle de bains y gagna beaucoup, mais, plus important encore, Anna aborda la reprise du lundi avec un moral quasiment intact. Ce qui représentait, à ses yeux, un véritable exploit.

10.

— Au revoir, mademoiselle Langtry. A la semaine prochaine.

En quittant son bureau, Stanley Swann adressa à Anna un signe amical de la main. Puis il s'éloigna d'un air dégagé, les mains dans les poches, comme un adolescent qui se donne des airs émancipés.

Il se sentait tout ragaillardi, gonflé à bloc par ce bel après-midi de printemps. Lola lui avait ramené les enfants de Kansas City et, en plus, elle semblait se trouver dans de meilleures dispositions. Il était même prêt à parier qu'elle allait cesser de dépenser l'argent qu'ils ne possédaient pas — même si Anna Langtry avait l'air de penser le contraire. En tout cas, la paix et l'harmonie régnaient de nouveau dans son foyer...

« Jusqu'à la prochaine tempête », songea Anna, après le départ de Stanley. Quoi qu'il en soit, elle était soulagée que cette crise se soit dénouée de façon plutôt harmonieuse.

Malheureusement, elle sentait venir une crise d'un autre style... Elle appela le standard.

— Hello, Gina. Toujours pas de signe de vie de la part de Joseph Mackenzie ?

— Non. Il n'a pas montré le bout de son nez…

— Il n'aurait pas laissé un message sur la boîte vocale ?

— Non, non. Mais je vais vérifier avec Ruth. On ne sait jamais.

— Très bien. Merci, Gina.

— De rien. Après ça, je fermerai boutique. J'ai fini pour aujourd'hui. Je vous dis : à demain. Passez une bonne soirée.

— Merci. Vous aussi.

Anna raccrocha avec un froncement de sourcils.

Mackenzie…Où diable était-il passé ? Elle allait engloutir plusieurs pilules contre les maux d'estomac quand elle se rappela qu'elle avait décidé de combattre son stress autrement… Elle rangea à regret le tube de comprimés, et fit pivoter son siège vers le mur. Elle s'abîma dans la contemplation de Neige et Alaska, les premiers ours polaires nés en captivité au Zoo de Denver — ou, plus exactement, les premiers à avoir survécu.

La vue de ces deux oursons avait, en général, pour effet de lui mettre du soleil au cœur. Mais, ce soir, apparemment, le charme n'opérait pas…

Bah ! Elle avait tort de s'en faire, sous prétexte que Mackenzie ne s'était pas montré au jour dit. Il y avait toutes sortes de raisons possibles à cela : il voulait éviter de se soumettre au test antistupéfiant ou bien il était ivre ou il avait oublié de mettre son réveil et il dormait à poings fermés.

Les ex-détenus étaient connus pour avoir un sens assez élastique du temps qui passe.

En toute objectivité, si Mackenzie ne s'était pas présenté au rendez-vous, ça ne voulait pas forcément dire qu'il avait été…

assassiné ! Normalement, Anna se serait fiée à son instinct, qui lui disait que Mackenzie était beaucoup trop déterminé pour se laisser piéger par l'alcool ou la drogue. Mais déterminé par quoi ? Cela, Dieu seul le savait... Le problème était que son instinct lui avait joué un tour beaucoup trop grave avec la récente affaire de Diego. Elle ne voulait plus prendre le risque de se fier à lui.

En tout cas, elle devait chercher à savoir pourquoi Mackenzie n'était pas venu. C'était bien gentil de regarder Neige et Alaska, mais ça n'allait pas faire avancer les choses.

Anna retourna sa chaise vers son bureau, et se mit en devoir d'appeler Bob Gifford, puis Ed Barber.

Dans les deux cas, elle dut se contenter de leur boîte vocale, aucun des deux n'étant à son bureau. Mais on pouvait s'y attendre, avec le nombre d'affaires qu'ils devaient avoir sur les bras...

Si Mackenzie avait été tué ou s'ils avaient appris qu'il était toujours menacé, les deux policiers le lui auraient sûrement fait savoir. D'un autre côté, c'était peut-être déjà chose faite, sans que Gifford et Barber aient encore eu le temps de la joindre pour lui annoncer la mort de Mackenzie. Ou encore, qui sait ? Ils étaient peut-être, justement, en train de faire transporter son cadavre à la morgue...

Décidément, elle avait besoin de quelques comprimés ! Au diable ses bonnes résolutions ! Etant donné l'enjeu, le carbonate de calcium était un moindre mal...

Elle reprit le dossier de Mackenzie, toujours en attente sur le coin de son bureau, depuis l'heure prévue pour son rendez-vous. Elle parcourut les différents papiers, et trouva les coordonnées de l'hôtel Westwood.

Le contremaître sous les ordres duquel travaillait Mackenzie lui apprit que ce dernier avait pris son poste normalement, le samedi soir précédent, et qu'il était resté jusqu'au dimanche matin, comme prévu. Il en profita même pour louer la ponctualité et l'efficacité de sa nouvelle recrue. Mais, comme Mackenzie était de repos le dimanche soir, personne ne l'avait vu, depuis, et on ne l'attendait pas avant minuit.

Anna remercia le contremaître et raccrocha. Au moins, elle avait la preuve que Mackenzie était encore vivant dimanche matin. Alors, pourquoi ne s'était-il pas présenté, le lendemain, à son rendez-vous ?

« Bon sang ! Quelle guigne qu'il n'ait pas le téléphone ! » se disait Anna en bougonnant intérieurement. Comment allait-elle se débrouiller pour savoir si, oui ou non, cet imbécile était encore en vie ? Evidemment, elle pouvait toujours essayer de téléphoner à son hôtel, mais il n'y avait sûrement pas grand-chose à attendre de ce côté-là…

Elle appela l'hôtel Algonquin, et tomba sur l'individu qui tenait lieu de réceptionniste : un ancien alcoolique assis dans une niche derrière un grillage métallique. Manifestement, il n'avait pas l'intention de lever le petit doigt pour renseigner qui que ce soit.

Comme Anna s'y attendait, il ne savait pas si Mackenzie était dans sa chambre, et ne s'en souciait, d'ailleurs, pas le moins du monde.

— Est-ce que vous pourriez aller jeter un coup d'œil ? demanda Anna, sans grand espoir.

— Ben, non ! Figurez-vous que je suis pas là pour faire la bonniche ! Et puis, de toute façon, le directeur m'a donné l'interdiction de quitter mon box.

Anna songea que c'était, probablement, une sage disposition de la part de la direction, étant donné le genre de clientèle qui fréquentait l'hôtel…

Avec un soupir, elle raccrocha, et regarda sa montre. Cinq heures et demie… Il ne lui restait pas trente-six solutions : ou elle signalait à l'administration que Mackenzie n'avait pas honoré son rendez-vous — et il pouvait dire adieu à sa liberté conditionnelle — ou bien elle filait à l'hôtel Algonquin pour s'assurer qu'il n'était pas… mort.

Anna frissonna à cette pensée. Mue par un pressentiment soudain, elle décida de passer à l'action. Elle verrouilla son bureau, mit son revolver dans son holster, et se hâta de rejoindre le parking.

Elle avait beau se mentir à elle-même pour se faire croire qu'elle était en colère, ce qu'elle éprouvait, en réalité, ressemblait de plus en plus à de la peur. Une peur panique. Quoi que Mackenzie ait pu faire par le passé, il ne méritait pas de mourir.

Elle fonça en direction de Colfax Avenue, en prenant, aussi souvent que possible, les petites rues parallèles pour esquiver le gros de la circulation. Arrivée aux abords de l'Algonquin, elle se gara entre une Chevy complètement cabossée et un taxi, en priant le ciel que l'ivrogne qui devait être le propriétaire de la Chevy ne l'emboutisse pas en reculant pendant qu'elle serait à l'intérieur de l'hôtel !

Elle n'arrivait plus à maîtriser son inquiétude, et se mit à courir sur le trajet qui la séparait de l'hôtel, sans accorder la moindre attention à la prostituée du coin qui négociait avec un client ni au clochard qui fouillait dans les poubelles.

Elle traversa le minuscule hall de l'hôtel, et se planta devant le mauvais coucheur de la réception en lui fourrant sa carte de police sous le nez.

— Il me faut la clé de la chambre de Joseph Mackenzie.

Le concierge souffla un nuage de fumée en direction de la pancarte *Interdiction de fumer* qui trônait au-dessus de sa tête, et écrasa sa cigarette.

— Vous avez un mandat ?

— Non. Et vous savez très bien que je n'en ai pas besoin. Je suis son juge d'application des peines, et j'exerce mon droit de perquisition à son domicile.

L'homme renifla.

— Vous connaissez son numéro de chambre ?

— Je crois que c'est le 312. Mais vous n'avez qu'à vérifier dans vos registres. Vous savez que, si vous ne m'indiquez pas la bonne chambre et que je fais irruption chez quelqu'un d'autre, les dommages et intérêts, ce sera pour vous, n'est-ce pas ? lui lança Anna avec un sourire assassin.

— Ouais, je sais. J'y tiens pas, pour sûr. Et puis, je risquerais de perdre ma planque. Un job si bien payé, tu penses !…

Il consulta un grand cahier graisseux, puis décrocha une clé et la remit à Anna avec un sourire en coin.

— Voilà. Amusez-vous bien. C'est un beau spécimen, votre type, hein ? Avec un peu de bol, vous le trouverez déjà à poil quand vous ouvrirez sa porte !

Anna ne s'abaissa pas à répondre, et se contenta de demander d'un ton froid si l'ascenseur fonctionnait.

L'autre répondit par un grognement, et daigna se lever pour rejoindre la cabine d'ascenseur que l'on tenait fermée à clé par mesure de sécurité.

Comme elle arrivait à l'étage, le sentiment d'urgence qui l'étreignait, quelques instants auparavant, commença à se dissiper pour faire place à la contrariété. Il était 6 heures et demie du soir, et elle en avait assez de venir faire du tourisme dans cet hôtel minable pour se retrouver, une fois de plus, face à face avec un bloc de glace.

208

Elle frappa du poing sur la porte.

— Mackenzie ? Vous êtes là ? C'est Anna Langtry, votre juge d'application des peines.

La porte resta obstinément close mais, au milieu du tintamarre du couloir, Anna était presque sûre d'avoir perçu un mouvement venant de la chambre. Elle redonna un coup dans la porte.

— Ouvrez, Mackenzie !

Silence.

— Ouvrez, je sais que vous êtes là. Vous n'êtes pas venu à votre rendez-vous, cet après-midi. Par conséquent, je suis en droit de perquisitionner chez vous. J'ai une clé. Je vous préviens que je vais entrer.

Elle sortit son revolver avant d'introduire la vieille clé de cuivre dans le trou de la serrure.

La porte s'entrouvrit, puis s'arrêta net, bloquée par une chaîne de sécurité. Elle était fermée de l'intérieur…

— Mackenzie, enlevez la chaîne de sécurité !

Pas de réponse. Le niveau de décibels du couloir rendait très difficile la détection de bruits en provenance de la chambre.

La jeune femme pesa sur la porte de tout son poids et, bientôt, les montants vermoulus cédèrent. Puis la chaîne vola en éclats.

A première vue, la chambre était déserte. Il n'y avait ni réduit ni recoin pour se dissimuler, mais Anna ne voulait pas prendre de risques. Arme au poing, elle ordonna à Mackenzie de mettre les mains sur la tête, avant de franchir le seuil de la pièce.

Un faible bruissement sembla indiquer qu'il était dans la salle de bains. Sans baisser la garde pour autant, Anna s'avança à l'intérieur. Elle ne s'était jamais trouvée en situation d'ouvrir le feu en état de légitime défense, et elle n'avait pas l'intention de commencer ce soir.

Elle balaya la pièce du regard, et se plaça face à la porte de la salle de bains.

— Sortez de là !

La porte s'ouvrit, et livra passage à Mackenzie. Il haussa légèrement les sourcils quand il s'aperçut qu'Anna pointait son revolver sur lui, et leva les bras en l'air avec si peu de conviction que ses mains arrivaient à peine à la hauteur de ses épaules. Son visage ne trahissait aucun sentiment, sauf, peut-être, une vague trace d'amusement, comme s'il trouvait la scène distrayante.

Il portait un jean délavé et un T-shirt bleu marine des Jeunes Travailleurs Chrétiens. Il était un peu pâle, et ses cheveux étaient mouillés. A part ça, il avait toujours son air de macho triomphant. Anna sentit sa mauvaise humeur monter d'un cran quand elle constata que son corps réagissait immanquablement à la vue de ce type dont elle devait bien reconnaître qu'il était irrésistible — en tout cas, qu'elle avait toutes les peines du monde à lui résister.

— Vous souhaitiez me parler ? demanda-t-il poliment, comme s'il venait juste de s'apercevoir de sa présence. Comme s'il ne l'avait pas entendue tambouriner à sa porte pendant une éternité !

Anna savait pertinemment qu'il se payait sa tête et qu'il cherchait à la déstabiliser pour retourner la situation à son avantage.

« Pas de chance, mon bonhomme. Je connais mon boulot, et tu ne m'auras pas comme ça », se dit-elle.

Elle garda les yeux braqués sur lui sans baisser son revolver d'un pouce.

— N'essayez pas de jouer au plus fin, Mackenzie. Je ne suis pas d'humeur à ça. Vous m'avez très bien entendue frapper. Pourquoi n'avez-vous pas répondu ?

— J'étais sous la douche. J'ai pensé que je pouvais prendre le temps de m'habiller avant de répondre.

Anna le scruta d'un air perspicace.

— Vous n'étiez pas sous la douche : il n'y a pas de vapeur...

— Je ne prends que des douches froides. Rien de mieux que l'eau glacée pour remettre un homme d'aplomb, ajouta-t-il d'un ton moqueur.

Elle refusa de répondre à la subtile provocation sexuelle contenue dans sa remarque.

— Qu'est-ce que tout cela signifie, monsieur Mackenzie ? Je vous croyais plus malin. Rater votre visite obligatoire, la première semaine après votre sortie de prison ! De toute évidence, je m'étais trompée sur votre compte... Pourquoi n'êtes-vous pas venu, cet après-midi.

Il détourna le regard une fraction de seconde mais répondit d'une voix posée :

— J'ai mangé quelque chose qui ne m'a pas réussi. J'avais une intoxication alimentaire et j'étais cloué au lit. Impossible, même, de descendre téléphoner. Je suis désolé, mademoiselle Langtry. Et je vous remercie de vous être déplacée.

De fait, il était vraiment très pâle. Est-ce qu'elle pouvait ajouter foi à ce qu'il racontait ? Il n'avait l'air ni ivre ni drogué, et ses états de service à l'hôtel Westwood indiquaient qu'il savait ce qu'être ponctuel veut dire. D'autre part, il n'était pas du genre à oublier purement et simplement qu'on était lundi. Si seulement il n'avait pas l'air de se moquer du monde...

— Je n'en crois pas un mot, dit simplement Anna. Vous allez me dire la vérité, Mackenzie.

— Je vous l'ai dite.

Il se plia brusquement en deux, la main sur l'estomac. Il était blanc comme un linge.

Excusez-moi. Il… il faut vraiment que j'y aille…

Il eut un mouvement saccadé en direction de la salle de bains. Il titubait presque.

Quelque chose clochait, Anna en était sûre. Mais quoi ? Après tout, il était peut-être ivre. Ou drogué. Oubliant toute prudence, elle se précipita à sa suite et lui agrippa le bras.

— Attendez, Mackenz…

Elle n'acheva pas : il s'était effondré contre le montant de la porte. Une flaque de sang rougissait son T-shirt et lui coulait le long du bras. Epouvantée, Anna souleva l'étoffe et découvrit un bandage sommaire, confectionné avec une serviette de toilette. Mon Dieu ! Il devait déjà avoir perdu une sacrée quantité de sang !

Elle attrapa une autre serviette et la lui appliqua sur le ventre. Le lavabo était plein d'eau rougie, et des vêtements horriblement souillés traînaient sur le sol.

— Miséricorde ! Mais qu'est-ce qui s'est passé, Mackenzie ?

— On m'a tiré dessus.

Anna eut un choc, bien qu'elle sût déjà à quoi s'en tenir. Ainsi, ce qu'avait dit Diego était la stricte vérité.

— J'appelle les urgences.

Mackenzie eut un sursaut et lui saisit le poignet.

— Non… N'appelez pas. Je vous en prie… Anna ! Promettez-moi !… Pas la police…

— Mais il vous faut un médecin ! De toute urgence !

212

— Non... Ça va aller... Je vous assure...

Ses yeux se fermèrent, son corps bascula de côté, et il s'affaissa, laissant sur le mur une longue traînée de sang vermeil.

11.

Lorsque Joe revint à lui, il avait un oreiller sous la nuque, et Anna était en train d'appliquer une serviette de toilette propre sur sa blessure. Le sang continuait de couler abondamment. Malgré l'oreiller, il avait l'impression que sa tête allait exploser, et son estomac était tordu par une nausée persistante. En fait, il avait mal partout. Mais cela faisait déjà trois heures qu'il souffrait comme un damné. Alors, en somme, ça n'allait pas plus mal.

Dès qu'elle s'aperçut qu'il avait repris connaissance, Anna effleura sa joue du bout des doigts, comme pour le rassurer.

— Ne vous en faites pas, Mackenzie. Ça va aller, maintenant.

Naturellement ! Le mieux du monde. Tout allait très bien, madame la Marquise… Avant qu'il ait pu faire un geste pour l'en empêcher, Anna attrapa son téléphone portable et composa un numéro.

Joe fit un effort sur lui-même et réussit à refaire surface. Il voulut parler mais seul un faible murmure franchit la barrière de ses lèvres sèches et gonflées.

— Qu'est-ce que vous faites ?

— J'appelle le Samu.

— Non.

215

Galvanisé par la peur, Joe trouva la force d'agripper le poignet de la jeune femme pour l'immobiliser, bien que la moindre pression le mît à l'agonie.

Anna refusa de lâcher son téléphone.

— Bas les pattes, Mackenzie ! Vous savez parfaitement que vous vous mettez hors-la-loi si vous portez la main sur votre juge d'application des peines.

— Alors, n'appelez pas.

Anna fronça les sourcils.

— Et pourquoi cela ? Vous préférez que je vous emmène directement à l'hôpital ? Je veux bien : ça ne me pose pas de problème.

— Non.

Malgré lui, il se sentait touché par l'aide qu'elle cherchait à lui apporter — même s'il n'en voulait pas —, et il grommela un remerciement.

— C'est gentil à vous… Mais je sais que ça ira beaucoup mieux après une bonne nuit.

Anna eut un mouvement d'exaspération, et lui lança un regard lourd.

— Bien entendu ! Vous venez de vous évanouir, vous ne tenez pas debout, vous avez un trou dans l'abdomen, vous saignez abondamment mais vous n'avez pas besoin qu'on vous soigne, c'est l'évidence même ! Enfin, pour vous, peut-être. Mais pas pour moi.

— Je *peux* tenir debout, déclara Joe.

C'était bien joli de jouer les matamores mais il se demandait comment il allait faire pour réussir à se mettre sur ses pieds. Pourtant, il devait absolument y arriver s'il voulait qu'Anna s'en aille et le laisse s'occuper de ses affaires comme il l'entendait. Si seulement le plancher voulait bien arrêter de danser en dessous de lui…

216

Il s'agissait de tenter le tout pour le tout puisqu'il n'avait pas le choix : dans un effort surhumain, il réussit à se mettre en position assise. Priant le ciel de ne pas s'évanouir de nouveau, il accomplit même l'exploit de se hisser sur ses pieds. Victoire ! Mais il n'osa quand même pas s'écarter du mur où il se tenait adossé.

Pourvu qu'Anna ne remarque pas le flot de sang qui s'échappait de sa blessure et qui commençait à rougir le bandage de fortune qu'elle lui avait confectionné !

— Voilà ! Vous voyez ? dit-il dès qu'il put de nouveau respirer à peu près normalement. Je me sens bien, maintenant. Vraiment ! Mais je vous remercie pour votre aide, mademoiselle Langtry. Ça me touche beaucoup.

Anna lui lança un regard perçant. Avec ce geste machinal qu'il avait déjà remarqué et qu'il se prenait à aimer, elle chassa impatiemment la mèche bouclée qui lui retombait régulièrement sur le front.

— Ecoutez, Mackenzie. Vous avez reçu une balle dans le corps et vous avez probablement perdu une importante quantité de sang. Il faut vous recoudre, vous mettre sous antibiotiques et peut-être même vous transfuser. Sinon... Mais qu'est-ce que vous cherchez, au juste ? A mourir ?

— Non, répondit-il, en vérifiant qu'il pouvait enfin se tenir debout sans s'appuyer au mur.

Il lui adressa un sourire dans lequel ne perçait aucune feinte connivence, et reprit, sans chaleur mais avec une parfaite honnêteté :

— Je cherche désespérément à rester en vie, au contraire.

— Bien. Alors, vous et moi, nous poursuivons le même but : nous voulons que vous restiez en vie. Et c'est la raison pour laquelle je vais appeler les urgences sans attendre une minute de plus.

Elle recula de quelques pas pour être hors d'atteinte. Pris de panique, Joe n'eut d'autre ressource que d'avouer la vérité :

— Pour une blessure par balle, les médecins seront obligés d'en référer aux flics. Si vous appelez les urgences, je vais me retrouver en prison pas plus tard que demain.

— Mais pourquoi ? Vous êtes la victime, Mackenzie !

Elle avait vraiment l'air de ne pas comprendre pourquoi il redoutait la police, et il lui fut infiniment reconnaissant d'avoir considéré, d'emblée, qu'il était innocent dans ce qui venait d'arriver.

— Comment savez-vous que c'est moi la victime ?

Il aurait mieux fait de se taire, évidemment, mais ç'avait été plus fort que lui. Il reprit, cependant.

— J'aurais aussi bien pu dévaliser une épicerie et me faire tirer dessus par l'épicier ! Vous ne m'avez même pas demandé ce qui s'était passé.

— Eh bien, je vous le demande, maintenant, dit Anna tranquillement. Comment vous êtes-vous fait tirer dessus, monsieur Mackenzie ?

Il marqua un temps d'hésitation.

— Je suis tombé dans une embuscade, dit-il en ne travestissant qu'à moitié la vérité.

— C'est ce que j'ai tout de suite pensé quand j'ai compris que vous étiez blessé... Avez-vous vu votre agresseur ? Pourriez-vous l'identifier ?

— Non. J'ai été pris par surprise.

Ce n'était sûrement pas le moment de lui raconter ce qu'il avait *réellement* vu.

Bien qu'il se sente de nouveau prêt à s'évanouir, Joe voulut continuer à parler.

—Pour vous, ça paraît tout naturel d'appeler les services d'urgence mais pas pour moi. Je suis un ancien détenu. Et, quelle que soit la situation, les flics me coffreront d'abord et me poseront des questions après !

Anna hocha la tête en signe de dénégation, et reprit d'un ton impatient :

— Pas si je vous accompagne et que je prends fait et cause pour vous. De toute façon, la seule chose qui compte, pour l'instant, c'est de vous soigner. Vous êtes une personne en danger qui a besoin d'assistance, et je n'ai pas l'intention de vous abandonner comme ça ! Je vous emmène à l'hôpital, Mackenzie, et je resterai avec vous jusqu'à ce qu'on vous ait recousu. Si les médecins urgentistes décident de ne pas vous hospitaliser, je vous ramènerai chez vous. La police est déjà au courant que l'on cherche à vous tuer. Et, au cas où ils l'auraient oublié, je saurais bien le leur rappeler. Vous n'avez aucune raison d'avoir peur qu'on vous renvoie en prison.

La confiance de cette jeune femme dans son aptitude à contrôler la situation lui paraissait d'une naïveté touchante. Elle ne lui avait toujours pas posé la moindre question précise sur ce qui s'était passé, et il n'allait certainement pas se risquer à le lui raconter. Comment réagirait-elle si elle apprenait qu'il y avait un cadavre dans un parking souterrain de l'autre côté de Denver ? Le cadavre d'un homme qu'il connaissait bien…

Elle montrait une si belle confiance en lui, elle avait tellement l'air de vouloir son bien que Joe répugnait sincèrement à lui jouer le sale tour qu'il avait prévu. Mais Dieu sait qu'il n'avait pas le choix. Le sort en était jeté depuis le moment où elle était entrée dans cette chambre. Pourquoi fallait-il qu'elle fasse si bien son boulot ? Bon sang, pourquoi était-elle venue vérifier ce qu'il fabriquait ? Il y avait gros à parier que neuf sur dix de ses collègues se seraient contentés de lui envoyer une lettre recommandée pour lui signifier qu'il avait violé les termes de sa libération conditionnelle, et ils s'en seraient tenus là. Si seulement Anna avait fait la même chose…

Joe s'appliqua à pousser un soupir de résignation suffisamment convaincant pour qu'elle s'imagine qu'il s'avouait vaincu. En même temps, il se prépara à donner un coup de pied dans son téléphone au moment où elle se mettrait à composer le numéro. Il savait qu'il aurait à peine assez de force pour la saisir à la gorge et la tenir en respect, le temps de s'emparer de son revolver. Il affecta un ton las et soumis.

— D'accord. Allez-y, si vous pensez vraiment qu'il faut appeler le Samu. C'est vrai que je ne me sens pas très bien.

Et ça, hélas, c'était la vérité !

— Il faut que vous mettiez une veste, Mackenzie. Vous pensez pouvoir l'enfiler sans trop de problème ?

Avant qu'il ait pu faire un geste, Anna prit sa veste pendue au portant métallique, et l'aida à la passer avec des précautions infinies pour éviter de lui faire mal. Puis, elle le gratifia d'un sourire désarmant pour le réconforter. Il n'en aurait pas fallu davantage pour le faire fondre s'il ne s'était pas déjà trouvé dans un état de totale déliquescence.

— Ne vous faites pas de souci, Mackenzie. Les voies officielles ne sont pas si redoutables quand on a quelqu'un à ses côtés pour vous servir de guide et vous empêcher de vous fourvoyer !

Tout en parlant, Anna remonta la fermeture Eclair de sa veste.

— Je vous promets de ne pas vous lâcher d'une semelle, ajouta-t-elle.

Si elle savait à quel point elle disait vrai !

Joe sentit monter en lui une bouffée de violence. C'était déjà bien assez rageant de ne pas pouvoir la regarder sans avoir envie de lui faire l'amour ! Voilà qu'en plus, il se mettait à avoir de l'affection pour elle ! Et merde ! Il fallait pourtant qu'il fasse ce qu'il avait prévu. Il ne pouvait pas se payer le luxe de laisser parler ses sentiments.

Il attendit qu'elle soit concentrée sur son téléphone, puis, faisant fi de la douleur qui lui déchirait le côté — et, plus encore, de ses sentiments pour Anna —, il leva la jambe gauche et décrivit un cercle rapide. Du bout du pied, il fit voler le portable à l'autre bout de la pièce.

Pendant une fraction de seconde, la jeune femme ne comprit pas ce qu'il lui arrivait. Profitant de sa stupeur, Joe bondit sur elle par-derrière et lui immobilisa le cou de son bras gauche, le seul à peu près valide. Il fit pression sur la trachée artère pour lui ôter toute envie de se débattre, et prit possession de son arme.

L'effort le fit presque défaillir, et il sentit le sang jaillir de sa plaie, chaud et poisseux. Pourvu que personne ne remarque l'auréole qui commençait à tacher la veste bleu marine d'Anna…

Joe serra les dents pour résister à la nausée lancinante qui montait en lui. Il ne tenait le coup qu'au prix d'un immense effort de volonté : s'il s'évanouissait maintenant, tout serait fichu…

Il fallait faire vite, avant qu'elle ne prenne conscience à quel point il était vulnérable.

Joe enleva la sécurité du Glock. Le cliquetis sec résonna avec une netteté menaçante dans le relatif silence de la chambre. Tant mieux. Anna était entraînée au maniement des armes : elle comprendrait ce que ce cliquetis signifiait. Joe espérait qu'elle avait vraiment peur. Parce que, si elle cherchait à lutter, jamais au grand jamais il ne pourrait se résoudre à tirer. De cela, il était sûr. Dût-il y laisser la peau…

Il lui enfonça la crosse du revolver dans le creux du dos. La tête lui tournait tellement qu'il avait peur que le coup ne parte. Et si c'était le canon qui était pointé… Pendant une longue minute, on n'entendit plus dans la pièce que le halètement d'Anna, irrégulier et angoissé.

Joe retrouva enfin l'usage de sa voix. Pas trop tôt…

— Je suppose qu'il est inutile de vous rappeler que je suis un homme violent, un individu dangereux… Au point où j'en suis, je n'ai plus rien à perdre. Alors, si vous voulez rester en vie, mademoiselle Langtry, je vous conseille de faire ce que je vous dis. Vous êtes une femme intelligente…

Joe admira le sang-froid avec lequel elle lui répondit.

— Pas suffisamment en tout cas ! Sinon, mon arme ne serait pas entre vos mains. Qu'est-ce que vous attendez de moi, Mackenzie ?

— Que vous me conduisiez chez un médecin.

— Mais je ne cherchais rien d'autre que…

— Si ! Vous vouliez m'amener à l'hôpital. Ce n'est pas là que je veux aller. Le médecin que je veux voir est un de mes amis.

— Je vois… C'est un ami que vous vous êtes fait en prison ?

— C'est ça.

Inutile de lui expliquer que Charlie Greck avait servi comme médecin au Viêt-nam et qu'il touchait sa bille en matière de raccommodage de la chair humaine. Encore moins utile de lui dire que Charlie souffrait de troubles nerveux consécutifs à la guerre qu'il avait faite là-bas, et qu'il y avait peu de chance qu'il soit encore à jeun à cette heure de la journée… Qui plus est, Charlie n'avait pas plus envie que Joe d'avoir affaire à la police, vu qu'il flirtait souvent avec l'illégalité. Mais, avec un peu de chance, il serait encore capable de nettoyer sa plaie et d'arrêter l'hémorragie. Et, qui sait, peut-être même aurait-il les antibiotiques qu'il fallait pour lui faire une première injection ? Car une infection était plus que probable, au train où allaient les choses.

D'inquiétants petits feux follets bleuâtres dansaient devant les yeux de Joe. Plus une seconde à perdre. Il fallait agir avant que les feux follets ne l'entraînent dans leur sarabande...

— Voici ce que nous allons faire, dit-il en serrant un peu plus fort la gorge d'Anna pour donner plus de poids à ses paroles. Nous allons descendre par l'ascenseur en restant tout près l'un de l'autre pour que personne ne remarque le revolver. Comme deux amoureux. Vous voyez le genre ?

Bien qu'elle eût un mal fou à respirer, elle répliqua avec dédain :

— Tout le monde, ici, sait... très bien que je suis... juge d'application des peines. Personne ne croira que j'aie pu m'amouracher... de vous...

— Dans ce cas, espérons que personne ne nous verra. Parce que, si quelqu'un s'avise de me mettre des bâtons dans les roues, il y aura des morts.

Joe lui donna une poussée dans le dos avec la crosse du Glock, et lui enveloppa les épaules avec l'autre bras, la tenant étroitement serrée.

— Allez-y, Anna. Et, de grâce, n'essayez pas de jouer les héroïnes. Je ne tiens vraiment pas à vous tuer.

Il se demanda s'il n'en faisait pas un peu trop. Elle n'allait probablement pas tarder à s'apercevoir que ses répliques sortaient tout droit d'un mauvais scénario. Ce n'était pas comme ça qu'on parlait, dans la vraie vie !

Soit elle avait l'habitude des ex-détenus qui devenaient dingues et qui se prenaient pour des héros de films de gangsters, soit il l'avait tellement terrorisée qu'elle était hors d'état d'analyser ce qu'il lui disait. Toujours est-il qu'elle se mit docilement en route et ouvrit la porte comme il le lui avait ordonné. Joe la referma d'un coup de pied, et ils traversèrent le couloir jusqu'à l'ascenseur.

— Appuyez sur le bouton.

On entendit la cabine s'ébranler en brinquebalant. Les portes s'ouvrirent bientôt sur Larry, le minable qui faisait office de concierge entre midi et 8 heures du soir. Bon sang ! C'était foutu ! Ce mec était une raclure du pire acabit mais, si Anna disait un mot, même lui ne manquerait pas de venir à sa rescousse : il devait bien savoir qui elle était, et il allait forcément trouver bizarre qu'elle attende l'ascenseur collée à un ex-détenu !

Brûlant ses dernières cartouches, Joe enfonça légèrement le revolver contre le dos d'Anna, priant intérieurement pour qu'elle interprète son geste comme une menace ou, au moins, comme un avertissement. Il s'agissait de jouer le jeu aussi longtemps que possible.

— Est-ce que nous prenons l'ascenseur, oui ou non, mademoiselle Langtry ? Il ne faudrait pas retenir Larry trop longtemps loin de son poste…

A sa grande surprise, Anna obtempéra sans sourciller. Ils devaient former un couple convaincant car le concierge les reluquait d'un air vicieux et semblait ravi de constater qu'il n'y avait aucun espace entre leurs deux corps !

— Alors, vous l'avez bien trouvé dans sa chambre, hein ? dit-il à Anna d'un ton langoureux.

— Oui, répondit-elle brièvement. Je croyais que c'était contraire au règlement que vous quittiez la réception ?

— C'était pour une urgence.

Anna n'ajouta rien. Joe ne voyait pas la tête qu'elle faisait mais il eut l'impression qu'elle se serrait un peu plus contre son corps. Comme si elle cherchait à se protéger de Larry plus que de lui. Et comme si c'était lui, Joe, qu'elle choisissait comme protecteur… La fièvre devait commencer à le faire délirer : il était temps que Charlie s'occupe de lui !

— Mackenzie ne vous a pas embêtée, alors ?

Nullement décontenancé, Larry les examinait l'un après l'autre avec une curiosité malsaine.

— Tout va bien, confirma Anna d'un ton sec.

Joe sentait ses genoux se dérober sous lui. Elle avait donc cru à ses menaces, Dieu merci ! Mais son soulagement fit bientôt place au remords. Ainsi, il avait réussi à l'épouvanter, elle qui n'avait, pourtant, rien fait d'autre que l'aider.

Il se demanda avec désespoir pourquoi sa vie était si compliquée. Pourquoi il se trouvait toujours obligé de répondre à la gentillesse par l'agressivité ou le mensonge…

L'ascenseur s'arrêta brutalement au rez-de-chaussée, et les portes s'ouvrirent. Ils sortirent tous les deux. Joe sentait le regard de Larry braqué sur lui. Pour un peu, il aurait attrapé à pleines mains la masse d'arrière-pensées que l'autre déversait sur eux ! Mais le destin, après l'avoir copieusement servi en catastrophes, toute la journée, sembla tout à coup décidé à lui réserver un traitement plus favorable : deux résidents de l'hôtel, à moitié ivres, choisirent, précisément, ce moment-là pour se taper dessus. L'attention de Larry s'en trouva aussitôt détournée. Cette diversion permit à Joe de pousser Anna vers la sortie sans plus se soucier du concierge. Il profita du brouhaha provoqué par l'échauffourée pour remettre discrètement la sécurité du revolver. Désormais, il n'aurait plus à redouter qu'Anna fasse partir le coup, au cas où elle tenterait une manœuvre brusque pour se libérer.

Il parcourut le parking du regard : il n'y avait pas âme qui vive. La Subaru était gentiment garée à côté d'une Chevy toute cabossée.

— Sortez les clés de votre sac, ordonna-t-il, tandis qu'ils approchaient de la voiture. Il s'efforçait de donner à sa voix une intonation à la fois confiante et brutale, tout en sachant qu'il était parfaitement inutile de bluffer : c'était le moment idéal pour Anna, si elle voulait en profiter. D'abord, elle pouvait très bien avoir un second revolver dans son sac à main et, dans ce cas, il lui fournissait une occasion en or de s'en emparer. Et, même si elle n'avait pas de second revolver, il lui suffisait, par exemple, de laisser tomber ses clés. Quoi de plus facile, en les ramassant, que de lui balancer un coup de tête dans le ventre, là où il était blessé ? En y réfléchissant, il préférait encore qu'elle lui tire dessus car sa blessure recommençait à l'élancer de façon insupportable.

Finalement, il devait être bien plus convaincant qu'il ne le pensait dans le rôle du kidnappeur assassin car la jeune femme marqua juste une légère hésitation avant d'obtempérer. Elles sortit les clés de son sac et les lui présenta. Joe s'efforça de cacher son étonnement.

— Ouvrez la porte du conducteur et passez-moi les clés.

Anna s'exécuta sans mot dire.

— Maintenant, montez, dit-il.

— De quel côté ? C'est moi qui dois conduire ? C'est bien ça ?

— Oui.

Joe attendit qu'elle se fût installée au volant pour faire le tour de la voiture et monter à la place du passager. Une fois dans la voiture, il lui rendit les clés et lui ordonna de prendre la direction du sud. Il avait remarqué qu'elle avait les doigts glacés lorsqu'elle avait repris les clés, et il vit que sa main tremblait lorsqu'elle mit le contact.

Il lui répugnait de devoir la traiter ainsi mais que pouvait-il faire d'autre, étant donné les circonstances ? Avant qu'elle ne débarque à l'hôtel, il avait le projet d'appeler un taxi pour se rendre chez Charlie. Il aurait, d'ailleurs, pu s'en tenir là. Après tout, ce n'était qu'à un quart d'heure. Mais il ne pouvait pas prendre le risque de laisser Anna dans la nature. Son premier geste serait, évidemment, d'appeler la police, et il aurait les flics aux trousses dans la minute qui suivrait.

Que faire d'elle ? C'était un sacré problème. A moyen terme comme à court terme, d'ailleurs. Dès que Charlie aurait extrait la balle et refermé la plaie, il aurait intérêt à quitter Denver au plus vite. Avant que les flics ne découvrent le corps et ne lancent un mandat d'arrêt contre lui. Est-ce qu'il pourrait se permettre de laisser Anna à Charlie, avec ordre de ne pas la libérer avant le lendemain matin ? Le drame, c'est qu'il ne pourrait pas éviter de la ligoter, sinon elle n'aurait aucun mal à échapper à Charlie. C'était couru d'avance.

Mais, une fois qu'elle serait ligotée, est-ce qu'il pourrait compter sur Charlie pour se rappeler qu'il devait la libérer ? Si Charlie partait en pleine défonce, Anna pouvait aussi bien rester deux ou trois jours attachée sur sa chaise. Et Joe ne voulait même pas imaginer de la soumettre à une humiliation pareille.

Lorsqu'ils atteignirent la Douzième Avenue, il lui dit de tourner à droite devant Capitole Hill. Charlie vivait dans un vieux pavillon coincé entre deux tours assez mal entretenues.

Ils étaient presque arrivés à destination lorsque Joe s'aperçut qu'il était en train de sombrer. Sa vision devenait trouble, les lumières de la rue ne lui parvenaient plus qu'à travers un brouillard discontinu. Il dut fermer les yeux pour lutter contre une vague de nausée qui le laissa trempé de sueur.

S'il arrivait seulement jusque chez Charlie, il pourrait se laisser aller, s'abandonner à ces ténèbres qui ne demandaient qu'à l'ensevelir. Dieu, que ce serait bon de pouvoir se laisser glisser !

— Tournez à droite à la prochaine. Charlie habite du côté gauche, au numéro 1223. Vous trouverez de la place pour vous garer devant chez lui.

Il avait du mal à articuler ces sons compliqués. Il ferma les yeux, incapable de lutter davantage. Il était encore suffisamment conscient pour s'apercevoir que tout s'en allait autour de lui. Ah ! Ah ! La fatalité avait bien joué avec lui mais c'était fini, maintenant. Elle allait enfin lui régler son compte et lui donner le coup de grâce, après l'avoir attiré dans le piège de ce fameux rendez-vous avec Franklin Saunders.

Quand Joe rouvrit les yeux, il comprit qu'il avait dû perdre connaissance pendant quelques secondes. Finalement, il avait terrorisé Anna pour rien car il était évident qu'il s'évanouirait avant d'avoir touché au but, même s'il ne restait que deux minutes avant d'arriver chez Charlie…

— Pardon, dit-il avec peine. Je ne voulais pas… vous épouvanter. Jamais je… je ne vous aurais… fait de mal…

Le noir se faisait autour de lui et en lui.

— Mackenzie, je vous ordonne de ne pas vous évanouir ! Restez éveillé, nom d'un chien ! Vous m'entendez ? Bon sang ! Mackenzie ! Ne vous avisez pas de vous évanouir ou je vous jure que je vous conduis tout droit à l'hôpital, et les flics vous ramèneront en cellule avant que vous ayez eu le temps de dire *non coupable* !

La voix d'Anna arriva jusqu'à lui, à travers la brume qui s'épaississait. La voix d'Anna ! Un réverbère lui envoya une brûlure aveuglante dans les yeux, mais la voix d'Anna lui fit un curieux effet apaisant. Dans un effort quasi surhumain, Joe parvint à s'arracher au néant et à remonter à la surface de la conscience.

— Je… je me sens mal…

— Oui, je sais. Mais il faut tenir encore un peu.

Joe sentit la voiture ralentir puis s'immobiliser.

— Nous y sommes, dit Anna. Nous sommes au numéro 1223.

— Garez-vous devant la maison.

En lançant cet ordre, il devait être à peu près aussi menaçant qu'un agneau devant le loup du Gévaudan ! Alors, qu'est-ce qui avait bien pu convaincre Anna à l'amener ici plutôt qu'au commissariat le plus proche ? Dans son cerveau embrumé, la question arrivait encore à se frayer un chemin, mais pas la réponse… Avait-elle vraiment cru qu'il la tuerait de sang-froid si elle ne lui obéissait pas ? Etait-il vraisemblable qu'elle ne se soit pas aperçue qu'il était hors d'état de lui nuire, quand bien même il l'aurait voulu ?

Quand elle manœuvra pour se garer, il retrouva la force de serrer le revolver et de le pointer en direction d'Anna.

— Sortez de la voiture.

Sa voix ressemblait plus au râle d'un mourant qu'à la menace d'un tueur.

Un voile noir descendait devant ses yeux à mesure que les secondes passaient, et il devina plus qu'il ne la vit la lueur de défi qui brillait dans le regard d'Anna.

— Et pourquoi est-ce que je sortirais ?

Il ferma les yeux pour ne plus voir le rideau noir qui le séparait maintenant d'Anna.

— Parce que si vous ne le faites pas, je vous tue.

— Avec un revolver verrouillé ? Ça m'étonnerait, dit-elle sèchement.

C'était donc ça ? C'était elle qui avait les cartes en main ? Joe sentit un rire libérateur monter du tréfonds de son cœur. Quelque chose venait de changer dans sa vie, quelque chose qui modifiait la donne…

La portière s'ouvrit à sa droite, et une bouffée d'air frais vint le ragaillardir. Il comprit que c'était Anna qui maintenait la porte ouverte.

— Sortez de là, Mackenzie. Vous êtes trop lourd pour moi : je ne pourrai pas vous porter.

Docilement, il posa les pieds à terre, et la jeune femme le soutint par la taille. Force était d'admettre que, sans son aide, il n'aurait jamais pu s'extirper de la voiture ni parcourir les quelques mètres qui le séparaient de la porte de Charlie. Les rôles étaient inversés, Joe le savait. Il n'y pouvait pas grand-chose. Mais, surtout, il n'y *comprenait* pas grand-chose.

Ce fut encore Anna qui frappa chez Charlie, puis qui sonna, jusqu'à ce qu'on entende des pas traînants derrière la porte.

Charlie entrouvrit le battant et glissa un œil à l'extérieur. Son visage noir, couvert de rides, avait un air férocement renfrogné, et il empestait le whisky. Il émit un grognement en reconnaissant Joe.

— Dis donc, mon vieux, t'es une vraie loque ! Qu'est-ce que tu veux ?

— J'ai besoin de toi, Charlie.

— Toujours besoin du vieux Charlie, hein ? Mais, bon sang, à qui tu t'es encore frotté ?

Charlie ouvrit grand la porte. Joe remarqua qu'il était habillé de pied en cap, avec une chemise blanche et une cravate dénouée qui lui pendait mollement autour du cou.

C'était plutôt bon signe. En tout cas, cela voulait dire que Charlie était allé travailler, aujourd'hui. Ils étaient peut-être arrivés à temps : juste avant qu'il ne sombre dans l'une de ces beuveries nocturnes dont il était si friand ! Il y avait un réel espoir qu'il soit encore capable d'extraire la balle et de refermer la blessure.

Ce fut la dernière pensée consciente de Joe.

12.

Complètement folle. Il fallait qu'elle soit complètement folle. Qu'est-ce qu'elle fichait là, à faire les cent pas dans cet entresol humide où Joseph Mackenzie était étendu sur un billard de fortune ? Jusque-là, elle ne s'était pas comportée avec beaucoup de jugeote vis-à-vis de Mackenzie… Mais là, elle dépassait les bornes ! Qu'est-ce qui lui avait pris de l'amener ici plutôt qu'à l'hôpital, comme le bon sens — et aussi la loi — l'exigeaient ? De toute évidence, elle avait perdu la tête !

Elle ne savait pas ce qui lui mettait le plus les nerfs à vif : observer Charlie penché sur sa table d'opération ou regarder ailleurs. Elle avait l'impression d'être devenue un personnage de film noir…

— Ça vous ennuierait de vous mettre sur ce canapé et de ne plus bouger ? lui suggéra Charlie sans lever la tête. Ça me flanque la tremblote de vous sentir vous agiter comme ça !

Anna s'assit sur le bord du canapé pour éviter les ressorts défoncés, tandis que Charlie continuait à opérer.

— Pourquoi est-ce si long ? demanda-t-elle.

— C'est profond.

Charlie n'était pas du genre bavard. Il portait des gants chirurgicaux — ce qui était plutôt rassurant — mais il ne cessait de tamponner son front dégoulinant de sueur avec un torchon douteux. Anna se demanda combien de millions de germes avaient réussi à dégouliner du torchon jusque dans la blessure de Mackenzie. Elle croisa les doigts pour que Charlie ait la bonne idée d'injecter une dose massive d'antibiotiques à son patient.

Dix minutes de profond silence s'écoulèrent, troublés uniquement par les battements du cœur d'Anna. Si Mackenzie mourait, comment pourrait-elle vivre avec ce poids sur la conscience ? Et, s'il survivait, comment allait-elle se tirer du guêpier où elle s'était fourrée ? Quoi qu'il en soit, elle pouvait dire adieu à sa carrière. Ça, au moins, c'était une certitude.

— Voilà, c'est fait, dit enfin Charlie en ôtant ses gants.

Il les déposa sur la table auprès du corps inerte de Mackenzie.

— Il a toujours autant de chance, le bougre ! La balle a évité tous les organes vitaux : elle n'a fait qu'entrer et sortir.

Dans le vocabulaire d'Anna, « avoir de la chance » pouvait, à la rigueur, signifier qu'on ne s'était pas trouvé aux premières loges dans une fusillade. De là à trouver qu'un type avait de la chance parce qu'une balle avait bien voulu jouer à cache-cache avec ses poumons et son foie... Mais elle ne se sentait pas d'humeur à chicaner. De toute façon, ce Charlie n'avait pas l'air d'apprécier qu'on le contredise.

— Est-ce que cela signifie qu'il est tiré d'affaire ?

— Il ne va pas mourir de ses blessures, si c'est ce que vous me demandez. Il a perdu beaucoup de sang mais pas suffisamment pour que ses jours soient en danger.

Charlie s'empara d'un verre de Johnny Walker qu'il avait mis de côté dans l'un des filets de la table de billard, et il l'avala d'un trait.

— Vous ne croyez pas qu'il aurait besoin d'antibiotiques pour éviter l'infection ?

Anna s'était approchée de la table où reposait Mackenzie, et elle se pencha sur lui. Elle aurait été soulagée qu'on lui fasse une transfusion sanguine. Cela dit, il avait plutôt bonne mine : ses couleurs étaient revenues. Bien sûr, sa respiration était un peu saccadée mais c'était compréhensible.

Elle lui caressa la joue avec le dos de la main : elle était chaude mais pas brûlante, et légèrement râpeuse, à cause de la barbe naissante. Anna laissa courir ses doigts le long de son visage, jusqu'à la naissance de ses cheveux bruns et drus.

Elle éprouvait, au creux de l'estomac, une étrange sensation qu'elle préféra ne pas interpréter. Du bout des doigts, elle effleura les lèvres gercées de Mackenzie. Son haleine chaude la réconforta. Jusqu'à cet instant, elle n'avait pas remarqué qu'elle-même était transie. A cause de la peur, sans doute. Et il y avait de quoi !

Cinq bonnes minutes passèrent avant qu'elle ne sursaute et ne sorte de sa contemplation rêveuse. Elle ôta prestement sa main. Pourvu que Charlie n'ait rien vu ! Mais non, Dieu soit loué ! Il était concentré sur son bourbon qu'il sirotait avec un air de délectation profonde.

Anna revint à la charge.

— Est-ce que vous avez des antibiotiques pour Mackenzie ? Ce serait bête d'avoir survécu à une blessure pareille et de mourir d'une infection postopératoire, non ?

Charlie lui lança un regard courroucé, sans lâcher son verre. Ses gros yeux noirs étaient déjà injectés de sang.

— Pas de souci, jeune fille. C'est déjà fait. Il y avait même une satanée dose d'antibiotiques dans la première piqûre que je lui ai flanquée dans le derrière. Ce sacré Joe ! Il a le cuir épais comme un rhinocéros ! Bien failli casser mon aiguille !

— Je pensais que la piqûre était uniquement destinée à l'anesthésier.

Vu la quantité d'alcool absorbée par Charlie, Anna se sentait autorisée à insister sur ce point.

— C'étaient les deux. C'est un truc que j'ai appris chez les Viêts. Si on ne filait pas d'anesthésiant à ces pauvres gars, ils crevaient de douleur. Et, si on leur filait pas d'antibiotiques, ils crevaient d'infection. La plupart du temps, d'ailleurs, ils crevaient, quoi que vous fassiez…

Il vida son verre, bruyamment, en une seule gorgée. Il avait le regard perdu dans un passé peuplé d'images qu'Anna était heureuse de ne pas voir.

— Voulez un verre ? demanda-t-il finalement, en s'extirpant de son fauteuil pour prendre la bouteille de whisky qui trônait sur le poste de télévision.

Anna avait tellement besoin d'un remontant qu'elle se serait presque risquée à boire dans le même verre que Charlie. Mais un regard sur le torchon répugnant qui avait roulé aux pieds de Mackenzie la dissuada d'accepter. Stoïquement, elle déclina la proposition.

— A votre aise, lui dit-il simplement.

Charlie remplit de nouveau son verre à ras bord, et retourna dans son fauteuil, visiblement satisfait de son sort. Il tapota son coussin et attrapa la télécommande du téléviseur. Apparemment, il estimait avoir suffisamment sacrifié aux exigences de l'hospitalité. Il alluma la télé.

— Est-ce qu'on ne devrait pas installer Mackenzie plus confortablement ? Ce billard doit être terriblement dur !

— Il ne sent rien du tout, pour l'instant. Et puis, jusqu'à ce qu'il revienne à lui, ce sera un tel poids mort que, sans un élévateur, on n'arriverait à rien d'autre qu'à rouvrir sa blessure ! Vous en faites pas : on le bougera quand il se réveillera.

— Et il va mettre combien de temps à se réveiller, d'après vous ?

— Pas longtemps. Vous n'avez rien de mieux à faire qu'attendre, jeune fille ! Le problème, avec vous autres, les jeunes d'aujourd'hui, c'est que vous n'avez pas deux sous de patience.

Après avoir ainsi prêché la bonne parole, Charlie retourna à sa télévision et zappa d'une chaîne à l'autre jusqu'à ce qu'il tombe sur une émission de variétés qui semblait à son goût.

Anna était plongée dans l'expectative. Allait-elle rester là, à regarder Charlie écluser son whisky, dans l'attente que Mackenzie se réveille ? Elle se sentait modérément séduite par cette perspective. D'autant qu'elle avait déjà eu amplement le temps d'analyser les tenants et les aboutissants de son coup de folie sans, pour autant, répondre à certaines questions essentielles pour elle : allait-elle simplement être destituée de sa charge, après les événements de ce soir, ou risquait-elle d'être accusée de complicité avec un criminel en fuite ?

Mais pouvait-on poursuivre quelqu'un en justice pour avoir coopéré à son propre enlèvement ? Théoriquement, non. Sauf qu'elle n'avait jamais cru que sa vie fût en danger. A part, peut-être, pendant les deux premières minutes, quand Mackenzie s'était emparé de son revolver. Car il y avait un vieux miroir terni en face de l'ascenseur de l'Algonquin. Ce qui lui avait permis de voir que c'était la crosse du revolver qu'il pointait dans son dos, et non pas le canon. C'était, probablement, pour cela qu'il avait cru bon d'en rajouter et de bien faire entendre qu'il enlevait la sécurité. Si elle s'était débattue et que le coup était parti, c'était lui qui aurait pris la balle, et non pas elle.

Mais ça, personne n'en savait rien. Donc, personne ne pourrait *prouver* qu'elle avait réellement coopéré à son propre enlèvement. Evidemment, il y avait le fait contrariant qu'elle n'eût pas appelé le concierge à la rescousse, au moment d'entrer dans l'ascenseur. Mais tous ceux qui connaissaient le bonhomme s'accorderaient pour dire qu'il n'était pas fiable. Donc, elle pourrait toujours mentir et prétexter qu'elle avait eu beaucoup trop peur pour songer à lutter.

Seulement, si elle prétendait que Mackenzie voulait vraiment la tuer, elle le condamnait ipso facto à passer un très grand nombre d'années en prison… Bon, et après ? Il le méritait, très probablement.

Mais elle, Anna Langtry, citoyenne scrupuleuse et magistrate assermentée, elle ne voulait pas qu'il aille en prison ! Allez savoir pourquoi… Bien sûr, il était aux abois, et il n'avait peut-être pas l'intention de la tuer, mais cela ne suffisait pas à excuser ce qu'il avait fait — et moins encore ce qu'*elle* avait fait.

— Y'a quelque chose qui ne va pas pour que vous n'arriviez pas à tenir assise ? demanda Charlie. Vous vous tortillez sur ce siège : on dirait que vous avez avalé une pile électrique !

— Non, non, ça va bien mais…

— Alors, calez-vous dans votre fauteuil et qu'on n'en parle plus ! C'est pénible de vous voir vous agiter comme ça ! Vous m'donnez le tournis !

— D'accord, je vais essayer de rester tranquille. Mais comprenez-moi : je me fais du souci pour Mackenzie…

— Pas de raison ! J'vous l'ai d'jà dit ! Ce gars a la constitution d'un bœuf de labour !

Vaguement rassurée, Anna s'installa dans le canapé en prenant soin d'éviter les zones défoncées. Au bout de deux minutes, elle n'y tenait déjà plus : regarder la télé avec autant de détachement que Charlie était au-dessus de ses forces. La tension nerveuse était telle qu'elle se sentait à deux doigts d'exploser. Elle s'agrippait au bras du canapé pour se forcer à rester en place.

Elle songea à s'en aller, en confiant Mackenzie aux bons soins de Charlie — sinon à sa sollicitude. Malheureusement, ce dernier était déjà en train de se verser une troisième rasade de bourbon, et Anna ne se sentait pas la conscience tranquille à l'idée d'abandonner Mackenzie aux mains d'un individu qui risquait de tomber, d'un instant à l'autre, dans un coma éthylique.

— Quand Mackenzie sera réveillé, vous pensez que je pourrai le ramener chez lui ?

— Bien sûr que oui ! Pourquoi pas ? Comment faut-il que je vous dise que tout va très bien ?

Avec un soupir résigné, Charlie coupa le son du téléviseur et cala son verre sur le haut de son estomac.

—J'vois bien qu'vous n'allez pas m'laisser regarder mon émission tranquillement ! Qu'est-ce que c'est, déjà, vot' nom ?

— Anna Langtry.

— Anna Langtry, répéta Charlie dans sa barbe. Jamais entendu ce nom-là. Vous êtes la fiancée de Joe ? Celle qui n'est jamais venue le voir en prison ?

— Non. Je ne suis pas la fiancée de M. Mackenzie. Je suis son juge d'application des peines.

L'espace d'un instant, Charlie la regarda avec des yeux ronds. Puis il eut un petit rire qui secoua son verre, toujours en équilibre sur son ventre.

— Ravi de faire votre connaissance, madame le juge d'application des peines. Moi, je suis le chirurgien chef du Pentagone. Je vis dans ce ravissant petit entresol moisi parce que je n'veux pas gaspiller l'argent des contribuables en m'achetant une résidence à Washington.

Avec un temps de retard — c'était curieux : chaque fois qu'il s'agissait de Joseph Mackenzie, ses fonctions cérébrales avaient ce petit temps de retard ! —, Anna comprit sa sottise. Dans la situation où elle se trouvait, il n'était, évidemment, pas très malin de déclarer qu'elle était juge d'application des peines ! Charlie s'était occupé de Joe sans poser la moindre question. Cela prouvait qu'il était loyal envers ses amis. Et il ne devait pas nourrir une affection débordante pour les forces de l'ordre. Pour ne pas dire plus. En fait, il était tout à fait du genre à balancer aux orties la première personne qui oserait venir l'enquiquiner.

— C'est un honneur d'avoir affaire à vous, monsieur le chirurgien chef, répliqua-t-elle, décidée à entrer dans son jeu, faute de pouvoir lui expliquer l'invraisemblable vérité.

— Ouais. De même pour moi. Alors, comme ça, ça marche bien entre Joe et vous ? Z'êtes sa nouvelle égérie ?

Anna l'interrompit avec plus de véhémence qu'elle ne l'aurait voulu.

— Non, non, pas du tout ! Rien de tout ça ! Je… je suis seulement une amie de… de Joe.

— Ah oui ?

Charlie posa sur elle un regard injecté de sang.

—J'savais pas que Joe avait des amis, à part ceux qu'il s'était faits en prison. Pas de vrais amis, en tout cas. Y n'a pas reçu une seule visite pendant tout le temps que j'étais là-bas avec lui ! Et ça n'fait que deux mois que je suis sorti.

240

Cette fois, Anna n'eut aucun mal à interpréter l'émotion qui l'envahissait. Elle éprouvait un mélange de sympathie douloureuse pour Mackenzie — dont il n'aurait, vraisemblablement, pas voulu — mais aussi de colère : c'était peut-être contradictoire, mais ça n'en était pas moins virulent. Elle fut contente de pouvoir faire à Charlie une réponse qui ne soit que la stricte vérité.

— Je connais Joe depuis très peu de temps. Depuis qu'il est sorti de prison, en réalité.

Charlie eut un haussement d'épaules et se remit à siroter son whisky.

— J'sais pas grand-chose sur lui, moi non plus. C'était pas le genre de type à vous causer des problèmes. Pour ça qu'on s'entendait si bien, lui et moi. J'ai horreur des geignards.

— Il est certain que Joe n'aime pas trop parler de ses difficultés. Mais il n'empêche qu'aujourd'hui, il a rudement besoin de l'aide de ses amis. Il est dans de sales draps, vous savez ? dit Anna sur le ton de la confidence.

— Pas possible ! Figurez-vous qu'en le recousant, je me disais justement qu'y avait peut-être un truc qui n'allait pas dans sa vie. J'ai deviné ça quand j'ai découvert qu'il y avait une balle nichée dans la blessure. C'est fou c'que j'suis perspicace, hein ?

— Ça ne vous inquiète pas plus que cela de savoir que quelqu'un essaye de le tuer ?

— C'est pas une nouveauté, ça. Depuis que je connais Joe, il y a toujours du monde qui cherche à le tuer.

— Mais c'était l'univers de la prison. Maintenant qu'il est dehors, ça devrait être différent.

— Pas forcément...

Même après trois grands verres de whisky, Charlie n'avait pas la langue très déliée, et il distillait ses informations au compte-gouttes. Anna décida qu'il était temps de parler à mots découverts. Jusque-là, elle avait fait en sorte de ne pas poser trop de questions, pour que sa curiosité ne paraisse pas déraisonnable. Aux yeux de Charlie, tout au moins. Car, à ses propres yeux, cela faisait déjà un moment qu'elle avait passé les limites du raisonnable.

— Est-ce que vous voyez qui peut en vouloir à la vie de Joe ? demanda-t-elle. Si on n'arrive pas à déterminer qui est derrière tout ça, jamais on ne pourra l'aider efficacement. Vous étiez en prison avec lui : quels étaient ses ennemis ?

— Une bande de grandes gueules racistes. La plupart du temps, Joe adoptait le profil bas, et il la bouclait. Il évitait les ennuis autant que possible. Il se tenait à l'écart d'à peu près tout le monde, j'ai l'impression.

— Mais il s'était quand même lié d'amitié avec vous. Et avec Diego Esteban.

— Ouais… Faut croire que même un type comme Joe doit avoir besoin d'amis pour survivre.

— *Même un type comme Joe* ? Qu'est-ce que vous voulez dire par là ?

— Si vous êtes son amie, vous savez sûrement qu'il sait se défendre mieux que personne. Mentalement et physiquement.

— A cause des arts martiaux ?

— Ouais. Quand Joe est arrivé à la prison, ils se sont dit qu'il était bon à faire : un type de la classe moyenne, condamné pour des tripatouillages de cols blancs… Mais ils se sont vite rendu compte que c'était tout sauf ça… Il s'est fait taillader deux ou trois fois par des petites frappes qui avaient des couteaux mais, au bout de quelques mois, il n'a plus perdu une seule bataille !

242

— S'il avait toujours le dessus, pourquoi continuait-on à lui chercher noise ?

Charlie lui lança un regard mi-amusé, mi-apitoyé.

— Ben, voyez… Les taulards n'sont pas exactement ce qu'on fait de plus fin ni de plus malin. Y en avait un tas qui provoquaient Joe rien que pour se prouver qu'ils en avaient… Sûr que ce qu'ils démontraient, c'est surtout qu'ils n'avaient pas grand-chose dans le ciboulot ! Mais, en attendant, Joe en avait sa claque de devoir toujours se battre…

Rien d'étonnant à ce que Mackenzie ait eu l'air si farouche et si désabusé, le premier jour où il s'était rendu à son bureau, pensa Anna. Cela faisait quatre ans qu'il se battait pour survivre.

— Est-ce qu'il vous est arrivé de parler avec Joe de… de ce que vous aviez fait, l'un et l'autre, pour vous retrouver derrière les barreaux ?

— C'est arrivé. Mais on ne s'est pas dit grand-chose.

Avachi dans son fauteuil, Charlie avait, maintenant, l'air de s'ennuyer profondément. Son quatrième verre de bourbon devait commencer à lui faire de l'effet.

Anna décida de rendre ses questions plus précises.

— Est-ce que Joe vous a dit qu'il était innocent ?

Elle était curieuse de savoir si Joe s'était entêté à clamer son innocence à ses compagnons de détention, comme il l'avait fait devant la commission d'examen des remises de peine.

Charlie bâilla à s'en décrocher la mâchoire.

— Ouais. Y m'a raconté un truc dans ce genre-là.

— Et vous y avez cru ?

— Bah ! Tout le monde est innocent, en prison, c'est bien connu, répliqua Charlie en riant. Les flics nous ont coffrés, et si c'est pas une bavure de leur part, alors c'est nos avocats qui nous ont foutus dedans !

— Et Mackenzie ? Qui a-t-il accusé ? Les flics ou les avocats ?

— Les deux.

Charlie se redressa à l'évocation de la position indéfendable dans laquelle Joe s'était enferré.

—Cette espèce d'abruti ! Pour sa première audience de remise de peine, il a redit au juge qu'il était innocent. Et ça, dès l'entretien préalable. Quand il a comparu devant la commission plénière, ils lui ont dit qu'il purgerait ses six ans fermes puisqu'il refusait d'assumer la responsabilité des crimes qu'il avait commis. Alors, il est revenu complètement traumatisé...

— Avec le recul, et en tenant compte de tout ce que vous savez de Joe, est-ce qu'il vous paraît possible qu'il soit *vraiment* innocent ?

La question lui était venue malgré elle, et elle était stupéfaite de l'avoir posée. Mais Charlie ne broncha pas.

— Moi, vous savez, j'ai jamais perdu mon temps à me demander qui était innocent et qui était coupable, parmi mes compagnons de détention. D'ailleurs, innocent ou coupable, pour moi, ça n'veut pas dire grand-chose.

— Mais est-ce que vous ne trouvez pas bizarre qu'un type aussi avisé que Joe ait pu commettre une bévue aussi énorme avec la commission d'application des peines ? Enfin, il suffit d'avoir un peu regardé la télévision pour savoir qu'il faut toujours plaider coupable et jouer les repentis devant la cour !

— Qu'est-ce que vous avez derrière la tête, jeune fille ? Allez jusqu'au bout de ce que vous voulez dire...

— Eh bien... je me demandais s'il était plausible que Joe ait été tellement ulcéré d'être accusé injustement que... qu'il n'ait pas pu se résoudre à plaider coupable. Même pour obtenir sa...

244

— Alors, ça voudrait dire qu'il n'est pas si avisé que ça…
Et même qu'il est stupide !

Pour la première fois, Anna perçut de l'amertume dans la voix de Charlie. Il commençait à exprimer ce qu'il avait sur le cœur.

— Les bonnes gens de l'application des peines se fichent bien de savoir si vous êtes innocent ou coupable, reprit-il. Ce qu'ils veulent, c'est qu'on leur lèche les bottes. Alors, vous n'avez qu'un truc à faire si vous n'voulez pas purger votre peine jusqu'à la dernière minute : ramper à leurs pieds. Leur dire que vous êtes réellement navré, que vous êtes un autre homme, que vous ne recommencerez jamais. Si vous n'vous sentez pas capable de leur soutenir que la rencontre avec Jésus vous a transformé, alors vous avez intérêt à leur raconter que vous avez suivi la thérapie de groupe. Que vous avez appris à gérer votre problème — quel que soit le problème que les autorités vous auront collé sur le dos pour expliquer votre « comportement antisocial », comme ils disent !

— Et vous, Charlie, qu'est-ce que c'est, le problème qui vous rend antisocial, d'après les autorités ?

Parfois, sans même qu'elle s'en rende compte, la conseillère aux affaires familiales qui sommeillait en elle refaisait surface, et c'était généralement dans les moments où elle aurait mieux fait de tenir sa langue.

Charlie eut un haussement d'épaules.

— Dans mon cas, il semble que ce soit l'alcool. Quelle est la question suivante ?

— Mais vous, Charlie, est-ce que vous êtes d'accord avec ça ? Est-ce que c'est l'alcool, votre problème ?

— Sûrement pas ! L'alcool, c'est ma solution. La jungle du Viêt-nam et ce que j'y ai vu… c'est ça mon problème.

Avant qu'Anna ait pu poser une nouvelle question, Joe émit un faible gémissement. La jeune femme bondit du canapé, imitée par Charlie. Etonnamment alerte, il remit son verre dans le filet latéral du billard, et saisit le poignet de Joe. D'une main légèrement tremblante, il prit le pouls du blessé. Un œil sur sa montre, il finit par grommeler :

— Mmmouais… Tu devrais survivre, mon pote.

— Te fatigue pas à me faire marcher… Au point où j'en suis, j'ai déjà l'impression d'être mort, murmura Joe.

— Ben non ! Faut croire que le diable avait trop à faire pour aller te chercher ! Tu seras bientôt sur pied. Qu'est-ce que je dis ! Avec les trésors d'art chirurgical que j'ai déployés, tu seras sur le ring demain matin !

— Merci, Charlie. Tu m'as sauvé la vie.

— Ouais, c'est ce qu'ils me disent tous. Mais moi, ce que je voudrais bien savoir, c'est *quand* tu vas arrêter de traîner tes guêtres où il ne faut pas.

— A partir de maintenant. Promis !

— Tu parles ! Si seulement j'avais eu un dollar chaque fois que j'ai entendu ça, je serais un nabab ! répliqua Charlie en tapotant la main de Joe avec une chaleur et une gentillesse qui émurent Anna. Ta dulcinée a failli me faire tourner en bourrique ! Elle tient mordicus à te ramener à la maison. J'ai pas l'impression qu'elle apprécie mon hospitalité… Tu crois que tu peux tenir assis ?

— Ma dulcinée ?

Mackenzie se tourna vers Anna, et leurs regards restèrent rivés silencieusement l'un à l'autre, l'espace d'un instant qui sembla une éternité.

Anna toussota.

— Charlie n'a pas eu trop de mal à extraire la balle mais il a fallu faire pas mal de points de suture… Je suis bien contente de savoir qu'aucun organe vital n'a été touché.

— Et moi, donc !

Joe ne détachait pas son regard du sien. Il avait l'air médusé et ne cherchait pas à s'en cacher. Il reprit avec effort :

—Pourquoi ne m'avez-vous pas conduit à l'hôpital quand je me suis évanoui ?

Parce qu'il l'avait suppliée de ne pas le faire. Parce qu'elle avait peur qu'il ne retourne en prison… Mais elle était incapable de lui dire ça.

Elle lança un coup d'œil en direction de Charlie. Il s'en était retourné à sa télé et ne semblait plus manifester d'intérêt à quoi que ce soit d'autre. Elle fit alors à Joe une réponse qui n'était ni vraie ni fausse :

— Je vous ai amené ici parce que vous me l'avez ordonné et que vous me braquiez un revolver dans le dos.

— Faux. J'avais perdu connaissance. Vous auriez très bien pu vous emparer du revolver.

— Quand vous vous êtes évanoui, nous étions presque arrivés. J'ai eu peur que vous ne perdiez tout votre sang avant d'atteindre l'hôpital.

Malgré le vertige postopératoire, Joe se rendait parfaitement compte qu'elle le menait en bateau. Pour un homme qui avait un trou profond de quinze centimètres dans le côté et qui sortait tout juste d'une anesthésie, il soutenait son regard avec une intensité déconcertante.

— Et maintenant que je suis réveillé, qu'est-ce que vous avez l'intention de faire ?

— Je vais vous emmener chez moi. Au moins pour cette nuit.

Anna avait répondu avec une spontanéité totale, sans prendre le temps de réfléchir aux conséquences.

Joe se contenta d'écarquiller les yeux, sous l'effet de la surprise. L'espace d'un éclair, l'espoir l'avait illuminé, mais il se reprit presque aussitôt, maîtrisant cet accès de vulnérabilité. Il se recomposa un masque impassible, et déclara avec raideur :

— Merci. Je suis sensible à votre offre mais il vaudrait mieux pour tout le monde que je reste ici.

— Peut-être pas, Joe.

C'était Charlie qui avait répondu, et Anna frémit à l'idée qu'il n'avait probablement rien perdu de sa conversation avec Joe.

—J'ai à faire, cette nuit, ajouta-t-il. Ce ne serait pas une bonne idée que tu restes ici.

Anna sembla ignorer ce qu'elle venait d'entendre. Il n'était pas difficile, hélas, de deviner à quel genre d'activité nocturne pouvait se livrer Charlie.

— Ne vous en faites pas, lui dit-elle. Nous allons partir tout de suite. Est-ce que vous auriez une veste à prêter à Joe ?

Charlie marmonna quelque chose qui devait vouloir dire oui. D'un pas mal assuré, il monta à l'étage supérieur, et revint avec une chemise en flanelle et un blouson. Il rapportait aussi une bouteille d'eau et quelques gobelets en carton. Il en remplit deux et les tendit à ses amis.

Anna but à grands traits, et s'aperçut alors qu'elle mourait de soif. Le fait que Charlie ait apporté des gobelets en carton prouvait qu'il était, en fait, très observateur : il avait parfaitement compris qu'elle répugnait à utiliser ses verres…

Cela dit, si jamais la police venait à l'interroger sur ce qui s'était passé chez lui, ce soir, elle pouvait dire adieu au scénario qu'elle avait imaginé : Charlie pourrait témoigner qu'elle ne se trouvait pas sous l'effet de la contrainte.

Charlie surveillait Joe, et il ne le laissa boire que quelques gorgées.

— S'agirait pas que tu vomisses ! Tiens, tu ne devrais pas avoir de mal à enfiler ça, dit-il en lui tendant la chemise. J'vais brûler ta veste et ton T-shirt, d'accord ?

— Oui, bonne idée. Merci.

Charlie lui boutonna la chemise en prenant soin de ne pas effleurer son bandage, puis il lui enfila le blouson à fermeture Eclair.

Joe devint très pâle lorsqu'il mit les pieds par terre. Il s'appuya à la table de billard, le temps de recouvrer son équilibre. Puis il reprit des couleurs et put marcher jusqu'à la porte avec un minimum d'aide.

Les marches de l'entresol furent plus délicates à descendre. Une fois arrivé au rez-de-chaussée, Joe prit une profonde inspiration. Après quoi, son souffle se fit plus régulier.

— Merci encore, Charlie. Merci pour tout. Si je n'avais pas réussi à venir jusqu'ici, je ne sais pas comment tout ça aurait fini...

— Ouais. Mais j'ai mieux à faire que de passer mon temps à te recoudre. La prochaine fois que tu repères un revolver dans les parages, tu changes de trottoir, d'accord ?

— Compte sur moi.

— On pourrait aussi trouver celui qui s'amuse à vous tirer dessus et aller le dire à la police pour qu'elle le mette hors d'état de nuire, suggéra Anna.

Joe la regarda avec stupéfaction, tandis que Charlie se frappait le front avec la paume de la main en s'écriant :

— Mais c'est bien sûr ! Comment ça se fait que je n'aie pas pensé à ça plus tôt !

— Je me le demande bien ! reprit Joe, comme en écho. C'est peut-être parce que les flics ont pris l'habitude de nous arrêter d'abord et d'écouter ensuite ce qu'on a à leur dire ?

— Impossible ! répliqua Charlie. La police tombe pas à bras raccourcis sur les ex-détenus pour le plaisir. Tu penses !

— Ça va comme ça ! coupa Anna. Ce n'est plus drôle.

— C'est vrai, dit Joe. Surtout pour les ex-détenus dont il est question.

Anna décida qu'il était urgent de changer de sujet.

— Vous pouvez marcher jusqu'à la voiture ou bien vous voulez que je vous aide ?

— Je peux marcher.

Charlie ne les accompagna pas, mais il tendit à Anna une boîte de médicaments.

— Antibiotiques, grommela-t-il. Y'en a que pour cinq jours mais c'est mieux que rien.

— Merci, Charlie. Merci pour tout.

En guise de réponse, il émit un grognement.

Il resta dans l'embrasure de la porte jusqu'à ce que Joe soit installé à la place du passager, puis rentra dans la maison sans attendre que la voiture ait démarré. Ses « affaires » l'attendaient probablement.

Au moment où Anna allait mettre le contact, Joe l'arrêta d'un geste.

— Je ne sais pas si je dois vous remercier pour ce que vous avez fait ce soir ou bien si je dois vous traiter de folle.

— Je sais déjà que je suis folle, alors inutile de vous fatiguer.

250

— Dans ce cas, merci. Mais je n'irai pas dormir chez vous, Anna. Il y a des limites aux risques que je peux vous faire prendre.

— Alors dites-moi où vous avez l'intention d'aller.

Joe hésita une fraction de seconde, ce qui n'échappa pas à la jeune femme.

— Je veux retourner à l'hôtel.

— Vous n'êtes pas en état de…

— Ça ira très bien. Charlie a été formel : tout ce dont j'ai besoin, c'est d'une bonne nuit de sommeil. Après, je serai sur pied. Ne vous impliquez pas davantage dans cette affaire, Anna. Croyez-moi : vous en avez déjà fait beaucoup trop.

Il mentait lorsqu'il prétendait vouloir rentrer à son hôtel, Anna en était presque sûre. Pourquoi voulait-il l'écarter de son chemin ? Par souci de la protéger ou parce qu'il mijotait un sale coup ? Que s'était-il passé exactement pour qu'il se retrouve avec une balle dans le ventre ? Elle était partie du principe qu'il avait échappé à une tentative de meurtre. Mais il y avait, malheureusement, une foule d'autres raisons pour qu'un ex-détenu se retrouve dans une telle situation… Il fallait donc qu'elle réussisse à le faire parler. La question portait sur le moment qu'elle allait choisir pour lui faire subir un interrogatoire : *avant* ou *après* l'avoir conduit chez elle ?

Son téléphone portable se mit à sonner avant qu'elle ait pris une décision. Elle répondit aussitôt car elle n'était pas fâchée de ce moment de répit qui lui était accordé.

— Anna Langtry à l'appareil.

— Allo, Anna. Ici Bob Gifford. Je suis content de vous entendre. Désolé de vous déranger à une heure pareille mais je voulais m'assurer que vous alliez bien.

— Mais oui, Bob, ça va. Qu'est-ce qui vous inquiète ?

Elle sentit un sombre pressentiment l'assaillir, qu'elle s'efforça de réprimer.

— Le concierge de l'hôtel Algonquin, un dénommé Larry Hochstein, nous a fait savoir qu'il vous avait vue, ce soir, en compagnie de Joseph Mackenzie. Vous preniez l'ascenseur ensemble, et Larry s'est demandé si Mackenzie ne vous tenait pas sous la menace.

Anna se tourna vers la portière et laissa son regard errer dans la nuit. Elle avait l'impression qu'il lui serait moins difficile de mentir si elle ne voyait pas Mackenzie.

— Sous la menace ? Mais non, voyons ! Pas du tout ! Qu'est-ce qui a pu lui faire croire ça ?

Bob Gifford ne discuta pas. Anna avait souvent remarqué que les policiers, les vrais, n'avaient pas pour habitude de chercher la petite bête.

Gifford voulut, cependant, s'assurer que Larry ne lui avait pas raconté n'importe quoi.

— Mais Larry ne se trompe pas lorsqu'il dit vous avoir vue, ce soir, à l'Algonquin, n'est-ce pas ?

— Non, il ne se trompe pas. J'y étais, effectivement.

— Et vous avez vu Mackenzie ?

— Oui.

Anna ne voyait pas où l'inspecteur voulait en venir mais quelque chose lui disait que les ennuis commençaient. Elle se contenta d'expliquer qu'elle s'était rendue à l'Algonquin pour procéder à un contrôle inopiné chez Mackenzie. Mais elle renonça à dire à Gifford que Joe ne s'était pas présenté à son rendez-vous de l'après-midi. Il était évident qu'elle avait intérêt à en dire le moins possible, compte tenu de toutes les illégalités dont elle s'était rendue coupable, dernièrement.

Seigneur ! Comme les événements s'étaient enchaînés rapidement ! En l'espace de quelques heures, elle s'était mise

252

à agir comme une criminelle. Et voilà que, maintenant, elle se mettait même à *réfléchir* comme une criminelle…

— D'après Larry Hochstein, vous vous seriez trouvée dans l'ascenseur avec Joseph Mackenzie à 18h35, poursuivit Gifford. Est-ce exact ?

Anna avait conscience de s'enfoncer de plus en plus en eaux troubles, à chaque réponse qu'elle donnait. Elle fit mine d'hésiter.

— Oh, je ne pourrais pas en jurer. Mais ça doit correspondre à peu près. Larry a raison : j'ai pris l'ascenseur en même temps que Mackenzie.

— Etes-vous entrée dans sa chambre ?

Comment allait-elle s'en tirer, cette fois ? Il fallait, pourtant, répondre.

— Attendez… Oui. C'est-à-dire… j'ai juste passé le seuil de la porte.

— Et vous n'avez rien remarqué d'anormal dans la chambre ?

— Anormal ? Dans quel sens ? Je ne comprends pas…Que se passe-t-il, Bob ?

Gifford éluda la question et revint à la charge.

— Comment Mackenzie s'est-il comporté, pendant votre entrevue ?

— Comme le font la plupart des ex-détenus lorsque leur juge d'application des peines se présente pour un contrôle inopiné : il était sur la réserve. Peu communicatif.

Ça, au moins, c'était vrai.

— Mais votre avis, en tant que professionnelle, c'est qu'il n'y avait rien d'insolite dans son attitude, n'est-ce pas ? Pas de nervosité particulière ?

— Non. Je vous l'ai dit, il s'est comporté exactement comme je m'y attendais.

— Est-ce que Mackenzie vous a dit où il se rendait lorsqu'il a pris l'ascenseur avec vous ?

— Il allait chercher quelque chose à l'épicerie du coin.

Cette fois, elle s'enfonçait dans son mensonge ! Il était plus que temps de se tirer de là.

Et d'abord, pourquoi Gifford s'intéressait-il de si près à l'emploi du temps de Mackenzie ?

— Nous avons trouvé des serviettes maculées de sang dans la salle de bains, et des éclaboussures sur le mur. Sans parler des vêtements ensanglantés dans la cabine de douche…

— Miséricorde ! Vous voulez dire qu'il est mort ?

Depuis le début de la conversation, Anna avait des crampes d'estomac. L'inspecteur Gifford était un représentant de la loi qui faisait scrupuleusement son travail, et elle, elle le mettait sur une fausse piste. Elle sentait l'abîme se creuser sous ses pieds.

— Nous n'en savons rien. Ce qui est sûr, c'est que quelqu'un a été grièvement blessé. Et nous avions peur que ce soit vous.

— Non, je vais bien. Merci d'avoir appelé pour vérifier. Sacrée mauvaise nouvelle, en tout cas…

Anna avait la gorge sèche. Elle en était malade de tromper ainsi un défenseur du bien public. Mais, apparemment, pas au point de lui dire la vérité puisqu'elle continuait à s'enferrer.

—C'est consternant. Mais il y a quelque chose que je ne comprends pas. Mackenzie semblait en bonne santé quand je l'ai vu. Vous dites qu'il y avait beaucoup de sang dans sa chambre ?

— Suffisamment pour que vous n'ayez pas pu l'ignorer. Ce qui signifie que la chambre était intacte à 6 heures et demie du soir.

Gifford semblait perplexe.

—Ça ne cadre pas avec notre créneau horaire.

— Quel créneau horaire ?

— Celui du meurtre, dit-il d'une voix durcie par la colère. Nous voulons poser quelques questions à Joseph Mackenzie, à propos de quelqu'un qu'il connaît bien et qui a été assassiné, cet après-midi.

— Quelqu'un a été tué ? Dans la chambre de Mackenzie ?

Anna s'était mise à trembler si fort qu'elle dut caler son téléphone contre la vitre de sa portière.

— Non. La victime est un certain Franklin Saunders. D'après la secrétaire de la banque où il travaille, Saunders avait fixé rendez-vous à Mackenzie à 14h30. Ils devaient se voir au café Renoir, qui n'est qu'à quelques centaines de mètres du parking souterrain où l'on a retrouvé le corps de Saunders.

Anna se tourna lentement vers Joe. Elle lui faisait face, maintenant. Quelle pouvait bien être cette étrange force qui la retenait de s'enfuir de la voiture en hurlant de terreur ? Son cœur tapait avec violence dans sa poitrine, et elle avait la gorge si serrée qu'elle n'arrivait presque plus à parler. Et le plus extraordinaire, c'est qu'elle n'avait pas peur *de* Joe mais *pour* Joe !

— Ce Saunders, reprit-elle d'une voix blanche, comment est-il mort ?

— Nous attendons le rapport du médecin légiste. Ce que je peux vous dire, c'est qu'il a reçu au moins quatre balles et qu'il n'était pas beau à voir. L'une d'elles l'a frappé en plein front. Il y avait une mare de sang. Et je vous épargne le tissu cérébral et les éclats de boîte crânienne. Une horreur !

Anna dut lutter contre la nausée.

— C'est… c'est épouvantable.

— Hmm. En plus de ça, Saunders était un type jeune. Trente-cinq ans. Vous imaginez ce que ça peut représenter pour sa famille ? Sa femme est tombée dans les pommes quand elle a appris ce qui s'était passé.

Anna se tourna vers Joe. Son expression était toujours aussi impénétrable. Un vrai bloc de granit. Il entendait, pourtant, chacun des mots qu'elle prononçait, et peut-être même des bribes de ce que disait Gifford. Il savait donc parfaitement ce qu'ils se racontaient. Pourtant, pas un trait de son visage ne trahissait ses pensées.

— Pensez-vous que Mackenzie ait pris la fuite ? Ou bien qu'il soit mort ? demanda Anna.

— Puisque vous-même êtes indemne, l'explication la plus plausible, pour le sang trouvé chez Mackenzie, c'est que ce soit lui qui ait été blessé.

— Mais, s'il est blessé, ça peut vouloir dire qu'il était visé au même titre que Saunders ? Ce n'est peut-être pas lui qui a tiré ! Rappelez-vous : quelqu'un cherchait à le tuer...

— Evidemment, c'est une possibilité. Mais si un professionnel a été commandité pour les tuer tous les deux, comment se fait-il qu'il ait raté son coup ?

— Nous ne savons pas s'il l'a raté ! s'exclama Anna. Comment savoir si Mackenzie est encore vivant ?

— Larry et vous, vous l'avez vu après l'heure où le meurtre a été commis, expliqua patiemment Gifford. Et vous dites qu'il n'était pas blessé, à ce moment-là.

— Oui, bien sûr... Alors, il faut croire que Mackenzie s'est battu avec quelqu'un après mon départ. Il se peut que le tueur soit revenu achever le travail.

— C'est possible...Nous avons prélevé des échantillons sanguins. Nous saurons vite s'il s'agit du sang de Mackenzie... Excusez-moi, dit Gifford en réprimant un bâillement. La journée a été longue. Bon. Vous êtes vivante, c'est le principal.

Et si Mackenzie est toujours vivant, lui aussi, alors, il faut croire qu'il est en fuite.

— S'il est blessé au point d'avoir laissé du sang partout dans sa chambre, il doit avoir besoin d'une assistance médicale...

— Nous avons déjà placardé sa photo dans les hôpitaux de la région. Mais, jusqu'à présent, pas de nouvelle.

Anna dut avaler plusieurs fois sa salive avant de pouvoir poursuivre :

— Mackenzie est un type intelligent. Tous les tests qu'il a passés en prison le montrent, et c'est l'impression qu'il m'a faite, à moi aussi. A mon avis, il a volé une voiture et il a quitté l'Etat aussi vite qu'il a pu.

— C'est très probable. Nous avons diffusé son signalement à toutes les patrouilles, aux frontières et à l'ensemble des transports publics. Je voulais aussi vous avertir que nous avions lancé contre lui un mandat d'arrêt pour présomption d'homicide. Ça m'étonnerait qu'il vienne vous trouver, et plus encore qu'il se présente à vos bureaux. Mais, si jamais c'était le cas, appelez immédiatement police secours. C'est un homme désespéré. Il a toutes les raisons de tuer. Et aucune de se retenir.

Voilà qu'elle cachait un criminel recherché par toutes les polices des Etats-Unis... Anna espérait que la réception de son téléphone portable était trop médiocre pour que Gifford perçoive le tremblement de sa voix.

— Je serai prudente, comptez sur moi. Merci d'avoir appelé, Bob. Je vous en suis très reconnaissante. Rentrez donc chez vous et prenez un peu de repos. Vous avez l'air épuisé.

Anna coupa la communication avant que Gifford ne lui demande de se rendre à la police pour faire une déposition sous serment. Elle regarda Joe. Aucune émotion ne transparaissait dans son attitude. Pourtant, elle avait l'impression qu'il la suppliait de croire en son innocence.

Mais ne se laissait-elle pas tout simplement subjuguer par la séduction qui émanait de lui et qui entrait, peut-être, pour une part dans son jeu criminel. Elle frissonna en songeant que chacune des victimes de Jack l'Eventreur devait croire qu'elle était la seule femme à le comprendre — jusqu'à ce qu'il la viole, la torture et la tue.

La voix de Joe brisa enfin le silence qui s'était installé entre eux. Une voix nette et ferme.

— Non, Anna. S'il vous plaît, non. Ne me regardez pas comme ça. Pour l'amour du ciel ! Je ne vous ferai aucun mal. Quoi que l'inspecteur ait pu vous dire, je jure que vous ne courez aucun risque avec moi.

Il déverrouilla la porte de la voiture.

—Je vais partir, maintenant, avant que vous n'ayez de graves ennuis. Merci encore de m'avoir emmené chez Charlie. Si… si la police vous pose d'autres questions, dites-leur que je vous menaçais avec mon revolver et que vous avez menti pour ne pas mourir.

Anna appuya sur le loquet de sécurité pour verrouiller de nouveau la porte.

— Vous ne pouvez aller nulle part, Mackenzie.

— Faux. Charlie va me…

— L'inspecteur Gifford est intelligent et tenace. Il ne mettra pas longtemps à découvrir que vous avez connu Charlie en prison. Et la réputation de Charlie n'est plus à faire. On sait qu'il ne refuse jamais de soigner un ami dans une situation difficile. Croyez-moi, Gifford sera bientôt chez Charlie. Vous n'avez pas l'intention de le compromettre davantage, n'est-ce pas ?

Mackenzie serra les mâchoires.

— C'est juste. Alors, je dois quitter le Colorado…

— Et comment allez-vous procéder ?

— Je vais prendre un car.

— Les transports publics ont votre signalement. Tout le monde vous recherche.

— Eh bien, je vais trouver une voiture.

— Vous voulez dire que vous allez en voler une ? Riche idée !

— Je n'ai pas d'autre issue, dit-il d'un air sombre.

— Si, vous en avez une !

Anna se demanda alors si c'était bien elle qui parlait. Elle s'entendit, comme en écho, prononcer des paroles qui défiaient l'entendement :

—Vous êtes blessé, Mackenzie. Il faut absolument que vous vous reposiez. Je vous emmène chez moi, comme c'était prévu.

Il se tourna vers elle. Cette fois, il ne pouvait plus cacher sa stupeur.

— Pourquoi m'aidez-vous, Anna ? Franklin Saunders est mort. Ce n'est pas moi qui l'ai tué mais j'étais là quand ça s'est passé. Vous avez entendu ce que Gifford a dit ? Frank avait la tête en bouillie. Alors, bon sang, comment pouvez-vous encore me faire confiance ?

— Je ne sais pas.

Bien sûr, Anna ne comprenait rien à ce qui était arrivé à Franklin Saunders. Mais il y avait une chose qu'elle comprenait encore moins, c'était ce qui lui arrivait à elle, ce soir.

—Vous auriez pu me faire du mal vingt fois, au cours des dernières heures… et vous ne l'avez pas fait. Ça doit être pour cette raison que je vous fais confiance.

— Alors ça, c'est vraiment mince, comme argument ! Et vous risquez votre vie sur cette base-là ?

Voilà qu'il lui faisait la leçon ! Il avait presque l'air furieux de la découvrir aussi écervelée ! Elle le regarda droit dans les yeux.

— Est-ce que vous avez tué Franklin Saunders ?

— Non.

— Avez-vous une preuve à fournir, à moi ou à quelqu'un d'autre ?

— Non.

— Quelque chose qui me fasse penser que vous êtes innocent ?

Il eut un rire amer.

— Pas la moindre.

Anna comprit alors qu'elle ne pouvait se fier qu'à son instinct.

Et Dieu sait qu'il était peu fiable : c'était ce même instinct qui lui avait soufflé que Diego Esteban essayait de rentrer dans le droit chemin. Que Peter était un amant fidèle…

Mais non : en fait, elle n'avait jamais véritablement analysé la nature de ses relations avec Peter. Pour la simple raison qu'elle ne tenait pas vraiment à lui… Quant à Diego, malgré sa rechute, il avait sincèrement essayé de se réformer. En fait, elle nourrissait toujours l'espoir insensé que Diego deviendrait, un jour, un homme merveilleux. Son instinct n'était peut-être pas si mauvais, après tout ?

En tout cas, elle allait le suivre, une fois encore.

— Je ne vous livrerai pas à la police, dit-elle finalement. A une condition.

— J'accepte.

— Vous ne connaissez pas encore la condition !

— Peu importe ! Elle est sûrement moins douloureuse que la prison.

— Très bien. Alors, voilà : quand nous serons chez moi, vous allez me raconter exactement ce qui cloche dans votre vie, et ce qui s'est passé, cet après-midi, avec Franklin Saunders. Et je veux la vérité, Joe. Toute la vérité, rien que la vérité.

Joe se tut pendant une longue minute, qui sembla une éternité.

— C'est d'accord, conclut-il. Toute la vérité, rien que la vérité.

13.

Joe se sentait torturé par mille fers rougis au feu qui labouraient sans trêve sa chair meurtrie. Son cerveau embrumé lui faisait l'effet d'une vieille machine rouillée. Serrant les dents contre la douleur, il essayait désespérément de se concentrer. Il fallait qu'il concocte d'urgence un tissu de mensonges suffisamment crédibles pour qu'Anna s'en contente. S'il pouvait prendre quelques heures de repos, il pourrait ensuite filer à l'anglaise. Direction : Durango. Malheureusement, sa pauvre cervelle refusait de produire une histoire à peu près cohérente et vraisemblable.

Où Anna habitait-elle, et de combien de temps disposait-il pour monter un bateau qui tienne la mer ? Ils avaient dépassé le quartier vétuste de Charlie, et ils abordaient maintenant un secteur beaucoup plus huppé.

Quand Anna s'engagea dans le parking privé d'une petite résidence de huit étages, Joe comprit que son sursis touchait à sa fin. Qu'est-ce qu'il allait bien pouvoir inventer pour se tirer de ce mauvais pas ? Il était, pourtant, passé maître dans l'art de ficeler les bobards, ces dernières années — en tout cas, depuis qu'il en avait pris plein la figure et qu'il avait compris comment il fallait se comporter pour gruger le système. Allez savoir pourquoi, ce soir, il n'était plus capable de rien.

La peur commença à s'emparer de lui, dissipant le flou dans lequel il flottait encore, pour laisser place à un grand vide. Miséricorde ! Qu'est-ce qu'il allait trouver à lui raconter ? Son avenir, et peut-être même toute sa vie en dépendaient ! Pourquoi n'arrivait-il plus à *penser* ?

Anna manœuvra dans un étroit garage en sous-sol. C'en était fait, les dés étaient jetés, songeait Joe. Un calme désespéré l'envahissait, tandis qu'il regardait la jeune femme détacher sa ceinture de sécurité et se tourner vers lui.

Les néons du parking donnaient une lumière crue mais pas très efficace, et l'intérieur de la voiture demeurait dans la pénombre. Il voyait suffisamment le visage d'Anna pour pouvoir y lire… de la sollicitude. Rien que cela : ni stress ni angoisse pour son propre sort.

Cette attitude confiante le désarçonnait. Il s'efforça de l'analyser d'un point de vue cynique. Si elle agissait toujours comme ça, c'était à peine croyable qu'elle ait survécu plus de six mois en exerçant une telle profession ! Elle devait quand même bien savoir de quelle violence physique les ex-détenus étaient capables ! Est-ce qu'elle n'avait pas fait attention quand il lui parlait de ses performances dans les combats à mains nues ? Même blessé, il était encore largement en mesure de la maîtriser, et probablement de lui casser quelques os dans la bataille. Il fallait qu'elle soit folle pour avoir eu l'idée de l'amener chez elle…

Comment pouvait-elle tenir si peu compte de la menace qu'il représentait ? Pour être sincère, Joe se voyait partagé entre deux sentiments peu reluisants. D'un côté, il éprouvait une espèce de gratitude un peu lâche vis-à-vis d'Anna ; de l'autre, un certain ressentiment. Le pire, c'est qu'elle avait absolument raison de ne rien craindre de lui : jamais il ne toucherait à un cheveu de sa tête… Mais, du coup, il n'avait plus aucun moyen de pression sur elle. L'idée de passer pour un individu dangereux n'était pas pour lui déplaire mais il n'avait pas perdu le sens de l'honneur au point de passer à l'acte et de nuire pour de bon. Surtout pas à une femme dont le seul tort avait été de prendre des risques pour l'aider…

— Mon emplacement de parking se trouve juste en face de l'ascenseur. Vous n'aurez pas à marcher trop longtemps, lui dit-elle. Attendez ! Je vais vous aider. Ne faites pas de contorsion inutile pour sortir de la voiture : vous risqueriez de faire sauter les points de suture. Depuis que nous sommes sortis de chez Charlie, je me demande s'il était vraiment en état de vous recoudre correctement.

La tonalité douce et musicale de la voix d'Anna, c'était l'une des premières choses que Joe avait remarquée. A cette douceur se mêlait, maintenant, une pointe de tristesse amusée. Comme si elle en savait assez sur Charlie pour admirer ses talents et lui pardonner ses faiblesses. Se pouvait-il qu'elle soit aussi réceptive ?

En la regardant, Joe sentait se défaire le nœud d'amertume qui l'enserrait depuis quatre ans. Il se trouvait à la fois terriblement vulnérable et soudain libéré d'un fardeau qui avait fini par lui devenir intolérable. Une pensée incroyable lui traversa alors l'esprit. Et si, au lieu de mentir, il disait la vérité à Anna sur ce qui s'était passé, cet après-midi ?

Oui, il pouvait le faire. En espérant qu'elle le croie !

Quand Joe sortit de la voiture, les chiens de l'enfer recommencèrent à déchirer sa chair de leurs crocs acérés. Il se traîna seul jusqu'à l'ascenseur, et n'eut que le temps d'appuyer son corps endolori contre la paroi pour ne pas s'écrouler.

Anna avait verrouillé la voiture et s'était précipitée à sa rescousse.

— Pour l'amour du ciel ! Arrêtez trente secondes de jouer les héros, Mackenzie ! Il n'y a pas de public à impressionner, ici ! Il n'y a que moi.

— Je n'essayais pas de vous impressionner.

— Tant mieux.

Anna appuya sur le bouton du sixième étage. Joe épiait leur reflet dans les parois de verre dépoli : il avait un air à faire peur, ravagé et au bord de l'épuisement. Quant à elle, elle était… belle. Sa carnation, naturellement pâle, était presque transparente, du fait de la fatigue — ou, plus probablement, de l'angoisse qu'il lui avait causée, au cours des dernières heures. Les deux peignes qui étaient censés retenir ses cheveux ne remplissaient plus guère leur office, et ses boucles rebelles, terriblement érotiques, faisaient penser à la chevelure d'une femme qui vient de faire l'amour.

Comme il ne la quittait pas des yeux, elle se recoiffa à la hâte, sans même jeter un coup d'œil au miroir.

Joe détacha son regard de la paroi de verre, et le tourna vers le sol, luttant contre l'envie passionnée d'envoyer valser les deux peignes qui retenaient encore les mèches de la jeune femme et de plonger les doigts dans sa chevelure. Ce qui n'aurait été, d'ailleurs, qu'un bref préliminaire car, aussitôt après, il lui aurait arraché ses vêtements pour pouvoir promener les mains sur son corps nu et lui faire l'amour à en perdre la tête… Et merde pour ses damnés points de suture !

Joe ferma les yeux, s'appuya à la paroi de l'ascenseur. Anna était bien la femme la plus séduisante qu'il ait jamais rencontrée. Et ce n'étaient pas ses quatre années de célibat forcé qui lui faisaient penser ça !

Rien d'étonnant à ce qu'il ait eu tant de mal à faire fonctionner son cerveau, ce soir ! Le peu d'énergie qu'il lui restait était entièrement concentré sur l'idée de faire l'amour avec Anna. Sauvagement, passionnément, follement…

Il tressaillit lorsqu'elle lui toucha le bras.

— Est-ce que ça va, Mackenzie ?

Joe dut s'éclaircir la gorge pour recouvrer un filet de voix.

— Oui, ça va…

Les portes de l'ascenseur s'ouvrirent.

— Nous y voilà, dit Anna. Encore un tout petit effort et vous pourrez vous reposer.

Ah ! Se reposer ! Se détendre ! C'était ce à quoi il aspirait le plus au monde, en cet instant. Plus encore qu'à faire l'amour ou à échapper à ses assassins.

Il suivit Anna sur le vaste palier, s'efforçant de ne regarder que sa nuque et d'éviter de poser son regard sur une partie plus dangereusement séduisante de son corps.

Tandis qu'elle ouvrait la porte de son appartement, il concentra ses pensées sur Franklin Saunders. C'était sans doute un moyen très efficace pour lutter contre sa pulsion sexuelle mais ça ne contribuait guère à lui mettre l'esprit en paix.

Depuis sa sortie de prison, Joe était devenu sensible aux parfums. La première chose qu'il remarqua en pénétrant chez Anna fut une odeur de fleurs fraîches, subtilement mêlée à l'essence plus piquante de l'eucalyptus. Il nota ensuite le contraste surprenant entre les murs d'un blanc épuré et les rideaux dans un camaïeu de vert, en harmonie avec la moquette. L'ensemble donnait une impression d'espace et de confort qui frappait l'œil au premier abord et donnait envie de s'installer. Oui, vraiment, cet appartement collait parfaitement à la personnalité d'Anna, décida Joe.

C'était la première fois, depuis quatre ans, qu'il pénétrait dans un intérieur privé, et il se sentait aussi déplacé qu'un éléphant dans un magasin de porcelaine. Il se tenait précautionneusement dans l'entrée, et s'étonnait lui-même de l'espèce de timidité qu'il éprouvait. Il venait enfin d'entrevoir la possibilité de se sentir de nouveau propre, et voilà que le sentiment de sa souillure intérieure le reprenait. Comme si le contact avec le cadre de vie d'une personne normale servait de révélateur à sa propre déchéance. Quelque part dans les profondeurs de son être, il se sentait toujours un condamné, et il avait peur de contaminer l'appartement d'Anna. En toute logique, le sang collé à ses semelles devait être sec depuis plusieurs heures mais il craignait de laisser des traînées rouges sur la moquette immaculée du séjour.

— Voulez-vous de l'aide pour enlever votre blouson ? lui demanda Anna.

Elle ôta elle-même son blazer, et le holster apparut.

— Ça va aller, je vous remercie.

Tout en se débarrassant du blouson de Charlie, Joe hésitait encore. Et s'il essayait de nouveau de s'emparer du revolver ? Une fois Anna désarmée, il n'aurait plus à lui faire de mal pour la tenir en respect, et il arriverait bien à s'enfuir sans risquer de s'évanouir.

Anna avait suivi la direction de son regard. Elle eut un grand sourire qui ne laissait aucune équivoque.

268

— Arrêtez de vous faire des idées stupides, Mackenzie. Cette fois, je suis prévenue, et je commets rarement deux fois la même erreur.

— Si je voulais prendre ce revolver, rien ne m'en empêcherait, dit Joe d'un ton qu'il aurait voulu dégagé.

En fait, il avait le sentiment désagréable et parfaitement humiliant d'avoir l'air d'un matamore imbécile et stressé. Du reste, Anna ne fit que hausser les épaules.

— Ne comptez pas là-dessus ! D'ailleurs, que feriez-vous avec cette arme ? Vous me tueriez ? Allons donc !

— Je pourrais vous ligoter sur le lit et m'enfuir.

« Je pourrais surtout vous éviter de vous trouver mêlée à l'affreux carnage qu'est devenue ma vie ! » songeait Joe avec désespoir.

— Mon Dieu ! Pourquoi tout ce mélodrame ? répliqua tranquillement Anna en ouvrant le tiroir sécurisé de son placard d'entrée pour y déposer son arme.

Elle composa le code secret, puis se retourna vers Joe.

—Je ne vous retiens pas prisonnier, Mackenzie. Vous pouvez sortir d'ici si vous trouvez ça intelligent. La porte est juste derrière vous. Ouvrez-la ! Allez-y ! Je ne chercherai pas à vous arrêter. La police s'en chargera avant demain matin.

Elle le poussait dans ses retranchements sans se laisser démonter. Mais Joe savait pertinemment qu'il n'avait rien à gagner à ce petit jeu. Il fallait bien qu'il l'admette : il ne voulait pas quitter Anna. La vérité, c'est qu'il crevait d'envie de plonger dans son lit et d'y passer les dix années à venir. Mais, en cet instant précis, son sens de l'honneur avait encore le dessus.

— C'est, évidemment, mon intérêt de rester chez vous, au moins pour cette nuit. Mais, dans votre intérêt, il faut que je parte et que je ne revienne jamais.

— Je vous remercie de votre sollicitude, Mackenzie. Mais je sais parfaitement ce que je fais.

— C'est ce que vous croyez. Vous ne vous faites pas une idée très nette de ce que vous risquez si vous continuez à m'aider.

Le regard d'Anna se fit plus perçant.

— Je crois, au contraire, que j'ai fait le tour de la question, dit-elle. Je mesure à peu près tout ce que je risque. Et le reste, je le devine.

— Vous pourriez être déchue de vos fonctions...

Elle eut un sourire sans joie.

— Ça, c'est ce qui pourrait m'arriver de mieux. Si j'ai de la chance, je serai déchue de mes fonctions ; si je n'en ai pas, je serai inculpée pour complicité dans une affaire de meurtre.

Joe secoua la tête en signe de dénégation.

— Je n'y comprends rien. Vous savez parfaitement ce qui vous attend et vous m'amenez quand même chez vous... Pourquoi ?

— Parce que vous ne méritez pas de mourir et que, sans mon aide, vous avez peu de chances d'y échapper. Si ce ne sont pas les flics qui vous coincent, ce sera le type qui avait loué les services de Miguel Ortega et Carlos Inez.

Dans la voix d'Anna, il y avait une sorte d'impatience, comme si la chose allait de soi.

— Je suis un criminel, convaincu d'escroquerie, accusé d'avoir dépouillé de leur moyen d'existence des petits retraités qui avaient trimé toute leur vie.

Joe pressa son bras contre sa cage thoracique car la blessure l'élançait douloureusement.

—D'ailleurs, si je suis tué, il y aura un tas de gens pour dire que je n'ai eu que ce que je méritais.

— Peut-être. Mais *moi,* je ne dirai pas ça. Et, en l'occurrence, c'est moi qui compte. J'ai choisi le métier que j'exerce parce que j'ai la conviction que chacun a droit à une seconde chance. Et je considère comme une affaire personnelle le fait que quelqu'un cherche à assassiner l'un des ex-détenus qui me sont confiés. Or, on a cherché à vous tuer, cet après-midi. Heureusement, ce projet a échoué, et j'ai l'intention de faire ce qu'il faut pour éviter que votre agresseur ne revienne achever le travail, demain ou après-demain.

C'était la première fois que Joe rencontrait une personne représentant les forces de l'ordre qui ait l'air de le considérer comme un être humain. Un instant, il ne sut que répondre, puis il s'aperçut qu'il n'avait qu'une chose à dire :

— Merci, Anna. Merci pour votre aide. Je... je vous suis vraiment reconnaissant.

— J'en suis heureuse. Et croyez bien que je pense ce que je dis, Mackenzie.

Sans se soucier de savoir s'il la suivait, Anna se rendit dans la salle de séjour. Un gros chat qui, d'après Joe, présentait une certaine ressemblance avec Garfield — à cause de son air grognon, probablement — sauta à bas du fauteuil où il somnolait et vint se frotter contre les jambes de sa maîtresse. Anna se baissa pour le caresser.

— Salut, Ferdinand ! Tu as un air coupable qui ne me dit rien qui vaille. Laisse-moi deviner... Tu as encore déchiqueté les coussins du canapé ?

Le chat exprima, d'un bref mouvement de la queue, tout le mépris que lui inspirait un pareil soupçon. Puis il s'assit sur les pieds d'Anna, tout en dévisageant Joe d'un œil jaune plein de reproche. Quel était cet individu qui incitait sa maîtresse à proférer à son endroit des accusations si désobligeantes ?

— Il faut que je vous présente Ferdinand, dit Anna. Venez, Mackenzie. Il aime donner son approbation avant que des étrangers soient autorisés à évoluer librement dans son empire. J'espère que vous n'êtes pas allergique aux chats ?

— Non. En général, je m'entends bien avec les animaux.

Joe vint s'agenouiller entre Anna et Ferdinand. Le chat le dévisagea d'un air méfiant mais se laissa caresser entre les oreilles. Quelques minutes plus tard, il venait amicalement frotter son nez contre lui, ce qui laissait supposer que la sauvagerie de Ferdinand était plus formelle que réelle.

Caresser le chat était, pour Joe, un plaisir doux-amer qui lui rappelait Warf, le labrador noir que son grand-père lui avait offert quand il avait obtenu son diplôme de l'Ecole de commerce. Après son arrestation, Joe avait dû trouver précipitamment un nouveau foyer pour son chien. Sophie avait proposé de le prendre en pension, et Joe avait accepté avec une réelle gratitude, mais Warf ne s'était jamais résigné à la séparation. Il s'était laissé dépérir. Quelques jours après le verdict, comme le chien ne tenait plus debout, Sophie avait informé Joe, par l'intermédiaire de son avocat, qu'elle allait devoir le faire piquer. Bien qu'il fût complètement hébété par son entrée dans le système pénitentiaire, Joe avait pris conscience avec stupéfaction qu'il était beaucoup plus atteint par la perte de son chien que par l'abandon de sa fiancée. A y bien réfléchir, c'était le triste constat de son inaptitude à nouer une relation durable avec une femme…

Il fallait bien reconnaître que, de son côté, Sophie n'avait pas eu de chance avec les hommes : son fiancé avait été envoyé en prison et, maintenant, son mari était assassiné… Il restait à espérer que son mariage avec Franklin Saunders eût été vraiment heureux pendant les quatre années qu'il avait duré...

— J'ai rudement faim, tout d'un coup ! dit Anna en se levant. Pas vous ?

Elle se dirigea vers la cuisine, un espace agréable séparé du séjour par un bar avec un plan de travail en granit.

— Je n'ai pas très faim, merci. J'ai plutôt soif. Les drogues que Charlie m'a injectées ont dû me détruire l'appétit.

— Que diriez-vous d'un bol de soupe ? Histoire de ne pas vous réveiller au milieu de la nuit parce que votre estomac criera famine...

— Va pour une soupe, dit Joe en la suivant dans la cuisine, talonné par Ferdinand qui ne le quittait plus d'une semelle.

Anna emplit d'eau fraîche l'écuelle du chat, et se lança dans l'examen des différentes boîtes de soupe que renfermait son placard.

— Je peux vous offrir : poulet-vermicelle, bœuf-légumes, soupe aux palourdes ou bisque à la tomate. Choisissez.

— La soupe aux palourdes m'irait très bien.

— Parfait. Qu'est-ce que vous aimeriez boire ? J'ai des sodas light et du lait dans le réfrigérateur.

— Merci. Je préfère de l'eau avec des glaçons.

— Moi aussi. Ça m'a donné bigrement soif de regarder Charlie vous recoudre.

Anna sortit deux grands verres du buffet, puis fit la grimace.

—Je vais me laver les mains avant de me lancer dans la cuisine. Après mon séjour sur le canapé de Charlie, je ne serais pas étonnée d'apprendre que j'incube la peste bubonique !

Joe eut un sourire attristé.

— Hmm. Je sais bien qu'il n'a pas beaucoup de chances de remporter le prix de la meilleure maîtresse de maison. Mais c'est un brave type. Même quand il a bu, il ne ferait pas de mal à une mouche.

Anna cessa de se savonner les mains et se tourna vers Joe.

— Je sais que c'est votre ami, et je reconnais que je ne peux pas m'empêcher de le trouver attachant. Mais il ne faut pas se cacher la vérité : Charlie n'a pas besoin de taper sur les gens pour leur faire du mal. Chaque fois qu'il vend de la drogue, il fait du mal, même s'il n'est pas violent physiquement.

Joe s'approcha de l'évier pour se laver les mains à son tour.

— Charlie serait tout à fait d'accord avec vous. Il ne fait pas de trafic de drogue, et la seule drogue dont il use lui-même est tout ce qu'il y a de légale : c'est le whisky.

Anna fronça les sourcils.

— Vous en êtes sûr ? Il a dit qu'il attendait des visiteurs et qu'il avait des affaires à régler, cette nuit. S'il ne s'adonne pas à un trafic illégal, pourquoi était-il si pressé de se débarrasser de nous ?

— Parce qu'il voulait que vous me preniez en charge, cette nuit. Charlie se sent rarement d'attaque pour passer toute une nuit sans se soûler.

— Alors, pourquoi ne l'a-t-il pas dit, au lieu de me laisser entendre qu'il trempait dans un trafic illégal ?

Joe haussa les épaules.

— Malgré ses airs fanfarons, il a honte d'être alcoolique.

— Il aurait le plus grand besoin de se faire aider. A votre avis, y aurait-il une chance pour qu'il accepte une thérapie de groupe, si je lui trouvais un organisme compétent ? reprit Anna après une pause.

— Absolument aucune, répondit Joe catégoriquement.

Anna soupira, mais elle lui tendit son verre sans plus de commentaire. Il lui prit le verre en ayant soin de ne pas effleurer ses doigts. Est-ce qu'elle se rendait compte que c'était le premier repas qu'il n'allait pas prendre seul, depuis son arrestation ?

Ses sens étaient tendus comme une corde de violon, et la fameuse maîtrise de soi qu'il avait mis quatre ans à acquérir semblait l'avoir abandonné. Etait-ce un effet secondaire des anesthésiants que Charlie lui avait administrés ? Ou bien le simple fait de se trouver si proche d'Anna ? Jusqu'à ce soir, il n'avait jamais remarqué à quel point les gestes d'une femme qui évoluait dans sa cuisine pouvaient être érotiques…

Il proposa à Anna de lui donner un coup de main mais elle lui recommanda de rester assis et de se reposer. Bercé par l'illusion de leur intimité, il se laissa un peu aller, le torse appuyé contre le mur, perdu dans la contemplation de la jeune femme, tandis qu'elle versait de l'eau dans une casserole, qu'elle ajoutait du lait et remuait doucement… Il la regarda ensuite disposer une petite table d'appoint avec deux sets de bois peint et des serviettes en papier, et y poser une corbeille de muffins qu'elle venait de réchauffer au micro-ondes.

Pour lui, tout cela était la quintessence de l'art de vivre.

Le temps qu'elle achève de mettre la table, la soupe était chaude. Elle emplit deux bols aux couleurs vives, et les disposa sur des assiettes assorties. Joe la remercia poliment, et voulut dire quelques mots anodins pour repousser le moment où il lui faudrait s'expliquer sur la mort de Frank.

— Cet appartement est très agréable, commença-t-il.

Formidable ! En matière de propos anodins, on pouvait difficilement faire mieux.

—Depuis combien de temps vivez-vous ici ?

— Un peu plus d'un an. En temps normal, je n'aurais jamais eu les moyens d'acheter un appartement pareil, mais les précédents propriétaires ont dû vendre en urgence, et le marché immobilier était en pleine crise après les attentats du 11 septembre. C'est ce qui m'a permis de conclure très en dessous du prix. J'ai vraiment fait une excellente affaire : j'ai plus de soixante mètres carrés, ce qui est tout à fait confortable pour une personne seule.

— C'est sûr. Les cellules de West Denver font 2 mètres 50 sur 3 mètres 50, ce qui représente moins de neuf mètres carrés pour deux personnes…

Joe jura intérieurement dès qu'il prit conscience de la manière dont la jeune femme pouvait interpréter sa remarque.

—Je suis désolé, dit-il vivement. Quelquefois, j'ai l'impression que plus je m'efforce d'oublier les années passées derrière les barreaux, et plus elles m'obsèdent.

— Ne vous excusez pas. La prison doit être une expérience traumatisante pour tout le monde. Et particulièrement quand on est innocent.

Joe eut comme un éblouissement. Une lueur d'espoir. Fallait-il comprendre qu'Anna le croyait innocent ?

Il plongea le nez dans son assiette pour mieux dissimuler ses sentiments.

— La prison est un enfer, que l'on soit innocent ou coupable.

Anna prit un muffin et lui tendit la corbeille. Joe se servit avec plaisir. L'appétit revenait au fur et à mesure qu'il mangeait.

— Comment avez-vous réussi à traverser ces quatre années sans devenir fou ? lui demanda Anna en beurrant son muffin.

276

En vérité, Joe n'était pas sûr d'y avoir réussi. Pendant qu'il était là-bas, la soif de vengeance lui avait servi de garde-fou en l'empêchant de s'échapper dans un monde parallèle. Mais, depuis qu'il était sorti, il se demandait si la soif de vengeance elle-même n'était pas une forme de psychose suscitée par l'incarcération.

— Je me suis dépensé autant que j'ai pu, répondit-il en éludant la véritable question. L'exercice physique aide à évacuer le stress de l'enfermement. Et puis, j'ai lu. J'ai même dévoré des dizaines de bouquins.

— Qu'est-ce que vous lisiez ? Des livres, des magazines, des journaux ?

— Tout ce qui me tombait sous la main. Naturellement, la bibliothèque regorgeait de livres éducatifs visant tous à l'élévation morale. Alors, je me suis rabattu sur ce qu'on appelle « la grande littérature ».

Anna fronça les sourcils d'un air interrogateur.

Joe posa alors sa cuillère, et se lança dans une explication.

— Enfin, je veux parler de ces splendides pavés de sept cents pages auxquels on jure de s'attaquer un jour mais qu'on ne lit jamais, tant qu'on est pris dans le tourbillon de la vie normale.

Anna ouvrit de grands yeux.

— Voyons si j'ai bien compris. Vous voulez dire des bouquins comme *Moby Dick* ? *Guerre et Paix* ? *Les Misérables* ?

— Ces trois-là et bien d'autres encore. *Crime et Châtiment*… Sans parler des *Histoires Extraordinaires* d'Edgar Poe, de *Jane Eyre* et des romans de Dickens. Bref, tous les ouvrages sur lesquels j'avais réussi à faire l'impasse pendant mes années d'études.

— Veinard ! Moi, j'ai dû les avaler tous quand j'étais au collège, dit Anna avec un sourire détendu. A propos, vous avez entendu le résultat de ce sondage d'après lequel *Madame Bovary* serait le roman le plus ennuyeux, d'après les étudiants ?

Joe se surprit à rire.

— Moi, je ne trouve pas ce bouquin ennuyeux. Evidemment, j'imagine que les descriptions moroses de la vie de province et les paragraphes un peu denses sur le sens de la vie sont plus faciles à digérer quand on est enfermé et qu'on a des heures à tuer. D'ailleurs, je pense que l'on devrait bannir les romans du XIXème siècle des programmes du secondaire. La vie est suffisamment dure quand on est adolescent. On n'a pas besoin d'en rajouter avec Zola, Flaubert ou Dostoïevski.

— Et pourtant, les adolescents apprécient souvent les histoires dans lesquelles il est question du malheur d'autrui. Ça doit les réconforter d'apprendre qu'ils ne sont pas les seuls à devoir vivre avec les parents les plus lamentables de la Terre !

— C'est comme ça que vous jugiez vos parents, pendant votre adolescence ? demanda Joe en essayant de se représenter le milieu bourgeois dont la jeune femme était très probablement issue.

— Naturellement ! répondit Anna en affichant un sourire dégagé. Voulez-vous de la glace pour le dessert ?

Joe se demanda si c'était le fruit de son imagination ou bien si Anna s'était réellement débrouillée pour changer habilement de conversation. Peut-être, finalement, ses parents n'étaient-ils pas les parangons de vertu bourgeoise qu'il imaginait…

— Pas de glace, merci. La soupe et les muffins, ça me suffit largement.

Anna se leva, alla se servir une coupe de glace au chocolat, puis revint s'asseoir à table.

En dégustant la crème onctueuse, elle poussa un soupir de ravissement.

— A part une boîte de chocolats belges, rien ne me réconcilie avec l'existence aussi bien qu'une crème glacée !

Joe fit la grimace.

— Est-ce que vous allez me jeter dehors si je vous avoue que je n'aime ni la glace ni le chocolat ?

— Quoi ?

Anna prit un air scandalisé.

—Mais qui êtes-vous donc, monsieur Mackenzie ? Un extraterrestre ?

— Il y a pire encore ! Ce que je préfère, sur le plan culinaire, ce sont les légumes.

Anna prit un air faussement consterné et secoua la tête.

— Hmm. Oui, vraiment, vous êtes un extraterrestre. Parce que, à ma connaissance, il n'y a rien de plus antiaméricain que d'aimer les légumes !

Le sourire d'Anna l'atteignait au cœur et venait réchauffer des régions les plus profondes de son être. Sans réfléchir à son geste, il tendit la main et effleura sa joue.

Elle resta absolument figée, mais, lorsqu'il promena le dos de sa main le long de ses pommettes, elle étendit le bras vers lui et posa le bout de ses doigts sur ses lèvres.

Il répondit instinctivement à cette caresse en baisant les doigts qui s'offraient à sa bouche. Il sentit bientôt sa barbe râper l'intérieur de cette paume si délicate, et cette sensation lui parut d'un érotisme presque insupportable.

Au contact de sa langue, Anna sembla avoir la respiration coupée mais elle ne fit aucun geste pour retirer sa main. Elle gardait rivés aux siens ses yeux si bleus que Joe avait l'impression de s'y perdre, comme dans le ciel du Colorado, par une splendide journée de printemps… Et, aussi incroyable que cela puisse paraître, il aurait juré que les yeux d'Anna reflétaient très exactement le désir ardent qui le tenaillait.

S'il avait été capable de se maîtriser et de s'arrêter à une décision consciente, il serait resté assis là où il était, quitte à demeurer cloué à jamais sur son siège. Mais ce fut son instinct qui le guida. Le peu de bon sens que la prison lui avait laissé fut pulvérisé par le désir qui s'était emparé de lui. Il contourna la table, souleva Anna jusqu'à la hauteur de sa bouche et l'embrassa dans une étreinte brûlante qui l'emmena presque instantanément au paroxysme de la passion.

Au tréfonds de sa conscience, Joe s'attendait qu'Anna le repousse. Mais non. Tout au contraire, elle noua les mains autour de sa nuque et s'abandonna, rejetant la tête en arrière en lui livrant sa bouche. L'aiguillon du désir, acéré comme un poignard, acheva de volatiliser ce fameux contrôle de soi qu'il avait conquis de haute lutte pendant ses années de détention. Enfin dégagé de cette cuirasse si chèrement acquise, il fut la proie d'une faim dévorante, inéluctable, qui remontait du plus profond de ses entrailles, du fond des âges… La passion, ténébreuse, primitive et barbare, était en train de s'emparer de son être tout entier. Mais, dans sa grande imprudence, il n'y prit pas garde. Il avait passé tous les jours précédents à se répéter que le désir grandissant qu'il éprouvait pour Anna ne pouvait mener à rien. L'amitié, entre eux, eût été déjà une conquête héroïque ; une relation charnelle dépassait les limites de l'imaginable… Pourtant, à cette minute, Joe se souciait comme d'une guigne du réalisme et de la réalité. Il était écœuré et fatigué de la réalité. Il n'aspirait qu'à pérenniser ces instants où l'imagination et l'illusion prenaient le dessus, où il avait la faiblesse de s'imaginer qu'Anna partageait ses désirs. Tous ses désirs…

Et il était si facile de s'abandonner à l'illusion, de lui laisser prendre corps : la bouche d'Anna lui appartenait, frémissante et docile ; son corps ployait entre ses bras. Son cœur s'affolait, sa respiration s'était accélérée, et elle poussa un gémissement lorsqu'il s'aventura sous son chemisier et s'enhardit à caresser ses seins.

Quelques secondes plus tard, il sentit que les mains d'Anna répondaient aux siennes. Un frisson de pure ivresse le parcourut lorsqu'il sentit ses doigts s'agripper à son torse. Il y avait bien cette vague sensation douloureuse dans la région de sa blessure, mais la langue d'Anna, nouée à la sienne, et ses murmures de plaisir anesthésiaient toute douleur.

Joe resserra son étreinte, l'enlaçant toujours plus étroitement, ses jambes mêlées aux siennes. Leurs baisers abolissaient sa pensée. Il n'était plus que sensations. Le parfum d'Anna l'enivrait. Et le goût de sa bouche, et cette faculté inouïe qu'avaient ses courbes harmonieuses d'épouser son corps à lui… Il la voulait toute, abandonnée, offerte, consentante. Et il la voulait *maintenant*.

La voix d'Anna arriva jusqu'à lui mais il refusa d'abord cette intrusion.

— Joe… Non… Je… je vous en prie ! Il faut nous arrêter. C'est de la folie. Nous ne pouvons pas. Pas ici, pas maintenant…

Il l'entendait à peine. le sens de ses paroles ne parvenait pas jusqu'à sa conscience. Pour toute réponse, il prit une brève inspiration et s'empara de nouveau de sa bouche, coupant court à ses protestations.

Pendant une seconde ou deux, il put encore se leurrer mais, bientôt, son cerveau lui transmit l'information contrariante : Anna ne répondait plus. Elle s'était raidie, figée entre ses bras, et sa bouche se refusait obstinément. Il fut bien obligé de constater qu'elle ne coopérait plus, et même qu'elle luttait pour se dégager.

Joe sentit le désespoir l'envahir. Un désespoir farouche qui céda bientôt à l'exaspération. Elle n'avait pas le droit. Non, Anna n'avait pas le droit de changer d'avis comme ça ! Elle l'avait immédiatement suivi, tout à l'heure. Elle avait réagi au quart de tour, dès sa première caresse. Et ce n'était pas une illusion qu'il se faisait : c'était un fait irréfutable ! Elle lui avait fait perdre la tête au-delà de ce qu'on pouvait imaginer. Et, maintenant, il la voulait. Il avait besoin de la posséder. Désespérément. Qui plus est, il était assez fort pour la prendre. *Qu'elle le veuille ou non.*

Consterné, Joe s'arrêta net. Seigneur ! Est-ce que la prison l'avait vraiment réduit à cela ? A faire de lui un violeur en puissance ?

Au prix d'un effort surhumain, il laissa retomber ses bras et s'écarta d'Anna. Mais ce fut tout ce qu'il put faire. Bredouiller des excuses eût été au-dessus de ses forces.

Si elle ne lui avait pas flanqué son coude dans le côté ou asséné un coup de genou bien placé, c'était probablement qu'elle ne voulait pas rouvrir la blessure. Il se doutait bien que ce devait être la seule raison qui l'avait retenue. Il s'en voulait amèrement. Pouvait-il encore prétendre à une quelconque considération de la part d'Anna ?

La jeune femme évitait, d'ailleurs, son regard, et s'appliquait à rentrer les pans de son chemisier dans son pantalon. Elle passa les doigts dans ses cheveux, probablement pour redonner à ses mèches rebelles un semblant d'ordonnancement. Ce en quoi, d'ailleurs, elle échoua totalement.

Lorsqu'elle eut, néanmoins, repris un peu contenance, elle se redressa. Joe restait muet. Non pas délibérément mais parce qu'il avait la gorge si serrée par l'étau du désir qu'il aurait été bien incapable de dire un mot.

Il but une longue gorgée d'eau. Sans en ressentir le moindre bienfait.

Ce fut elle qui rompit enfin le silence.

— Je suis désolée. Je… je n'étais pas préparée à… Je ne m'attendais pas…

— Ce n'est pas votre faute. C'est la mienne.

Joe avait recouvré juste ce qu'il lui fallait de maîtrise pour admettre la vérité.

—Evidemment, reprit-il, vous auriez dû savoir que ce n'était pas une chose à faire : on n'invite pas chez soi un ex-détenu sexuellement frustré.

Anna lui coupa la parole avec colère.

— Arrêtez ça ! Bon sang ! Je ne supporte pas ça !

— Quoi donc ?

— Vous ne savez pas parler de vous-même autrement qu'avec ce terme : «ex-détenu» !

— Puisque c'est la vérité…

— En partie. Seulement en partie. Pour l'amour du ciel, il n'y a donc aucune autre image de vous-même qui compte à vos yeux ?

— Pas grand-chose, non, admit Joe.

Il ressentait soudain une immense lassitude. La tête lui tournait, et il dut s'asseoir au plus vite.

— Que se passe-t-il ? lui demanda Anna d'une voix inquiète.

— Rien, rien.

— Mais vous saignez !

Elle s'agenouilla près de lui, et eut vite fait d'écarter la chemise prêtée par Charlie.

—Mon Dieu ! J'espère que nous n'avons pas fait lâcher un point de suture !

— Même si c'était le cas, rassurez-vous : je m'en tirerais quand même.

Ce qu'il redoutait le plus, en vérité, c'était de mourir de désir.

— Restez là ! lui ordonna Anna d'un ton ferme.

On aurait dit Mme Barber, son institutrice du cours moyen !

Il se rendit compte que les choses devenaient floues autour de lui, et fit un effort pour se concentrer. Assez d'évanouissements pour aujourd'hui !

— Je vais changer votre pansement. La compresse de Charlie est pleine de sang. Ne bougez pas : j'en ai pour un instant.

Elle revint vite, et se mit en devoir de nettoyer la plaie, tamponnant les chairs déchirées avec une gaze stérile. Joe sentit le linge frais sur la blessure gonflée et brûlante. Heureusement — en l'occurrence, il y avait lieu d'en être content —, l'opération était si douloureuse qu'il avait nettement moins envie de faire l'amour à son infirmière !

Lorsqu'elle eut achevé ses soins, il avait retrouvé le contrôle de la situation. Enfin, à peu près.

Et cela tenait déjà de la prouesse ! Mais il n'avait pas le cœur à s'en réjouir.

14.

Anna avait toujours été entourée d'une légion de soupirants. Certains des hommes de sa vie l'avaient courtisée avec des sonnets ou des saphirs, d'autres lui avaient promis monts et merveilles. Mais jamais aucun ne l'avait troublée comme Joe la troublait, rien qu'en laissant s'attarder son regard sur sa bouche.

Les nerfs à fleur de peau à force de réprimer son désir, Anna jeta, d'un geste sec, la compresse souillée qu'elle venait de retirer de la plaie sanguinolente. Il lui fallait bien admettre la vérité. Et la vérité, c'était qu'elle n'avait pas l'intention de faire comme si de rien n'était. Simplement, un vieil instinct de sauvegarde l'avait poussée à mettre Joe à l'épreuve. A vérifier s'il aurait la volonté de renoncer...

Quelques secondes avant de se sentir happée par la spirale d'exaltation qui lui avait fait perdre la tête, elle avait réalisé ce que sa conduite avait d'inouï, voire de dément : non seulement elle s'était laissé embarquer dans une aventure inimaginable mais elle avait pris des risques absolument inconsidérés. Joe était grand, costaud, rompu aux sports de combat et endurci par la prison. Elle devait peser vingt-cinq kilos de moins que lui, et ses aptitudes en matière d'autodéfense se limitaient à un cours pour débutants qu'elle avait suivi lors d'un bref stage de formation. Si Joe avait vraiment été animé de mauvaises intentions, elle n'aurait pas eu d'autre ressource que de lui balancer un coup de coude dans sa blessure, et elle lui aurait ainsi causé plus de tort que si elle ne l'avait pas secouru. Etant donné que c'était le contraire de ce qu'elle voulait, elle n'avait pas eu d'autre moyen que de s'assurer de sa réelle bonne volonté. Il fallait absolument qu'elle sache s'il accepterait de s'arrêter pour la seule et unique raison qu'elle le lui demandait…

Le problème, c'est qu'elle s'était tenu ce joli raisonnement alors qu'elle était déjà dans ses bras, en train de l'embrasser passionnément ! En somme, il était un peu tard pour s'inquiéter de savoir si Joseph Mackenzie était fiable ou non. S'il aurait l'exquise courtoisie d'obtempérer poliment à la requête qu'elle lui formulait. Par contre, il s'en était fallu de peu qu'ils s'envolent ensemble au septième ciel !

N'importe quelle fille avec un petit pois dans la tête se serait montrée plus avisée qu'elle.

En y repensant, Anna reconnaissait qu'elle avait été complètement folle d'amener Mackenzie chez elle. Après tout, les seules données objectives qu'elle avait sur son compte, c'était ce qui figurait dans son dossier de justice — pas vraiment la référence idéale pour se lancer dans une invitation amicale ; encore moins dans une histoire d'amour ! Le pire, c'est qu'elle n'avait rien pour contrebalancer les informations fâcheuses qu'elle possédait sur son compte — à part, naturellement, son fameux instinct ! Mackenzie serait donc le premier, parmi les cas qu'elle avait vus passer, à ne pas être coupable des crimes pour lesquels on l'avait condamné ?

Bref, il était plus que temps d'en avoir le cœur net. Récapitulons : l'après-midi précédent, Joe avait été blessé par balle, et Franklin Saunders, lui, avait même été tué ; quelques heures plus tard, Joe l'avait kidnappée et, en quelque sorte, prise en otage. Les faits étaient là. Et tout le reste n'était que spéculations fumeuses auxquelles elle se livrait sans base solide. Il était donc parfaitement justifié qu'elle exige des réponses, même si Joe avait un urgent besoin de se reposer. Elle avait quand même le droit de savoir pour quel genre de folie elle avait risqué sa carrière, et dans quelle mesure Joe était impliqué dans des affaires louches.

— Il faut que nous parlions de ce qui s'est passé cet après-midi, commença-t-elle en s'asseyant en face de Joe.

Elle voyait les marques de fatigue et de souffrance qui ravageaient ses traits, mais elle s'interdit tout sentiment de compassion.

—Expliquez-moi comment cet homme… ce Franklin Saunders… a été tué. Et il me faut la vérité, Joe. Toute la vérité et rien que la vérité. Vous avez promis.

— Je n'ai pas oublié. Mais…

Il eut un sourire narquois.

—La dernière fois que j'ai dit la vérité aux forces de l'ordre, ça m'a valu plusieurs années de prison…

— J'espère que vous aurez plus de chance avec moi.

Anna luttait pour ne pas succomber à la sympathie qu'elle éprouvait spontanément pour lui — autant qu'à l'attraction charnelle quasi irrépressible qu'elle sentait monter de nouveau en elle. Comment cela était-il possible ? Par quel miracle ses inhibitions avaient-elles disparu ? Mystère… En tout cas, les blessures que lui avait infligées Caleb Welks, et qui ne s'étaient encore jamais refermées, semblaient étrangement lointaines et inopérantes lorsqu'elle se trouvait en compagnie de Joe.

— Commençons par la victime, reprit-elle d'un ton qu'elle voulait calme et professionnel.

Joe ne devait surtout pas s'imaginer qu'il maîtrisait totalement la situation et qu'elle était prête à gober n'importe quoi.

—L'inspecteur Gifford laissait entendre que vous connaissiez Franklin Saunders.

— Oui. Je le connaissais même très bien, reconnut Joe après une brève hésitation. Enfin, c'est ce que je croyais. Avant mon arrestation, on travaillait ensemble à la Banque du commerce et de l'industrie de Durango. On avait à peu près le même âge, on était célibataires tous les deux… Durango est une petite ville de province où les divertissements sont rares. On sortait ensemble. On est même devenus bons amis.

« Pas au point que Franklin Saunders vienne vous voir en prison », pensa Anna.

— Quand je suis sorti, j'ai découvert que Frank avait été muté à un poste de direction, ici, à Denver, au siège social de la banque.

Joe s'interrompit pour boire un verre d'eau, et reprit son récit sur un ton grave :

—Je suis allé le trouver à la banque, ce matin, dès l'heure de l'ouverture, pour avoir une chance de lui parler.

— Qu'est-ce que vous aviez derrière la tête ? Une simple visite de courtoisie ou bien des affaires sérieuses à traiter ?

— Je venais plutôt parler affaires. J'aurais pu téléphoner avant, mais j'avais plus de chances d'être écouté en me présentant directement. Il est moins facile d'éconduire un visiteur importun qu'une voix au bout du fil.

— Pourquoi vouliez-vous que Frank vous éconduise ? Vous venez de me dire que vous étiez bons amis !

Joe lui lança un regard lourd.

— Nous *avions été* bons amis, autrefois. Mais, entre-temps, Frank était devenu directeur adjoint de la firme que j'étais censé avoir escroquée à concurrence d'un million de dollars. Il était assez peu réaliste de s'imaginer qu'il m'accueillerait à bras ouverts.

Anna trouvait ce point vue fort discutable mais elle garda cette opinion pour elle. Elle avait déjà son idée sur le type d'amitié que Frank devait nourrir vis-à-vis de Joe.

— Mais il n'a pas refusé de vous voir, n'est-ce pas ?

— Non. Il était dans son bureau. Il souhaitait me parler mais il était déjà en retard pour un rendez-vous, et il y avait un assistant qui lui tournait autour en essayant de lui faire passer des messages… Nous avons juste pu échanger quelques mots et nous fixer rendez-vous pour l'après-midi, à 14h30.

— Au café Renoir ? demanda Anna qui se rappelait ce que Gifford lui avait dit au téléphone.

— Oui. Et son assistant nous a entendus mettre le rendez-vous au point. Soit dit en passant, si j'avais eu le projet de le tuer, je vous garantis que j'aurais été plus malin que ça : je me serais arrangé pour ne pas avoir de témoins.

Anna ne dit rien, et Joe eut un petit sourire forcé.

— Ça ne vous paraît pas formidable, comme alibi, hein ?

— C'est vrai, répondit-elle sans se départir de son calme, mais je ne pense pas que vous commettriez une erreur aussi grossière si vous aviez l'intention de tuer un homme. Cela dit, la police a l'habitude de voir des meurtriers commettre des bourdes énormes... Dites-moi plutôt ce qui s'est passé quand vous vous êtes retrouvés au Renoir.

— Rien de très excitant. On a commandé deux espressos. On était aussi mal à l'aise l'un que l'autre. Pour être sincère, je n'ai pas digéré que Frank ait été cité comme témoin par la défense, lors du procès, alors que sa déposition a largement contribué à m'enfoncer. De son côté, je suppose qu'il était dans ses petits souliers à cause de son mariage avec Sophie Bartlett, un mois à peine après ma condamnation et…

— Quel rapport avec le procès ? En quoi son mariage posait-il un problème ?

— Sophie Bartlett était ma fiancée, poursuivit Joe d'une voix délibérément neutre. Elle a rompu notre engagement quelques semaines après mon arrestation.

— Oh ! Mon Dieu ! murmura Anna, la gorge serrée.

— Eh oui ! Je pense que cela en dit assez long…

Son air sombre démentait l'apparente désinvolture de son propos.

—Evidemment, reprit-il, si la police veut me faire endosser le meurtre, le mobile ne sera pas difficile à trouver.

« En tout cas, la police estimera, sans aucun doute, que Joseph Mackenzie a le chic pour se retrouver dans des situations compromettantes », pensa Anna.

Elle prit une inspiration saccadée qui trahissait sa préoccupation.

— Reprenons le fil des événements dans l'ordre où ils se sont passés. Etant donné que Franklin Saunders a contribué à vous faire condamner et qu'il a ensuite épousé votre fiancée, comment pouviez-vous avoir la moindre envie de le rencontrer ?

— A part pour le tuer, vous voulez dire ?

— Vous ne vous en tirerez pas à force d'ironie, Joe. N'éludez pas la question.

— Excusez-moi.

Il se passa la main sur le front avec lenteur. Dans son geste, Anna perçut le poids de lassitude qui devait l'écraser. Il reprit, cependant, son explication :

—Je voulais voir Frank parce que j'avais deux questions précises à lui poser : d'abord, *qui* s'était occupé de vider mon bureau après mon arrestation ? Ensuite, connaissait-il l'adresse des sept autres personnes qui travaillaient à la banque au moment des faits ? J'espérais aussi, en parlant avec lui les yeux dans les yeux, me faire une idée sur le rôle qu'il avait joué dans toute cette affaire. Je me demande toujours s'il est possible qu'il m'ait délibérément fait endosser un crime qu'il avait lui-même commis.

— Et votre conclusion ?

Joe souleva les mains avec une moue évasive.

— Ma conclusion, c'est qu'il est beaucoup plus difficile de savoir qui est innocent et qui est coupable dans la vraie vie que dans les films… Et puis, je n'arrive pas à être aussi objectif qu'il le faudrait sur le compte de Frank. Parce que… j'ai beau savoir que Sophie et moi, nous n'étions pas faits l'un pour l'autre, j'ai quand même du mal à encaisser que Frank l'ait épousée alors que la porte de la prison était à peine refermée sur moi.

— *Un ex-détenu rancunier sort de prison et tue le vieil ami qui lui avait soufflé sa fiancée.* Je vois d'ici les gros titres, murmura Anna. Ecoutez, Joe, je n'aime pas jouer les prophètes de malheur, mais j'ai bien peur que tout ce que vous venez de me dire n'apporte de l'eau au moulin de l'inspecteur Gifford.

Joe repoussa sa chaise avec une violence mal contenue, et se dressa de toute sa hauteur. Puis il se mit à arpenter rageusement la pièce, la tête entre les mains.

— Ça, c'est vraiment trop ! La première fois, pourtant, quand la police m'a mis sur le dos l'histoire de détournement, je me suis bien juré qu'on ne m'y prendrait plus, que je ne me montrerais plus aussi naïf ! Quand je suis sorti de prison, j'étais convaincu d'avoir, au moins, compris le système pour ne plus me faire avoir. Et voilà que, huit jours plus tard, je serais coffré pour meurtre ? Mais qu'est-ce que j'ai fait au bon Dieu ?

— Mes accointances avec le bon Dieu sont assez relâchées, Joe, et j'ignore ce que vous Lui avez fait. Alors, je vous en prie, posons-nous des questions auxquelles nous puissions répondre. Par exemple, dites-moi comment il se fait que Franklin Saunders se soit fait tuer dans un parking souterrain, juste après avoir pris un café avec vous.

— Quand j'ai demandé à Frank les adresses de mes ex-collègues, il a voulu savoir pourquoi je lui posais ces questions. Je lui ai répondu que ça me paraissait évident : étant donné que ce n'était pas moi qui avais détourné les fonds de mes clients, quelqu'un d'autre s'en était chargé, et il y avait de fortes chances pour que le *quelqu'un d'autre* en question travaille toujours à la banque, ce qui mettait les suspects potentiels au nombre de huit. Frank m'a alors fait observer que celui ou celle qui s'en était tiré, quatre ans plus tôt, n'allait sûrement pas se dénoncer maintenant, sous prétexte que j'irais le trouver. J'ai répondu que je m'en doutais un peu mais que je voulais quand même les adresses.

— Comment a-t-il réagi au fait que vous le comptiez au nombre des suspects ?

— Il n'a pas vraiment eu de réaction. Il s'est juste empressé de me raconter que Sally Warner — elle était caissière en chef, au moment des faits — avait disparu de Durango en emmenant ses trois fils, moins d'un mois après mon emprisonnement. Apparemment, elle est partie du jour au lendemain, sans laisser d'adresse — ce qui n'a pas manqué de faire jaser. Frank a précisé qu'elle vivait à Dallas, dans une somptueuse villa qu'elle aurait achetée avec l'héritage de sa grand-mère. Il venait d'apprendre tout ça, une semaine plus tôt.

— Quelle coïncidence !

— Il a reconnu qu'il avait plus ou moins oublié la disparition de Sally, jusqu'à ce qu'il apprenne l'histoire de sa résidence fabuleuse. D'après lui, si je devais suspecter quelqu'un, c'était bien Sally Warner.

— Ça vaut la peine de vérifier, non ?

— Evidemment. Quoi qu'il en soit, Frank m'a assuré qu'il était en mesure de me fournir son adresse, ainsi que celles de quelques autres. Nous avons payé nos cafés et nous nous sommes rendus au parking souterrain où Frank gare sa voiture pendant les heures de bureau.

Anna fronça les sourcils.

— Pourquoi l'avez-vous accompagné dans ce parking ?

— Parce qu'il avait laissé son carnet d'adresses dans la boîte à gants de sa voiture.

— C'est un endroit bizarre pour ranger un carnet d'adresses, vous ne trouvez pas ?

— Il m'a expliqué qu'il avait dû déposer des courriers en mains propres, le samedi précédent, et qu'il avait oublié de reprendre son carnet. Sur le moment, je n'ai pas posé de question, dit Joe avec un haussement d'épaules. Mais, quand j'y repense, ça m'a tout l'air d'un bobard inventé pour me faire descendre au parking.

— Vous voulez dire que Frank était de mèche avec les assassins ?

D'après le peu qu'elle savait de lui, Anna ne concevait aucune sympathie particulière pour le défunt. Mais elle eut un frémissement intérieur en songeant à ce qu'impliquait une pareille accusation.

— Je ne vois pas d'autre explication. Sinon, pour quelle raison un tueur se serait-il trouvé là à nous attendre ?

Anna réfléchit un moment.

— Et si vous aviez été suivi ?

— Mais Frank était le seul à savoir que nous irions au parking. Il n'y avait que lui pour manigancer tout ça. D'ailleurs, reprit Joe d'un air farouche, je suis absolument certain de ne pas avoir été suivi. J'ai fait preuve d'une prudence de Sioux, depuis que vous êtes venue me prévenir, l'autre jour, à mon hôtel.

— Soit. Admettons que vous n'ayez pas été suivi. Cela dit, si Saunders avait quelque chose à voir avec vos assassins supposés, comment pouvait-il prévoir que vous viendriez lui demander ces fameuses adresses ?

— Il ne le pouvait pas, c'est sûr. Mais, si je ne les lui avais pas demandées, il aurait probablement trouvé un autre prétexte pour me faire descendre au parking avec lui.

Joe se rembrunit.

—Evidemment, il est possible qu'il n'ait pas su qu'un tueur voulait ma peau. On lui avait peut-être laissé entendre que j'allais simplement prendre « une bonne raclée en guise de leçon », qu'on allait juste m'intimider, histoire de me dissuader de poursuivre mes investigations sur ce qui s'était réellement passé à la banque. Saura-t-on jamais ce qu'on lui avait raconté ? Ce qui est sûr, c'est qu'il ne se doutait pas qu'il allait lui-même à la mort — ce qui prouve qu'il n'était pas entièrement averti de ce qui allait arriver. En dernier ressort, on peut imaginer un troisième larron, chargé d'abattre deux hommes et non un seul…

— Et vous ? Quelle est votre intime conviction ? A votre avis, Frank savait-il que l'on cherchait à vous assassiner ?

— Je pense qu'il s'est fait mener en bateau. Mais, ajouta Joe avec un sourire sinistre, si vous me posez la même question dans cinq minutes, je peux très bien vous répondre le contraire.

— Et je pense que vous auriez tort. D'après moi, tout laisse à penser que votre cher ami Frank savait ce qui se préparait.

Joe poussa un grognement d'impatience qui ne s'adressait, d'ailleurs, qu'à lui-même.

— J'ai quand même du mal à imaginer que Frank ait fait preuve d'une telle duplicité. Il avait une attitude beaucoup trop décontractée, pendant que nous étions dans le café. Il n'aurait pas pu jouer ce jeu-là s'il avait su que quelqu'un allait me descendre.

Joe poussa un soupir rageur.

—Ce qu'il y a de terrible, avec Frank, c'est que tout, absolument tout ce qu'il a dit et fait, depuis le premier jour de mon arrestation, peut être interprété de deux façons différentes...

Anna avait le sentiment très net qu'au fur et à mesure qu'il se confiait, Joe laissait tomber le masque impénétrable qu'il s'était composé. Quant à elle, elle se laissait séduire par ce qu'elle entrevoyait de son caractère véritable. Quel homme charmant, dynamique et plein d'esprit il devait être, avant d'endosser la cuirasse rigide qui avait fait de lui ce personnage tendu, méfiant et inabordable !

— Eh bien ! Tâchons de dissiper les ambiguïtés, proposa Anna. Dites-moi *exactement* ce qui s'est passé lorsque vous avez quitté le café. Moi qui ne suis pas impliquée autant que vous dans cette affaire, j'y verrai peut-être plus clair. Je ne laisserai peut-être pas un arbre me cacher la forêt...

— Très bien. Voici les événements par le menu.

Joe se remit à faire les cent pas en parlant.

—Frank a reçu un appel sur son téléphone portable, pendant que nous attendions l'addition. Je ne sais pas qui c'était, mais il a écourté la conversation en disant que ce n'était pas le moment et qu'il rappellerait un quart d'heure plus tard.

— Il pouvait s'agir d'un signal à l'adresse du tueur, suggéra Anna. A moins que ça n'ait été un signal *émanant du tueur*.

— Evidemment ! Comment savoir ? maugréa Joe, exaspéré. Ça pouvait aussi être un véritable appel, que Frank a préféré remettre à plus tard, comme il l'a dit à son interlocuteur. Quoi qu'il en soit, je précise, à toutes fins utiles, qu'il ne s'est pas passé plus de cinq minutes — et non pas quinze ! — entre le coup de fil et le moment où nous sommes sortis de l'ascenseur qui donne dans le parking. Je ne savais pas où Frank était garé, bien sûr, alors je le suivais à moins d'un mètre, tandis que nous passions d'une rangée de voitures à l'autre.

— Ce qui signifie qu'il était maître de la situation et qu'il pouvait vous emmener là où vous seriez le plus facile à atteindre, fit observer Anna. Ce serait peut-être le moment de vous demander si vous connaissiez Frank aussi bien que vous l'imaginiez, vous ne croyez pas ?

— Je ne pense qu'à ça depuis cinq ans. Tant que nous avons travaillé ensemble, j'ai pris son amitié pour argent comptant. Mais, quand on s'est retrouvés, aujourd'hui, je n'étais pas du tout dans le même état d'esprit, croyez-moi ! J'étais sur mes gardes. Et je n'arrive pas à croire que je suis resté assis pendant quarante minutes en face d'un homme qui voulait ma mort, sans sentir le moindre danger...

Joe se trompait en pensant que Frank devait nécessairement se sentir mal à l'aise s'il tramait quelque chose de pas net, pensa Anna. Il croyait un peu trop aux vibrations affectives !

Elle, au contraire, elle était payée pour savoir que, dans les affaires criminelles, cela se passait rarement ainsi.

— Le fait que Frank ait été ou non complice n'a pas beaucoup d'importance, au fond, déclara-t-elle. Une seule chose compte pour nous, maintenant : c'est que nous avons affaire à un tueur impitoyable… Racontez-moi ce qui s'est passé ensuite. Vous suivez Frank, sans soupçonner le moins du monde qu'il va y avoir du vilain, et…

— Ce n'est pas tout à fait ça, coupa Joe. Je ne soupçonnais pas Frank d'être en train de me jouer un mauvais tour mais je m'attends toujours au pire, depuis quelque temps. En particulier, depuis que vous m'avez mis en garde. En marchant, je surveillais les alentours, même si je ne m'inquiétais pas outre mesure : après tout, j'étais juste venu là pour chercher un carnet d'adresses…

— Le tueur prenait des risques énormes, non ? Il aurait très bien pu y avoir du monde dans le parking…

— En fait, non. Ce niveau est réservé aux employés de la banque ; il y avait donc assez peu de chances que quelqu'un descende à 3 heures de l'après-midi. Et j'imagine que, si c'était arrivé, il aurait renoncé à ses plans. Ou il aurait abattu les témoins.

Anna frissonna à cette idée, et chassa les images qui se pressaient devant ses yeux.

— Où se cachait-il ?

— Certainement dans une voiture stationnée derrière un pilier de béton. Je ne l'ai vu que lorsqu'il a commencé à tirer. Mais j'éprouvais une sensation désagréable dans la nuque, depuis que nous étions sortis de l'ascenseur. Exactement la même chose qu'en prison, le jour où un détenu psychopathe m'a sauté dessus pour me planter son couteau entre les omoplates. Le sentiment que l'on m'observait était si intense que je me suis même arrêté un instant pour regarder derrière moi. C'est probablement cet instinct primitif qui m'a averti du danger et qui m'a, finalement, sauvé la vie. C'est à ce moment-là que Frank a déverrouillé sa voiture à l'aide de la commande à distance. Quand j'ai entendu le déclic, je me suis retourné vers lui. Et c'est en amorçant mon geste que j'ai vu quelque chose qui bougeait dans l'angle de mon champ de vision.

Joe marqua une pause pour se corriger.

—Non, je ne peux même pas dire que j'aie *vu* quelque chose bouger. C'est une perception qui a été enregistrée par mon subconscient. J'ai réagi bien avant d'avoir réfléchi. Exactement le genre de scène qu'on voit dans les films. J'ai plongé derrière le capot de la voiture la plus proche. C'était un pur réflexe de ma part : rien de réfléchi. Mais ça m'a sauvé la vie. J'ai entendu une volée de balles siffler, tandis que je roulais à terre, mais je n'ai pas compris tout de suite que j'avais été touché. Je me demande s'il n'y a pas eu un oiseau qui s'est envolé dans les poutrelles, ce qui a légèrement détourné le tireur de sa cible.

— Si vous avez été touché, vous avez forcément laissé du sang sur le capot de la voiture.

— Pas que je sache. Mais, si les flics font une recherche un tant soit peu minutieuse, ils trouveront probablement assez de sang pour identifier mon A.D.N. Au moins sur le sol, si ce n'est pas sur la voiture. En tout cas, ils n'auront aucun mal à prouver que j'étais sur les lieux, conclut Joe avec une grimace.

Anna ne chercha pas à le rassurer en prétendant qu'une analyse d'A.D.N. n'expliquerait rien, et Joe lui fut reconnaissant de son honnêteté.

— Quelle a été la réaction de Frank quand on a commencé à tirer ? Vous pouviez le voir ?

— Je ne voyais que ses pieds. Il ne bougeait pas. Il est resté là, debout…

— Comme s'il était sûr qu'il ne risquait rien ?

— Peut-être. A moins qu'il n'ait été trop terrorisé pour bouger. Tout ce que je sais, c'est qu'un instant après, il y a eu une autre décharge et que Frank s'est écroulé par terre. Il est tombé à peu près à deux mètres de l'endroit où j'étais recroquevillé, la tête à l'opposé, entre deux voitures. Sinon, j'aurais été couvert de son sang.

Anna se mit à parler vite, pour arracher Joe à ce souvenir macabre dont, à l'évidence, l'image n'était que trop nette.

— Etant donné la manière dont Frank est tombé, vous avez tout de suite été sûr qu'il était mort ?

— D'après le bruit qu'a fait son crâne en s'écrasant sur le béton… oui. Je n'ai même pas imaginé qu'il puisse être encore vivant. J'étais en train de me demander comment j'allais faire pour ne pas me transformer moi-même en cadavre quand j'ai entendu le bruit d'une voiture. J'ai compris que c'était l'assassin qui venait vérifier qu'il nous avait eus tous les deux avant de quitter les lieux.

— Il ne pouvait pas vous voir, naturellement ?

— Non. De là où il était garé, il n'avait aucun moyen de savoir si j'étais vivant ou non. Peut-être qu'à la manière dont j'ai roulé sous la voiture, il a supposé que j'étais mort…

— Je suppose qu'il est inutile de vous demander si vous avez vu à quoi il ressemblait.

Joe fit oui de la tête.

— Je ne pourrais même pas vous dire s'il s'agissait d'un homme ou d'une femme, s'il était seul ou s'ils étaient une demi-douzaine dans la voiture.

— C'est étonnant que le bruit de la fusillade n'ait pas attiré d'autres personnes, dit Anna.

— Vous savez, tout s'est passé en moins de temps qu'il n'en faut pour le dire. Je pense qu'il n'y a pas eu plus de trente secondes entre le moment où j'ai perçu le déplacement anormal dans mon champ de vision et le moment où Frank s'est écroulé. Ça devait faire tout au plus deux minutes que nous étions sortis de l'ascenseur. Et puis, compte tenu de l'épaisseur des murs et du volume sonore de la circulation qui règne dans ce quartier, on ne peut pas être sûr que quelqu'un ait entendu les coups de feu. Rappelez-vous : il y a deux niveaux dans ce parking. Le niveau supérieur, réservé au public, n'est accessible que par l'entrée latérale, sur la rue ; l'autre, celui des employés, où nous nous trouvions, est en sous-sol et assez profond. Le bruit a ricoché tout autour, mais il n'est peut-être pas remonté jusqu'au rez-de-chaussée.

— Pas mal comme endroit pour un meurtre, quand on y songe, fit remarquer Anna.

— Oui. C'était joliment ficelé. Le tir m'avait l'air bien ajusté : un professionnel, certainement...

Joe but un autre verre d'eau, tout en demandant à la jeune femme si la police lui avait dit comment le corps de Frank avait été découvert.

— Non, répondit Anna. Gifford ne m'a pas donné beaucoup de détails sur le meurtre. Il songeait surtout à me mettre en garde en me rappelant que vous étiez dangereux.

— Je *suis* dangereux, coupa Joe d'une voix rude. Regardez dans quel pétrin vous vous êtes mise pour avoir seulement essayé de me venir en aide !

— Nous avons déjà parlé de ça, répliqua Anna. On ne va pas recommencer : ce serait lassant. Dites-moi plutôt comment vous avez réussi à échapper au tueur.

— On peut dire que j'ai eu de la chance. L'assassin ne pouvait pas arriver directement en voiture jusqu'à l'endroit où

Frank était tombé. Il fallait qu'il fasse tout un circuit. Et moi, j'avais remarqué une sortie de secours, derrière l'endroit où j'étais dissimulé. J'ai compris que c'était ma chance. D'autant plus qu'il serait obligé d'abandonner sa voiture s'il voulait me courir après.

— Sauf s'ils étaient plusieurs dans la voiture !

— Heureusement, cette pensée-là ne m'a pas effleuré, sur le moment. Sinon, j'aurais peut-être hésité, et là… Mais j'ai foncé. Je suis resté plié en deux et j'ai crapahuté d'une voiture à l'autre en direction de la fameuse porte. Je devais franchir quelques mètres à découvert, et j'entendais toujours la voiture qui tournait. Ce qui voulait dire — et ça, c'était bon signe — que le type ne m'avait pas repéré et qu'il ne savait pas trop où chercher. Tant mieux, parce qu'il n'y avait plus de voiture pour me servir d'écran et je devais jouer le tout pour le tout. Si je me trouvais dans le champ de vision du tueur, j'étais un homme mort ! Mais, comme c'était la même chose si je restais dans le parking, je n'avais rien à perdre… Et il semble que j'aie gagné, conclut-il avec un haussement d'épaules.

Anna sourit.

— Je confirme que vous avez gagné : vous êtes vivant et pas trop grièvement blessé.

Elle n'avait pas fini de parler qu'un coup de sonnette retentit. La respiration coupée, elle lança à Joe un regard éperdu. Sans un mot, il la regarda, lui aussi, interdit, les yeux agrandis. Ils étaient tous les deux paralysés…

On sonna de nouveau. La bouche sèche, Anna chuchota :

— Il est presque minuit. Il y a un vigile de garde, à cette heure-là. Si quelqu'un se présente, il est censé m'appeler d'abord avant de le laisser monter.

— Ça doit être la police, dit Joe.

Sa voix avait de nouveau perdu toute expression, comme si la vie menaçait de le quitter.

— Nous ne sommes pas tenus de les laisser entrer, dit Anna en s'agitant d'un bout à l'autre de la cuisine. Il n'y a qu'à faire le mort.

— S'ils ont un mandat de perquisition, ils peuvent obtenir les clés. Ou enfoncer la porte.

Joe se dirigea vers le plan de travail et s'empara d'un gros couteau de boucher rangé à côté de la planche à découper. Anna lui agrippa le bras.

— Vous êtes fou ! Posez ça, Joe ! Vous n'allez pas vous débarrasser des flics avec un couteau à désosser !

Joe se dégagea sans paraître avoir entendu.

— Je vais aller avec vous jusqu'à la porte. Je vous mettrai le couteau sous la gorge et je n'aurai qu'à appuyer légèrement pour rendre la chose convaincante. Je leur dirai que je vous tiens en otage. Mais vous, pour l'amour du ciel, ne faites pas un seul mouvement !

— Jamais de la vie ! Bon sang ! Est-ce que vous allez, un jour, cesser de jouer à Robin des Bois ? Pourquoi refuser de dire la vérité à la police ?

Joe la regarda d'abord sans comprendre, puis il eut un rire forcé.

— Vous avez vraiment de bonnes idées, madame le Juge d'application des peines. Et vous devez vous demander pourquoi je ne les trouve pas formidables, hein ? Eh bien, c'est tout simplement parce que je n'ai pas envie que la police vous arrête, vous aussi !

La personne qui était derrière la porte cessa de sonner et se mit à tambouriner contre le battant. Une voix mal assurée passa à travers l'épais blindage.

302

— Annie, je sais que tu es là ! Tu es toujours chez toi, le lundi soir. Ouvre-moi ! C'est Peter.

Anna poussa un immense soupir de soulagement, et Joe laissa retomber son couteau. Il le tenait encore d'une main crispée, mais il adressa à Anna un regard sarcastique en lui demandant si Peter était une relation professionnelle ou bien son amant.

— Ni l'un ni l'autre. C'est un ex-petit ami particulièrement pénible.

Sa crainte avait cédé la place à un frémissement de rage. Les mâchoires serrées, elle murmura d'une voix rauque :

—Il faut que j'aille lui parler. Sinon, il va ameuter les voisins, lesquels risquent fort d'appeler la police. Ne vous faites pas de souci : je ne le laisserai pas entrer.

Les coups martelés à la porte se faisaient de plus en plus impérieux et menaçaient de réveiller tout l'immeuble.

Joe préféra prendre les choses sur le mode humoristique.

— Cela m'ennuie de vous contredire, mais j'ai l'impression que votre ex-petit-ami-particulièrement-pénible ne va pas se contenter d'une simple discussion sur le palier.

Trop en colère pour répondre, Anna se dirigea résolument vers la porte d'entrée. Elle eut la surprise désagréable de constater que celle-ci était déjà ouverte. Peter, qui avait dû boire plus que de raison, se tenait appuyé contre le mur de l'entrée et semblait hilare, comme un ivrogne content de son sort. Il ne manquait plus que ça !

— Comment es-tu entré ? lui demanda Anna sans préambule.

Pour toute réponse, Peter brandit un trousseau de clés avec un sourire triomphant. Anna jura intérieurement. Dans sa hâte de le flanquer dehors, l'autre jour, elle avait oublié de récupérer le double des clés de l'appartement qu'elle avait été assez bête pour lui confier, à l'époque où elle avait un faible pour lui...

— Annie, mon amour, tu es superbe ! Tu m'as manqué, cette semaine.

Sans lâcher la bouteille de champagne qu'il tenait à la main, il prit la jeune femme dans ses bras, avant qu'elle ait eu le temps de s'esquiver. Son haleine puait l'alcool, et Anna hésita à lui envoyer un bon coup de coude dans l'estomac : avec la quantité d'alcool qu'il avait dû absorber, il risquait fort de s'écrouler sur elle. Elle demeura donc impassible, raide et silencieuse. Il finirait bien par enlever ses sales pattes de là...

L'attitude méprisante d'Anna était une invitation à aller au diable, mais Peter mit fort longtemps à l'interpréter comme telle. Il finit tout de même par relâcher son étreinte écœurante, et observa Anna du coin de l'œil avant de la gratifier d'une moue significative.

— Voyons, Annie ! Un petit sourire ! Reconnais que ça te fait plaisir que je sois revenu !

Elle n'allait pas s'abaisser à répondre à une telle bêtise. Elle se contenta de dire sur un ton glacial :

— Rends-moi les clés de mon appartement ou j'appelle l'agent de sécurité pour qu'il te jette dehors.

Il lui décocha un regard torve, accompagné d'un petit sourire en coin dont il savait qu'elle le trouvait irrésistible, autrefois.

— Allons, allons, ma mignonne ! Tu sais très bien que tu n'en penses pas un mot !

En clignant les yeux, il leva le trousseau de clés à bout de bras, bien haut au-dessus de sa tête.

— Viens les chercher si tu les veux !

— Ah ! Pour l'amour du ciel ! s'exclama Anna, exaspérée.

304

Elle s'élança avec impatience dans l'intention de s'emparer des clés. Mais, avec une agilité et une précision surprenantes pour un homme à moitié soûl, Peter s'écarta juste à temps et glissa les clés dans sa braguette.

— Viens donc les chercher, salope ! cria-t-il.

Anna l'observait, et se demandait ce qu'elle avait bien pu lui trouver de séduisant, par le passé. Dire qu'elle était sortie pendant quatre mois avec ce type ! Qu'est-ce qu'elle attendait de ses amants, en réalité ?

A ce moment-là, Joe sortit de l'ombre et vint se placer à côté d'elle. Ferdinand le suivait, la queue en l'air — signe de l'extrême faveur qu'il lui accordait. Comme si elle s'inclinait devant la puissance inévitable du destin, Anna se tourna vers lui et lui sourit, sans plus chercher à cacher ses sentiments : elle lui était tellement reconnaissante d'être là, à son côté… En cet instant, elle éprouvait plus de frayeur face à Peter qu'elle n'en avait jamais éprouvé en sa présence…

Joe la regarda longuement. Puis il se tourna vers Peter.

— Quelque chose ne va pas, on dirait, dit-il d'une voix dangereusement calme.

— Qu'est-ce que c'est que ce type ? hurla Peter. Qu'est-ce qu'il fait chez toi à une heure pareille ?

Ignorant superbement ces questions, Anna dit à l'adresse de Joe :

— Peter n'a pas l'air de comprendre que je souhaite récupérer les clés de mon appartement.

En veillant à ne pas écraser les pattes de Ferdinand, Joe fit un pas en direction de Peter.

— Auriez-vous l'obligeance de rendre ses clés à Anna, s'il vous plaît ? suggéra-t-il avec une parfaite courtoisie.

Peter, trop éméché pour flairer le danger, bomba le torse et vint se placer sous le nez de Joe.

— Viens, puisque tu me cherches !

Joe lui adressa un sourire glacial.

— Avec plaisir.

En deux temps, trois mouvements, Joe plaqua Peter contre le mur et lui appuya son avant-bras en travers de la gorge, l'empêchant de respirer. Puis, sans paraître essoufflé le moins du monde, il détourna légèrement la tête pour s'adresser à Anna qui se tenait en retrait.

— Savez-vous ce qu'il a fait de vos clés ?

— Il les a fait disparaître dans son slip…

— Voilà qui n'est guère ragoûtant !

Joe se déporta sur le côté, pressant toujours la trachée artère de Peter.

— Récupérez ces clés, dit-il, et rendez-les à Anna.

Peter balbutia trois syllabes inaudibles, qui devaient signifier qu'il n'y arrivait pas.

— Essayez encore ! ordonna Joe. Je compte jusqu'à trois. Un… Deux…

Avec un hoquet hargneux, Peter laissa tomber les clés sur le sol. Anna s'en empara et les mit dans sa poche. Elle gratifia Peter d'un regard lourd de mépris.

— Rentre chez toi, Peter. Je tâcherai d'oublier cet incident.

— Vous ne voulez pas que je lui apprenne les bonnes manières ? demanda Joe à la jeune femme.

— Non. Ça prendrait trop de temps. Mettez-le plutôt dehors, s'il vous plaît.

— C'est comme si c'était fait.

Avec une autre prise, déconcertante par son apparente douceur, Joe saisit le poignet de Peter et lui retourna le bras dans le dos.

— Eh bien, Peter, je crois que c'est d'accord, n'est-ce pas ? Il est temps de rentrer chez vous. Laissez-moi vous accompagner jusqu'à l'ascenseur.

— J'irai très bien tout seul.

La voix de Peter était particulièrement rauque et agressive, ce qui n'était pas pour surprendre Anna. Il tourna la tête en arrière pour dévisager Joe.

— Mais qui êtes-vous, à la fin ? Je vous ai déjà vu quelque part…

Joe cilla à peine.

— Je ne crois pas, dit-il en ouvrant la porte. Je ne pense pas que nous nous soyons déjà rencontrés.

Si Anna n'avait pas assisté à l'opération, elle n'aurait jamais pu croire que Joe était blessé : il semblait maîtriser la situation avec une aisance parfaite. Pas une ombre de fatigue ou d'inquiétude ne transparaissait dans ses gestes. Il conduisit de force Peter jusqu'au bout du couloir. Anna les suivit et appela l'ascenseur.

— Ne remets plus les pieds ici, précisa-t-elle à Peter lorsque Joe le poussa dans la cabine. Au cas où tu n'aurais pas encore compris, c'est fini entre nous.

— Tu peux toujours te brosser si tu t'imagines que je vais te courir après ! cracha Peter.

— Bravo ! C'est la meilleure nouvelle de la journée !

— Va au diable ! Salope !

15.

Tout en tripotant ses clés dans sa poche, Anna ne put s'empêcher de rire en regagnant son appartement avec Joe. D'accord, ce n'était pas très glorieux de sa part ni très mature, comme réaction. Mais quelle satisfaction de voir l'ego démesuré de Peter réduit à sa plus simple expression ! Sans parler du plaisir — un peu puéril, certes, mais tellement jubilatoire — de voir Joe balancer Peter dans l'ascenseur comme un paquet encombrant qu'on retourne à l'envoyeur !

Rien, dans la relation plutôt tiède qu'elle avait entretenue avec Peter, aucun souvenir commun un peu intense ne pouvait justifier son soudain désir de la reconquérir. Rien, à part le fait qu'elle lui avait clairement fait savoir qu'elle ne voulait plus de lui. C'était ça, en fait, qui l'avait rendue aussi attirante à ses yeux !

Elle serra frénétiquement la main de Joe, encore sous le coup de l'émotion — et surtout du soulagement qu'il se soit agi de Peter et non pas de la police. En retour, Joe lui adressa l'un de ses trop rares sourires. Il la regarda fermer la porte à double tour mais, une fois en sécurité à l'intérieur de l'appartement, il cessa de sourire.

— Peter m'a reconnu, dit-il calmement. Sur le moment, il ne s'est pas rappelé où il avait vu ma tête mais ça lui reviendra tôt ou tard.

— Je sais, murmura Anna d'un ton résigné.

La dure réalité s'imposait de nouveau, balayant l'euphorie d'Anna qui jeta les clés sur la table de l'entrée. Elle soupira en songeant à la douche chaude et aux heures de repos qu'elle n'allait, évidemment, pas pouvoir s'accorder. La visite de Peter avait rendu encore plus urgente la nécessité de quitter Denver. La police n'allait pas tarder à apprendre que le suspect numéro un dans le meurtre de Franklin Saunders s'était réfugié chez son juge d'application des peines… Le fait était tellement inouï qu'ils avaient été protégés, jusqu'alors, par le caractère hautement improbable de leur situation. Mais Peter allait vraisemblablement faire éclater ce dernier ballon d'oxygène.

— La police a dû diffuser votre signalement. Il fallait s'y attendre.

Joe répondit en bougonnant :

— Evidemment. Sophie et Frank sont tous les deux issus d'une famille fortunée ; ils font partie de tous les cercles mondains de Denver. Frank est une victime particulièrement intéressante. Le meurtre de Franklin Saunders devait faire la une de tous les bulletins télévisés, ce soir. Tout comme le fait que la police soit à mes trousses.

— Peter avait pas mal bu avant d'arriver ici. Il n'arrivera peut-être pas à faire le lien.

La voix d'Anna se voulait encourageante mais l'expression de Joe signifiait assez bien qu'il ne se faisait aucune illusion.

— Peter était éméché mais pas vraiment ivre, et nous l'avons suffisamment humilié pour qu'il mitonne une vengeance. Il finira bien par se rappeler où il a vu mon visage. Quand bien même il n'y arriverait pas, quelqu'un d'autre m'identifierait. La vérité, c'est que chaque minute que je passe chez vous vous compromet davantage.

Anna lui coupa la parole avant qu'il ait le temps de réitérer son souhait de s'en aller pour la protéger.

— Ne recommencez pas avec ça, Mackenzie ! Si vous osez me redire une seule fois que vous allez partir pour me sauver malgré moi, je pique une crise de nerfs !

— Qu'est-ce qui vous fait croire que je vais vous faire cette proposition ?

— Je suis diplômée en psychologie. En outre, vous êtes terriblement prévisible, sur ce chapitre !

— Je suis peut-être terriblement prévisible mais ça vaut toujours mieux que d'être délibérément aveugle, répliqua Joe. Vous vous obstinez à refuser l'évidence, Anna. Malheureusement, faire semblant d'ignorer ce qui vous pend au bout du nez n'empêche jamais la chose d'arriver. Au contraire : ça ne fait qu'augmenter les risques.

— Vous avez bientôt fini ? demanda Anna avec un bâillement exagéré.

Elle se dirigea vers la cuisine.

— J'ai fini, oui, trancha Joe en lui emboîtant le pas. Et, si vous avez une meilleure idée sur ce que je dois faire, à part disparaître de votre existence avant de l'avoir définitivement brisée, eh bien, faites-m'en vite profiter ! J'ai hâte de savoir !

— Très bien. Voici ce que je pense. Si vous n'avez pas tué Franklin Saunders, quelqu'un d'autre l'a fait, n'est-ce pas ? Et, le plus vraisemblable, c'est que le commanditaire soit le même que celui qui avait déjà payé Inez et Ortega.

— Je suis bien d'accord. Mais la police ne pense sûrement pas comme nous. Pour elle, je suis le suspect numéro un. Ce qui nous ramène au point de départ.

— Pas tout à fait. Si la police cherche dans la mauvaise direction, c'est à nous de découvrir l'identité du véritable meurtrier.

— Mais c'est bien sûr ! Et il va suffire de claquer des doigts ! répliqua Joe avec une ironie cinglante. Voyons… Est-ce que nous résolvons l'énigme tout de suite, pendant que nous sommes confortablement installés chez vous, ou bien est-ce que nous attendons d'être dans votre bureau, demain matin, pour nous mettre à pied d'œuvre ? Ça ne devrait pas nous prendre bien longtemps, hein ?

Anna le regarda bien en face.

— Vous êtes franchement pénible quand vous prenez ce ton sarcastique, Mackenzie. Je mesure parfaitement la difficulté mais je suis sûre que vous avez quelques idées excellentes sur les pistes à explorer en priorité. Figurez-vous que j'ai compris ça dès l'instant où je suis venue vous avertir, pour Miguel et Carlos : vous saviez très bien qui cherchait à vous tuer… Et soyez gentil, n'essayez pas de me resservir votre boniment sur les gangs qui vous en voulaient, en prison. Vous savez aussi bien que moi que la menace qui pèse sur vous n'a rien à voir avec des détenus que vous auriez offensés pendant que vous étiez derrière les barreaux. Si vous vous retrouvez dans cette panade, c'est à cause de ce qui s'est passé à Durango, il y a quatre ans. Quelqu'un veut vous empêcher de remettre le nez dans les archives de la banque, par crainte qu'on ne rouvre le dossier sur l'affaire du détournement de fonds. Et ce quelqu'un est prêt à vous tuer pour éviter ça.

— C'est exactement ce que je pense. Et ce qui est en jeu dépasse très probablement le million de dollars détourné qu'on m'a collé sur le dos. Le meurtre de Frank prouve une chose, en tout cas : ce que le ou les individus en question ont à cacher est tellement important pour eux qu'ils ne reculeront devant rien. Et je vais vous dire autre chose : le fait que vous soyez une jolie poupée ne va pas vous protéger.

Une jolie poupée ? C'était donc l'idée qu'il se faisait d'elle ? Misère ! Elle détestait qu'il la trouve « jolie ». Alors, en ce qui concernait la « poupée »…

— Ça vous amuse de m'insulter ?

Anna se détourna et ouvrit un placard pour se donner une contenance. Elle préférait faire un geste anodin plutôt que de monter sur ses grands chevaux.

Joe la prit par les épaules, la fit pivoter vers lui, et plongea son regard dans le sien. Mais les mots qu'il s'apprêtait à lui dire moururent sur ses lèvres. Un silence éloquent s'installa, tandis qu'ils demeuraient les yeux dans les yeux, tendus l'un vers l'autre par l'attirance qu'ils éprouvaient irrépressiblement mais à laquelle aucun d'eux n'entendait céder.

Ce silence pesait lourd, et le cœur d'Anna battait à tout rompre. Elle mesura l'ampleur foudroyante de la passion qui s'était emparée d'elle. Elle avait de fortes chances de se retrouver inculpée pour complicité de meurtre mais la seule chose qui comptait, à cet instant, c'était la flambée de désir qui la consumait dès qu'elle se retrouvait à moins d'un mètre de Joseph Mackenzie. Il suffisait qu'il l'effleure pour qu'elle oublie tout : les assassins et la police. Quant à Caleb Welks et à son mariage « naturel », qui avaient, jusque-là, empoisonné sa vie sentimentale et lui avaient rendu impossible toute relation normale avec les hommes… eh bien, ils appartenaient à un autre âge. Un âge révolu. Après tant d'années, voilà qu'enfin, le traumatisme de sa nuit de noces cessait de l'inhiber et qu'elle se sentait comme libérée. Grâce à Joe…

— A quoi pensez-vous ?

Il tenait, maintenant, son visage entre ses mains, et il écartait délicatement les mèches rebelles qui lui venaient dans les yeux, ramenant chaque boucle derrière son oreille avec un respect quasi religieux. Du temps de Peter, Anna avait la triste impression d'être affublée d'une tignasse ingouvernable. Sous les doigts de Joe, elle se sentait une sirène à la chevelure flamboyante et sensuelle.

Elle ne répondit pas à sa question, et se contenta de le regarder, éperdue. Etaient-ce ses traits accusés, d'une énergie sans compromission, ou bien l'étincelle vulnérable qui s'allumait parfois dans ses prunelles qui le rendait si désirable ? Si insupportablement désirable qu'elle se sentait le cœur chaviré ? Elle n'avait, pourtant, pas l'intention de baisser la garde et de livrer ses pensées à Joe. Raconter son mariage avec Caleb et ce qu'elle avait vécu sous le toit de Ray Welks était au-dessus de ses forces. Elle n'avait jamais rien confié de son histoire familiale à qui que ce fût, à part Leila Sworski. Et il y avait quatorze ans de cela, au moment de l'adoption de Marina. Même à l'occasion des formalités d'adoption, elle avait refusé de livrer le nom du père de son enfant. De cette façon, Leila Sworski n'avait pas été obligée de contacter Caleb avant l'adoption, et Anna pouvait se bercer de l'illusion que sa fille était une fantaisie de la nature, créée sans l'intervention sordide de celui qu'elle se refusait à appeler son « mari ».

Etant donné le mur de silence qu'elle avait édifié autour de cette question, Anna se sentit troublée, voire effrayée, que l'idée même d'en dire un mot à Joe ait pu l'effleurer. D'où lui était venue cette tentation étrange de se confier à lui ? Décontenancée, elle la renvoya au plus vite dans les régions obscures et profondes de son cœur.

— Je pensais à des choses qui avaient de l'importance, autrefois, mais qui n'en ont plus, maintenant, dit-elle enfin en rejetant la tête en arrière.

N'était-ce pas la vérité, d'ailleurs ?

S'arrachant à ses pensées, elle caressa doucement la joue de Joe, et suivit du bout des doigts le dessin de sa mâchoire. Elle se laissait gagner par la sensation enivrante de la barbe râpeuse contre la paume de sa main. Elle sentit une chaleur insidieuse et insolemment charnelle monter du plus profond d'elle et lui donner le feu aux joues. Pourquoi fallait-il que cela arrive maintenant ? Et pourquoi fallait-il que ce soit avec cet homme qu'elle connaisse pareil émoi ? Auparavant, elle n'avait jamais compris comment le désir sexuel pouvait enchaîner les empereurs, détourner les ermites de leur vœu de chasteté et changer le cours de l'Histoire. Brutalement, elle se mettait à comprendre…

— Tu es belle… si belle…, murmura Joe d'une voix devenue sombre et rauque. Et si désirable que c'est presque douloureux de te regarder…

Anna se savait plutôt mignonne mais elle ne serait pas allée jusqu'à se croire belle. Pourtant, lorsque la voix de Joe sonna à son oreille, assourdie et plus grave sous l'effet de l'émotion, lorsqu'il l'enveloppa d'un regard déjà embué par le désir, elle accepta de se rendre à l'évidence : il était possible qu'elle fût belle, et même désirable…

Elle sourit intérieurement à cette découverte insensée.

— J'ai peur quand je te vois sourire, murmura-t-il. Peur de ce que j'éprouve…

— Alors, nous en sommes au même point, tous les deux, lui répondit Anna d'une voix enrouée. Vous aussi, vous me mettez dans un état épouvantable, Mackenzie. Et pas seulement quand vous souriez !

Joe semblait hypnotisé par la bouche d'Anna.

— L'intimidation mutuelle… Voilà une base intéressante pour commencer une relation. Nous pourrions en faire notre version revue et corrigée de la guerre froide !

Anna se mit à rire : la comparaison lui semblait ridicule et troublante à la fois.

Joe la regarda encore un moment, puis il pencha lentement la tête et vint cueillir son rire sur ses lèvres, en un baiser qui la laissa pantelante. Le cœur battant, le corps douloureux, Anna comprit qu'elle se trouvait à la croisée des chemins : ou bien elle faisait le choix de la raison ou bien elle s'abandonnait à la folie qui s'emparait d'elle, et elle larguait les amarres sans retour possible. Elle avait compris qu'avec Joe, il n'existait pas alternative.

Elle eut donc un mouvement de retrait — quasiment un réflexe conditionné par toutes ces années d'inhibition au cours desquelles elle s'était interdit de succomber à un sentiment qui eût risqué de devenir profond ou important. L'expérience lui avait enseigné qu'une émotion profonde s'accompagnait fatalement d'une souffrance insupportable. Elle avait appris cette leçon douloureuse quand son père était mort et, plus tard, quand sa mère avait refusé de la défendre, face à Caleb Welks. Cela s'était encore confirmé, et avec quelle amère intensité, quand Marina était née.

Mais Joe ne sembla pas attacher d'importance à son hésitation. D'ailleurs, avait-elle vraiment cru qu'il ferait marche arrière pour si peu de chose ? Pour un simple geste dans lequel elle n'avait, d'ailleurs, pas mis beaucoup d'énergie, et dont l'interprétation prêtait à confusion ?

Il la serra plus fort dans ses bras, et reprit sa bouche avec une passion redoublée. Sous la brûlure impérieuse de cette étreinte, Anna sentit fondre ses dernières résistances et déferler les vagues de tendresse et de fragilité qu'elle s'était si longtemps évertuée à tenir en respect.

Elle aurait dû être effrayée par cette trahison brutale de ses défenses. Tout au contraire, ce fut une joie intense qui monta en elle, une enivrante sensation de liberté, comme si une part d'elle-même s'était mise à exulter. Comme si la cuirasse d'acier dont elle s'était protégée venait enfin de voler en éclats… Un plaisir jubilatoire l'envahit, et chaque onde du désir qui s'emparait d'elle semblait cicatriser une antique blessure…

Joe s'arracha un instant à sa bouche pour reprendre son souffle, et Anna défaillit en lisant ce qu'il y avait au fond de ses yeux : une longue, une vertigineuse promesse étincelait dans ses prunelles assombries. Elle sentit une flambée de passion se répandre dans ses veines. Sauvage. Brûlante. La gorge contractée, pantelante entre les bras de Joe, elle avait envie de rire. Elle avait aussi envie de pleurer. De lui arracher ses vêtements et de s'abandonner au torrent impétueux qui la poussait vers lui.

— Joe…

Sa propre voix, étrangement rauque et grave, lui sembla méconnaissable. Et cela même en disait plus qu'un long discours sur la nature véritable de ses sentiments. Mais la force des vieilles habitudes reprit le dessus un bref instant, et elle protesta encore faiblement.

— On ne peut pas faire ça…

— Bien sûr que si ! murmura-t-il à son oreille. Si tu le veux vraiment…

Le voulait-elle vraiment ? L'heure de vérité avait sonné. Anna sentit la panique la gagner et combattre le désir qui montait en elle.

— Quelquefois, il ne faut pas trop penser… , chuchota Joe contre ses lèvres, avec une étrange douceur.

— J'ai besoin de savoir où je vais, laissa échapper Anna.

Joe releva la tête et s'écarta légèrement pour la regarder. Il avait l'air presque étonné.

— Mais tu le sais très bien ! Tout dépend de toi, et uniquement de toi. Nous ferons comme tu voudras.

— Ce n'est pas de *toi* que j'ai peur, balbutia Anna. C'est de moi. Je ne sais plus où j'en suis.

Le sourire de Joe se fit plus caressant.

— C'est ce qui arrive quand on fait l'amour et qu'on est amoureux, ma douce. Tout ira bien. Fais-moi confiance.

Etre amoureux ? Est-ce qu'ils s'apprêtaient à faire l'amour comme deux amoureux ? Sûrement pas ! Il n'allait s'agir que d'une étreinte sans conséquence… Et, même si c'était une expérience fantastique, elle serait sans lendemain.

Anna fronça les sourcils pour masquer la crainte qui l'habitait.

— Je me suis fait une règle de ne jamais faire confiance à un homme.

Joe lui sourit, d'un sourire lent et sensuel qui la fit chavirer. Elle baissa les armes.

— Il me semble que nous avons enfreint toutes les règles à l'instant même où je suis entré dans votre bureau, mademoiselle Langtry !

Il avait raison. Ce qui était en train d'arriver était prévisible depuis leur toute première rencontre.

— Oui, murmura-t-elle. Je suppose que oui.

Frissonnant par avance à la pensée de ce qui allait venir, elle rejeta la tête en arrière.

Elle ne quitta pas Joe des yeux, tandis qu'il commençait à déboutonner son chemisier et qu'il lui dégageait les épaules. Ce ne fut qu'à l'instant où il posait sa bouche ardente sur ses seins qu'elle ferma les yeux.

318

les zones secrètes de ses cuisses pour qu'elle soit de nouveau en proie à la flamme dévorante du désir.

Il l'attendait, prêt à se rendre à son appel. Ses muscles tendus à se rompre réagirent dès qu'elle l'effleura. D'un mouvement des hanches, elle l'attira de nouveau en elle, et se tordit en un spasme convulsif dès qu'il reprit possession d'elle. Ce second orgasme fut inouï…

Son corps vibrait encore comme les cordes d'un archet lorsque Joe glissa à bas du sofa. Il demeurait haletant, et ses gestes mal assurés contrastaient avec son habituelle aisance. Anna le considéra avec une pointe d'inquiétude : certes, elle avait passionnément souhaité cette étreinte ; elle l'avait voulue dévorante, fulgurante et sauvage. Mais, maintenant, elle avait terriblement besoin d'être rassurée : ce qu'ils venaient de partager avait-il été aussi extraordinaire pour lui que pour elle ?

Elle le regarda sans oser dire un mot, tandis qu'il ramassait ses vêtements et se rhabillait rapidement. Il vint ensuite s'agenouiller près d'elle, et posa les mains sur ses genoux avec une intimité désinvolte qui la choqua et la réjouit tout à la fois.

— Anna, Dieu m'est témoin que je ne regrette pas un instant ce qui vient de se passer. Pas un seul instant. Je donnerais tout au monde pour te ramener au lit et passer la nuit à explorer toutes les manières dont nous pourrions faire l'amour ensemble. Et puis, je voudrais prendre le petit déjeuner avec toi… avant de retourner faire l'amour. Mais ce n'est pas possible. Je te mets un peu plus en danger à chaque minute qui passe. Peter est peut-être en train d'appeler la police, à l'instant où je parle. Les flics peuvent arriver à tout moment et enfoncer la porte si nous refusons d'ouvrir. Nous… Je… dois partir d'ici.

— Oui.

Anna ne put prononcer un mot de plus, bien qu'elle sût que Joe avait raison. Depuis un moment, elle essayait de se remettre en tête qu'ils jouaient une course contre la montre et qu'ils devaient quitter Denver. Maintenant c'en était fait : elle était prête à accepter que la vraie vie ait repris le dessus et que l'heure de l'amour soit passée.

S'efforçant de se montrer pragmatique, Anna se leva et rassembla ses vêtements épars. Elle eut plus de mal qu'elle ne l'aurait imaginé à recouvrer une voix assurée : elle avait encore la tête dans les étoiles et le corps alangui.

— Tu as raison. Nous n'avons pas de temps à perdre. Il faut s'occuper uniquement de ce qui est important.

Joe l'arrêta et la prit par la main.

— Anna.

Il marqua une pause et plongea les yeux dans les siens.

— Ce qui vient de se passer entre nous était très important pour moi. C'est, précisément, pour pouvoir construire quelque chose avec toi que je veux rester un homme libre. Et, pour ça, il faut que je découvre qui a tué Franklin Saunders, au lieu de rester ici à attendre les flics. Ils ne vont sûrement pas tarder, Anna, et je te mets en danger.

— Nous sommes tous les deux en danger.

Anna enfila son chemisier en évitant soigneusement de croiser le regard de Joe. Puis, d'un mouvement décidé, elle prit une inspiration profonde.

— Bon. Faisons le point. La meilleure solution pour ne pas nous faire prendre, ce serait, évidemment, de quitter le pays en voiture. Mais nous ne pouvons pas aller n'importe où : si nous voulons mettre la main sur le meurtrier de Saunders, il n'est pas question de passer dans le Nebraska ni dans le Kansas.

— Anna, soyons raisonnables. Ce n'est pas un voyage que nous pouvons faire à deux. Dieu sait que j'aimerais t'avoir avec moi. Mais toute cette histoire ne te concerne pas, et je n'ai pas l'intention de t'entraîner dans…

— J'y suis déjà. Jusqu'au cou.

— Essaie, au moins, de garder la tête hors de l'eau ! Je ne veux pas supporter éternellement le remords d'avoir gâché ta vie en plus de la mienne. Tu es une fille intelligente, Anna. Alors, montre-le. Tu peux toujours prétendre que tu n'es pour rien dans cette affaire, que tu étais victime et non pas complice. Par pitié, ne laisse pas s'envoler cette chance ! Si tu es arrêtée maintenant, en ma compagnie, tu peux déjà faire une estimation du nombre d'années que tu vas passer derrière les verrous. Et, crois-moi, la prison, ce n'est pas drôle.

— Je suis juge d'application des peines. Je sais ce que c'est que la prison.

— Non, tu ne le sais pas.

Le ton était catégorique et n'admettait pas de réplique.

Joe reprit :

— Quand je serai parti, quand la police te questionnera — parce que tu n'y échapperas pas —, tu diras que je te tenais en otage et tu n'en démordras pas. Tout ce que tu as fait ou dit ce soir, c'était sous la menace, tu m'as bien compris ?

— Peter n'aura aucun mal à démentir.

— Eh bien, ce sera ta parole contre la sienne. Essaie d'être convaincante !

Anna ne put réprimer son impatience.

— Tout ce que nous faisons, en ce moment, c'est perdre un temps précieux. Si nous pouvions seulement cesser d'argumenter et arrêter un plan précis, nous aurions peut-être une chance d'échapper à la police. Alors, je n'irai pas par quatre chemins, Joe : si tu as l'intention de me laisser ici, il faudra me ligoter et me voler les clés de ma voiture.

— Et tu crois que je ne le ferai pas ?

— Je *sais* que tu ne le feras pas. Vous êtes redoutable quand il s'agit de proférer des menaces, monsieur Mackenzie, mais lamentable lorsqu'il s'agit de les mettre à exécution.

Sans lui laisser le temps de répondre, Anna lui ordonna :

— Voudrais-tu verser de l'eau fraîche dans le bol du chat et remettre un peu de croquettes dans son assiette, s'il te plaît ? J'ai un voisin qui accepte de veiller sur lui quand je dois m'absenter. Je glisserai un mot sous sa porte, en partant. Ferdinand ne manquera de rien, en notre absence.

— Si tu t'obstines, ce n'est pas seulement la police et un procès que tu auras sur le dos, ce sont aussi les tueurs à gages qui sont payés pour m'abattre.

— Ne recommence pas : donne plutôt à manger au chat ! coupa Anna en désignant les croquettes d'un geste du menton.

Joe obtempéra mais revint à la charge.

— Anna, pour l'amour du ciel ! Quand comprendras-tu que tu risques de te faire purement et simplement *descendre* !

— Je vais prendre quelques barres de céréales et une bouteille d'eau minérale. Comme ça, nous n'aurons pas besoin de nous arrêter pour le petit déjeuner. Mackenzie, je t'en prie, retrouve le sens des réalités ! Il y a urgence, non ? Au train où nous allons, il fera jour avant que nous ayons atteint l'autoroute !

— Bon sang de bonsoir ! Mais est-ce que tu écoutes quand je te parle ?

Joe reposa brutalement la gamelle du chat sur le sol, en répandant la moitié de l'eau par terre.

— Non, je n'écoute pas. C'est lassant, à la fin, d'entendre toujours répéter les mêmes litanies. Excuse-moi.

Anna passa prestement devant lui pour aller ouvrir le Frigidaire. Elle en retira de l'eau minérale qu'elle mit dans un sac à provisions avec les barres céréalières. Du coin de l'œil, elle vit que Joe épongeait le sol en maugréant.

— Voilà. Tout est prêt, déclara Anna en claquant la porte du réfrigérateur, histoire de passer son agressivité sur quelque chose. J'attrape une brosse à dents et je mets un peu de linge propre dans un sac à dos. Je devrais avoir un ou deux sweat-shirts assez grands pour toi.

— Alors ça, c'est vraiment formidable, hein ? lança Joe avec un air féroce. Nous sommes, tout simplement, épous-touflants ! Le cas de Ferdinand est réglé, nous avons des rations de survie et même des vêtements de rechange pour le voyage… Evidemment, nous n'avons pas la moindre idée de l'endroit où nous allons ni de ce que nous y ferons mais c'est tout à fait secondaire, n'est-ce pas ?

— Quand vas-tu te décider à laisser tomber ce ton sarcas-tique ? Si nous ne savons pas où aller, c'est que nous n'avons pas pris le temps d'en discuter… Que dirais-tu de Durango, pour commencer ?

— Sûrement pas ! C'est, précisément, là que les flics vont nous attendre !

— O.K. Tu as peut-être raison. Je voulais seulement faire une suggestion. Suis-moi dans la chambre, si tu veux bien. Comme ça, on pourra discuter pendant que je boucle le sac. Ça nous fera gagner du temps.

L'espace d'un instant, Anna crut qu'il allait refuser. Mais non : il avait trop besoin de son aide.

Elle décida de lui laisser prendre les décisions afin qu'il sorte un peu de ses sombres pensées.

— En fait, pour être en mesure de t'aider vraiment, il fau-drait que j'en sache un peu plus sur l'affaire qui t'a conduit en prison, reprit-elle en fouillant dans ses tiroirs. Tu disais que tu voulais commencer par retrouver tes anciens collègues de l'agence de Durango.

— Oui, dans un premier temps, ça m'a paru judicieux. Jamais la justice n'a envisagé d'autre coupable que moi. Donc, les preuves sont peut-être toujours là, à attendre que quelqu'un veuille bien se donner la peine de les chercher. C'est mon seul espoir.

— Comment ça ? Tu veux dire qu'on ne t'a même pas laissé la possibilité de rassembler des preuves avant le procès ? s'exclama Anna en sortant son sac de la penderie. Tu n'as donc aucune piste sur laquelle te lancer ?

Joe secoua la tête en signe d'impuissance.

— Rien. Zéro. Uniquement des présomptions. J'ai été écroué immédiatement, le jour où on est venu m'arrêter. Parbleu ! Le F.B.I. pensait que j'avais détourné un million de dollars, alors, évidemment, il ne fallait pas prendre le risque que l'oiseau s'envole du nid ! L'opinion publique était déchaînée contre moi. Quant à la partie civile, elle s'est battue pour que je ne sois pas libéré sous caution, et elle a eu gain de cause. A partir du moment où j'ai été arrêté, je n'ai plus jamais eu accès à mes dossiers ni même à mon bureau. Rien de rien.

Anna avait l'air consterné.

— En tout cas, ça nous laisse des pistes à explorer.

Elle s'arrêta soudain dans ses préparatifs, les sourcils froncés :

Les gens qui sont derrière tout ça... pourquoi ne t'ont-ils pas tué, à ce moment-là, Joe ? De leur point de vue, est-ce qu'il ne valait pas mieux te faire taire une fois pour toutes ?

— Oui, je me suis posé cette question pendant un bon bout de temps. Mais j'ai fini par conclure qu'ils avaient peur des conséquences d'un meurtre. S'il y avait eu mort d'homme, on aurait, forcément, poussé l'enquête plus loin. Trop loin.

Faire porter le chapeau à un type, ce n'est pas trop difficile ; le faire porter à un homme mort, pour le coup, c'est un peu trop facile ! Je devais faire un suspect plus crédible si j'étais vivant. Mort, c'était moins sûr.

— Mais, maintenant, ils n'ont plus aucun intérêt à te garder en vie…, murmura Anna d'un air songeur. Si Carlos et Miguel t'avaient liquidé, comme c'était prévu, tout le monde aurait conclu à un règlement de comptes entre détenus.

— Probable. Et, si j'avais été abattu cet après-midi, en même temps que Frank, on aurait dit que le pauvre vieux avait eu le malheur de se trouver là au moment où les tueurs étaient venus me régler mon compte. Quoi qu'il en soit, le commanditaire du meurtre peut être aussi tranquille que si j'avais, effectivement, été tué puisque je suis le suspect numéro un. Si je suis pris, je n'y couperai pas : je serai condamné illico.

— Bien vu.

Anna découvrait avec angoisse quel genre de nœud coulant on avait passé au cou de Joe. Il fallait absolument revenir à ce qui s'était passé quatre ans auparavant.

—Tu as bien dû garder des traces des irrégularités que tu avais découvertes à la banque ?

Joe fit oui de la tête.

— J'avais même un relevé complet de tous les éléments suspects.

— Où ça ?

— Dans un coffre sécurisé à la banque, mais je ne sais pas ce que sont devenus ces documents, après mon arrestation.

— Il aura fallu un mandat de perquisition pour ouvrir ce coffre, déclara Anna. Il devait y avoir un membre du personnel de la banque quand la police a perquisitionné. Sais-tu de qui il s'agissait ?

— Il y avait mon avocat, et aussi Frank, avec le directeur de la succursale. Mais mes dossiers ne s'y trouvaient pas, paraît-il. Naturellement, le F.B.I. en a conclu qu'ils n'avaient jamais existé.

Anna enfourna deux jeans propres dans son sac, tout en relançant la discussion.

— Où étaient les clés du coffre ?

— Dans le tiroir de mon bureau. Oh ! Ce n'est pas la peine de lever les yeux au ciel ! Inutile d'en rajouter ! Je sais que ce n'était pas terrible, comme cachette.

« S'il avait voulu se faire coincer, il ne s'y serait pas pris autrement », songea Anna.

— Ce qui revient à dire que le premier venu, à la banque, a pu prendre les clés dans ton bureau et accéder au coffre avant que la nouvelle de ton arrestation soit connue, n'est-ce pas ? Et personne n'a évoqué cette possibilité, lors de l'instruction ?

Joe eut une moue évasive.

— Pas que je sache. La vérité, c'est que le F.B.I. a mené l'enquête à la va-vite parce que tout le monde était convaincu qu'on avait déjà mis la main sur le coupable.

— Alors, il faut commencer par avoir une petite conversation avec chacun de tes ex-collègues, décida Anna en fourrant son portefeuille dans une poche latérale de son sac.

D'un geste décidé, elle ferma la fermeture Eclair, et conclut :

—Ils en savent probablement beaucoup plus long qu'on ne le pense — et peut-être qu'il ne le pensent eux-mêmes.

— Mmm. Bien possible. Mais, après ce qui est arrivé à Frank, ça m'étonnerait que je puisse aller interviewer quelqu'un sans me retrouver arrêté pour meurtre. Et, en plus, je ne serai pas tout seul, ajouta-t-il d'un air sinistre. Tu seras dans le pétrin, toi aussi.

— Arrête de voir tout en noir, Mackenzie ! Essaie plutôt de me considérer comme un atout.

— Soit ! Admettons que tu ne sois pas directement impliquée mais simplement accusée de complicité. Dans ce cas, tu ne devrais pas en prendre pour plus de trois ans. C'est une vision suffisamment optimiste des choses, ça ?

Anna lui lança un coup d'œil furibond mais continua à ranger ses affaires, ajoutant un rasoir jetable et une brosse à dents neuve à l'intention de Joe. Il était temps de donner un autre tour à la discussion !

— Pour moi, tout est prêt. Descendons au parking... Je sais déjà quelques trucs sur Franklin Saunders et Sally Warner. Parle-moi de tes autres collègues de l'époque. Après tout, c'est notre liste de suspects. Avant d'avoir affaire à eux, il faut que je sois un peu au courant.

— Très bien.

Joe semblait enfin se résigner à l'idée qu'elle allait l'accompagner.

—Bon. Commençons par le directeur de la succursale, et passons la liste en revue.

— Allons-y... Oh ! Une seconde ! J'ai oublié de prendre des chaussettes !

Anna retourna sur ses pas, tandis que Joe l'attendait à la porte.

— Le directeur est un certain Caleb Welks. Son titre a l'air impressionnant, comme ça mais, en réalité, son pouvoir décisionnel est très limité. Toutes les décisions importantes, en matière de politique générale, sont prises par l'état-major de la maison mère, ici, à Denver...

Caleb Welks. *Caleb Welks.*

Ce nom résonna dans la tête d'Anna, faisant taire tout le reste. Elle était vaguement consciente du fait que Joe continuait à parler mais elle ne distinguait plus les mots, et encore moins leur sens.

— Caleb doit avoir cinquante-six ans, aujourd'hui, et il est dans la banque depuis son plus jeune âge…

Caleb Welks.

Anna dut s'asseoir sur le lit. Ses jambes ne la portaient plus. Cela faisait quinze ans qu'elle n'avait plus entendu prononcer ce nom à voix haute. A en juger par sa réaction, ce délai n'avait pas suffi à lui ôter son pouvoir destructeur.

Egarée, elle regardait de tous côtés, cherchant un élément familier auquel se raccrocher. Les murs dansaient, la tête lui tournait. Voilà qu'elle était de nouveau happée en arrière dans les ténèbres glacées de ses années de jeunesse.

Elle baissa la tête, attendant désespérément une bouée de secours qui l'aurait ramenée à la chaleur de la vie présente. Elle tenait encore à la main une paire de chaussettes blanches, et elle les regardait, hébétée, en essayant frénétiquement de se rappeler ce qu'elle avait l'intention d'en faire.

Caleb Welks. Caleb *Welks*. *Caleb Welks*.

Anna sentit son pouls s'accélérer. Elle commença à haleter. Son estomac se contracta. Seigneur ! Elle allait se trouver mal !

16.

Joe s'arrêta au beau milieu d'une phrase : quelque chose n'allait pas. Anna était pâle comme une morte, tout à coup. Le sang semblait s'être retiré d'elle ; elle avait les lèvres violettes. Mon Dieu ! Mais… elle était au bord de l'évanouissement !

Il vint s'asseoir près d'elle, au bord du lit, et lui entoura les épaules de son bras.

— Qu'est-ce qui t'arrive, ma chérie ?

Ce petit mot tendre lui était spontanément venu aux lèvres. Eloquent témoignage de ses sentiments ! A quoi bon se cacher à quel point il était attaché à Anna, désormais ? Même si c'était sans espoir… Il lui prit le poignet, cherchant son pouls.

— Où as-tu mal ?

Pas de réponse. Et rien qui indiquât qu'elle avait entendu la question. Mais que lui arrivait-il donc ? Un malaise cardiaque ? Elle avait une respiration précipitée, saccadée ; son pouls était comme fou.

Joe essayait de se rappeler si tout cela faisait bien partie des symptômes…

— Tu devrais t'allonger une minute. Ça te ferait du bien, dit-il en s'efforçant de garder une voix calme.

Il lui prit les mains. Elles étaient glacées. Il les frotta entre les siennes pour les réchauffer.

—Dis-moi où tu as mal. Parle-moi, je t'en prie ! Ma chérie…

Au lieu de s'allonger, Anna se tourna vers lui, les yeux
vides. Au moins, elle arrivait à bouger : c'était déjà ça.

— Ca… Caleb Welks…, bégaya-t-elle, la voix altérée.
Dis-moi à quoi ressemble ton directeur.

— Voyons, mon cœur, tout ça n'a aucune importance.
Nous pourrons parler de Welks plus tard, quand tu te sentiras
mieux.

— Dis-moi à quoi il ressemble, coupa-t-elle avec violence,
les yeux dilatés. Dis-le-moi *tout de suite* !

Son front n'était pas particulièrement chaud mais elle
semblait comme frappée d'hystérie. Tout cela ressemblait
bien peu à la femme qu'il lui semblait connaître.

Joe estima qu'il valait mieux éviter de la contrarier, même
s'il ne voyait absolument pas pourquoi elle tenait tant à savoir
à quoi ressemblait Caleb Welks.

Sans la quitter des yeux, de crainte qu'elle ne s'évanouisse,
il esquissa un portrait rapide du directeur de la banque, plus
attentif à l'expression d'Anna qu'à l'exactitude de sa description.

— Soit. Eh bien, c'est un gros type assez lymphatique. Il a
les yeux gris, je crois, ou peut-être marron, je ne me rappelle
plus très bien. Des cheveux châtains, raides, dégarni sur le
front, les tempes argentées. Un nez moyen. Quant à la bouche,
aux sourcils… il n'y a rien de très particulier à en dire. Il a
des traits quelconques. A part, peut-être, ses oreilles qui sont
très petites. Il a une bonne brioche. En tout cas, il en avait
une, il y a quatre ans, mais rien d'exceptionnel quand même
pour un homme de son âge.

— Et…

Anna avala avec effort.

332

—Et… sa femme ? demanda-t-elle.

— Sa femme ?

— Oui. Comment s'appelle-t-elle ?

Joe se rendit compte qu'Anna claquait des dents. Avait-elle froid ? Non, ce devait être l'état de choc. Mais qu'est-ce qui pouvait bien lui arriver ?

— Sa femme ! répéta Anna en agrippant sa chemise. Parlemoi de sa femme, bon sang !

Il était prêt à dire ou à faire n'importe quoi pour dissiper la lueur de démence qui avait envahi le regard d'Anna. Il obéit donc à sa demande, même s'il la trouvait absurde.

— La femme de Welks s'appelle Christine. Elle est assez agréable. Plutôt le genre timide. Caleb disait toujours qu'il avait eu la chance de tomber sur la dernière femme d'intérieur des Etats-Unis ! Selon toute apparence, Christine aimait vraiment coudre, faire la cuisine et s'occuper des enfants, et Welks lui en était reconnaissant.

Une expression de profonde horreur se peignit sur le visage d'Anna.

— Est-ce que… Est-ce qu'elle est beaucoup plus jeune que… que lui ?

Joe sentait les mains d'Anna trembler, tandis qu'elle lui posait cette question. L'évidence s'imposa à lui d'un seul coup : c'était ça qui avait causé un choc à Anna ! C'était quand il avait prononcé le nom de Caleb Welks… Mais pourquoi ?

— Est-ce que Christine a… vingt-cinq, trente ans ? reprit Anna, d'une voix qui se brisait.

— Oui. Elle est nettement plus jeune que son mari. De plus de vingt ans, je crois.

— Ah ! C'est bien ça. Ça correspond…, murmura Anna.

Et le feu lui monta soudain au visage, comme deux taches rouges trouant la pâleur mortelle de ses joues. Elle agitait violemment la tête de droite à gauche, comme pour chasser une vision insupportable.

— Est-ce… est-ce que Christine a l'air heureux ? demanda-t-elle péniblement.

Joe hésita un instant avant de répondre :

— Oui. Enfin, il me semble que oui. Elle avait l'air d'apprécier la compagnie de sa sœur, aussi.

— Sa sœur ? Ah ! Mais oui ! Bien sûr !

Anna était, maintenant, secouée d'un mauvais rire qui n'avait rien de réjoui.

—Sa sœur ! Sa *petite* sœur, je suppose ?

Joe ne comprenait rien à tout cela. Il ne voyait pas à quoi rimait cette conversation. Il savait seulement qu'elle lui était très désagréable et qu'il commençait à se sentir extrêmement mal à l'aise.

— Lynette — c'est le nom de la petite sœur — est venue s'installer chez Caleb et Christine à la fin de ses études secondaires. Ils se sont montrés très patients avec elle, l'un et l'autre, alors qu'elle ne faisait aucun effort pour trouver du travail ou s'inscrire à l'université.

— N'en dis pas plus. Je ne supporte pas d'en entendre davantage.

Anna se leva et ramassa son sac. Elle fit mine de quitter la pièce, puis revint sur ses pas, comme si elle ne pouvait pas s'arracher à leur conversation.

— Tu m'as bien dit que… Est-ce que Christine et son mari ont… des enfants ?

Joe acquiesça.

— Absolument. Ils en avaient déjà trois quand je travaillais à Durango, et Frank m'a appris qu'ils en avaient encore eu deux, depuis. Deux filles. Donc, deux filles et trois garçons en tout. Ce qui est énorme, par rapport aux standards actuels.

Anna semblait sur le point de défaillir.

— Il faut partir, déclara-t-elle, néanmoins.

Elle se dirigea vers la porte avec une expression obstinée, toujours blême mais soudain ragaillardie, comme électrisée sous l'effet de la décision qu'elle venait de prendre.

— Non.

Joe lui barrait le chemin. Elle crut qu'il ne voulait pas partir parce qu'ils n'avaient pas encore décidé où ils iraient. Mais il la détrompa vite.

—Pas tant que tu ne m'auras pas dit pourquoi tu as failli t'évanouir en entendant le nom de Caleb Welks. Je veux savoir, Anna. Qu'est-ce ça cache ?

— Rien, répondit-elle après un temps d'hésitation.

— Naturellement, il n'y a rien ! Mais comment donc ! Allons, Anna, je t'en prie ! Tu connaissais son nom. C'est pour ça que tu m'as demandé de te le décrire. Tu voulais être sûre qu'il s'agissait bien du même homme. Alors, c'est bien le même, n'est-ce pas ?

Anna marqua encore un temps d'hésitation.

— Oui. Je suis sûre que c'est lui. Il n'y a pas le moindre doute.

— J'ai l'impression que tu le connaissais très bien. Et quelque chose me dit que cela ne t'évoque que de mauvais souvenirs… Parle-moi, Anna. Je t'en prie. J'ai besoin que tu me dises tout ce que tu sais sur ce type.

— Je ne veux pas parler de lui.

Joe lui sourit chaleureusement.

— Je le vois bien. Tu ne supportes même pas de prononcer son nom. Mais tu es suffisamment informée sur les mécanismes psychologiques pour savoir que ce sont, précisément, les sujets dont on ne veut pas parler qu'il faut absolument mettre au grand jour.

— Va au diable, Mackenzie !

— Oh, pour ça, j'ai toutes mes chances ! Mais je n'irai pas avant que tu m'aies dit pourquoi l'évocation de Caleb Welks te met dans cet état.

Sur le moment, il fut convaincu qu'il ne tirerait rien d'elle. Mais elle le regarda avec un pauvre sourire, si douloureux qu'il en fut bouleversé.

— Très bien. Puisque tu veux tout savoir, j'ai été mariée à Caleb Welks, l'espace de vingt-quatre heures, quand j'avais dix-sept ans. Il est le père de mon enfant, de la petite fille que j'ai dû proposer à l'adoption, cinq heures après sa naissance.

Elle prit un mouchoir dans le tiroir de sa table de nuit.

— Ah ! Bon sang, je le hais ! Et je suis furieuse que ce salaud dégueulasse ait encore le pouvoir de me faire pleurer. Dieu sait qu'il n'en vaut pas la peine !

Anna avait été mariée à *Caleb Welks* ! Elle avait une fille de lui, qu'elle avait abandonnée à la naissance ! Seigneur ! Joe ne savait pas ce qui l'assommait le plus : découvrir que la jeune femme positive et battante qu'il croyait connaître cachait une autre Anna, douloureuse et profondément blessée, ou bien apprendre que Caleb était un maître dans l'art du mensonge. Les doutes l'assaillaient, les questions et les hypothèses se bousculaient dans son esprit. Cependant, il ne voulait pas leur laisser libre cours avant d'avoir répondu à Anna. Mais il ne trouvait rien à lui dire, qui fût à la hauteur de la terrible révélation qu'elle venait de lui faire.

— Je ne sais vraiment pas pourquoi je t'ai parlé de Marina, murmura-t-elle. Je ne parle jamais d'elle à personne.

— Marina est… ta fille, n'est-ce pas ? demanda Joe avec douceur.

336

Anna fit signe que oui.

— Elle a quatorze ans, maintenant, et elle vit à Seattle. Mais je ne pourrai pas la voir avant ses dix-huit ans. Cela fait partie du contrat d'adoption : je n'ai pas le droit d'entrer en contact avec elle avant son dix-huitième anniversaire.

Les larmes coulaient à flots sur ses joues, tandis qu'elle parlait, et elle les essuyait nerveusement avec son mouchoir déjà trempé.

Sans mot dire, Joe lui tendit une boîte de Kleenex. Il éprouvait une crampe douloureuse à l'estomac mais il n'aurait trop su dire si elle était causée par l'émotion qu'il éprouvait devant la détresse d'Anna ou bien par la rage que lui inspirait Caleb Welks. D'après ce que Joe croyait comprendre, il semblait bien que ce salopard ait abandonné Anna dans des conditions insupportables.

Ni l'un ni l'autre n'arrivaient à parler. Joe enveloppa Anna de ses bras pour lui offrir un peu de réconfort. Il sentait intuitivement qu'elle en avait besoin mais que jamais elle ne le manifesterait. Elle ne résista pas mais ne s'abandonna pas non plus. Elle se permit seulement de s'appuyer contre Joe. Mais elle restait raide et nouée. Joe avait l'impression qu'elle ne tenait qu'à force d'obstination.

Ses mains étaient toujours gelées, bien qu'elle eût, maintenant, le feu aux joues, et elle ne semblait pas se soucier des tremblements nerveux qui l'agitaient par intermittence. A moins qu'elle ne s'en aperçût même pas…

Joe la maintint ainsi contre lui pendant quelque temps. Il s'avisa ensuite qu'il n'était pas nécessaire de lui tenir des discours compliqués. Il suffisait qu'il murmure à son oreille les mots qui jaillissaient de son cœur, les paroles de tendresse et de réconfort qui lui venaient spontanément.

Le contenu de ses propos n'eut rien d'original, peut-être même était-ce à peine cohérent. Mais le son de sa voix eut l'air de la consoler un peu.

Après quelques minutes, elle poussa un long soupir, et il sentit qu'elle se détendait.

— Ça va ? lui demanda-t-il à voix basse.

Elle hocha la tête en signe d'acquiescement.

— C'est que… ç'a m'a fait un choc d'entendre ce nom, après toutes ces années. Mais ça va mieux, maintenant. Vraiment. Ce n'est plus la peine de me couver des yeux comme si j'allais me briser en mille morceaux.

Joe effleura sa joue avec tendresse, et lui dit d'une voix caressante :

— Tu peux te briser si ça doit te faire du bien. Je suis là pour ramasser les morceaux.

Elle réussit à lui rendre un pâle petit sourire.

— Nous n'avons pas le temps, et c'est probablement mieux comme ça. Pour tous les deux. C'est drôle : je venais, précisément, de me féliciter d'avoir réussi à tourner la page sur Caleb, et je m'imaginais que je maîtrisais à peu près mes sentiments en ce qui le concernait. Je constate que je sous-estimais le pouvoir de destruction qu'il a toujours eu sur moi.

Une demi-douzaine de reparties se bousculèrent dans l'esprit de Joe, toutes plus compliquées les unes que les autres. Pour finir, il posa une question toute bête. Sans doute la seule qui appelât une réponse claire.

— Comment as-tu pu être mariée à Welks, l'espace de douze heures ? Je ne savais pas qu'au Nebraska, on pouvait obtenir le divorce aussi vite !

— Heureusement pour moi, ce mariage n'était pas légal. C'est pourquoi je n'ai pas eu besoin de divorcer.

Sa voix était toujours contractée mais elle commençait, visiblement, à récupérer ses facultés.

—Caleb avait déjà deux femmes, à l'époque où il m'a épousée, reprit-elle. Deux femmes et six enfants.

— *Quoi ?* Ce gros tas à moitié chauve avait deux autres femmes dont il n'avait pas pris la peine de divorcer ? Et six enfants ? Seigneur ! Il n'avait donc pas entendu parler des méthodes de contraception modernes ?

— Il ne se soucie pas de cela. Au contraire : il considère que c'est son devoir de concevoir autant d'enfants qu'il plaît à Dieu de lui en envoyer. Et il n'avait pas besoin de divorcer de ses épouses puisqu'en toute légalité, il n'était pas marié avec elles. Caleb est polygame, adepte de l'Eglise des Saints des Derniers Jours et de la Vraie Vie. Ça fait partie de son credo : Dieu veut accorder à certains hommes élus le privilège de contracter des mariages « naturels » avec plusieurs femmes. Pour ma part, j'ai plutôt l'impression qu'il vit en état de péché mortel !

— Caleb Welks est *polygame* ?

— Aussi vrai que deux et deux font quatre.

Joe en restait bouche bée.

— Mais tu n'avais que dix-sept ans !

— Oui. Caleb était une espèce de fanatique qui louchait du côté des adolescentes… Je n'avais jamais formulé les choses aussi parfaitement jusqu'à aujourd'hui.

Joe était turlupiné par une autre pensée inconcevable.

— C'est donc pour ça que tu me posais toutes ces questions sur le compte de Christine et de Lynette ! Mon Dieu ! Tu ne penses quand même pas qu'elles étaient toutes les deux ses *épouses* ?

— J'en mettrais ma main au feu. J'ai connu Christine et Lynette bien avant d'être mariée à Caleb. Elles n'étaient encore que des gamines, à cette époque-là. Mais elles étaient cousines et non pas sœurs. Et je serais prête à parier que, sur les cinq enfants dont tu m'as parlé, il y en a au moins un qui est celui de Lynette.

Joe eut une moue de dégoût, comme s'il venait d'avaler un plat vraiment indigeste.

— Mon Dieu ! Lynette ne devait pas avoir plus de dix-sept ans quand elle est venue habiter chez Caleb et Christine. C'est obscène de penser à cette ordure en train de lui faire un enfant…

— Oui. C'est à vomir, hein ? Il doit avoir quarante ans de plus qu'elle. Et, à elle, on ne lui a certainement pas laissé le choix de poursuivre ses études ou de se lancer dans une carrière professionnelle.

Le téléphone sonna avant qu'Anna ait le temps d'en dire plus. La sonnerie les fit sursauter tous les deux, comme une menace.

— Il est plus de minuit, fit observer Joe. Beaucoup trop tard pour un appel banal.

— Je ne décroche pas. Le répondeur va se déclencher à la quatrième sonnerie.

En effet, la voix de Peter résonna bientôt dans la pièce, grave, presque théâtrale.

— Annie, c'est moi ! Tu es là ? Est-ce que tu es seule ?

Peter se tut, attendant qu'Anna réponde. Comme elle ne prenait pas la communication, il se remit à parler, plus bas encore que précédemment.

—Annie, si tu es toujours en vie, décroche le téléphone, pour l'amour du ciel ! Il faut que je te parle. J'ai quelque chose de très important à te dire. Je me suis rappelé où j'avais vu le gus qui était chez toi, tout à l'heure.

Joe et Anna échangèrent un regard anxieux. Anna hésita un instant, puis elle décrocha.

— O.K., Peter ! Mais alors, vite et bien ! Parce que j'ai un rendez-vous important, demain, à la première heure, et tu m'as réveillée.

Peter abandonna son ton tragique, et grommela :

— Tu devrais plutôt me remercier, Annie.

— Bonne nuit, Peter !

— Ne raccroche surtout pas !

Peter semblait sérieusement inquiet.

—L'homme qui était chez toi, tout à l'heure. Il… il est toujours là ?

— Bien sûr que non ! Mais je ne vois pas en quoi ça te regarde.

Joe était impressionné par l'aisance avec laquelle Anna mentait.

— Dieu soit loué ! Parce que je viens de me rappeler où j'avais vu sa tête : c'était au journal télévisé. Anna, ce type est recherché pour meurtre ! C'est un prisonnier échappé qui vient de tuer son meilleur ami, cet après-midi même, à Denver. Bon sang, Annie, tu l'as échappé belle !

17.

Il fallut cinq bonnes minutes à Anna pour convaincre Peter qu'il s'était trompé, que l'homme qu'il avait vu chez elle était un ancien camarade de faculté qui venait tout juste de débarquer de Seattle. Il était dans l'avion à l'heure où Franklin Saunders avait été assassiné !

Restait à espérer que Peter ait cru à ses mensonges… Anna ne se faisait pas beaucoup d'illusions. En raccrochant le téléphone, elle regarda Joe. A son expression soucieuse, elle comprit qu'il n'était pas plus optimiste qu'elle. Désormais, la police devait savoir qu'ils étaient ensemble. Il fallait s'y attendre.

Le coup de téléphone de Peter les galvanisa. Ils quittèrent l'appartement en toute hâte et, quelques minutes plus tard, ils fonçaient vers l'autoroute.

La dernière fois qu'elle s'était retrouvée au volant avec des crampes d'estomac et le cœur prêt à éclater, elle avait dix-sept ans, et elle craignait d'être poursuivie par la police. Elle fuyait Caleb Welks.

Quinze ans plus tard, le destin la renvoyait à Caleb Welks. Et, cette fois, la police était vraiment à ses trousses. Il y avait sans doute une belle leçon à tirer de cette ironie du sort, mais elle ne se sentait pas d'humeur à philosopher.

— Nous allons donc à Durango, constata Joe en lisant les panneaux, à l'embranchement de l'autoroute.

Il jeta un coup d'œil latéral, tandis qu'ils dépassaient un poste de gendarmerie.

— Bon sang ! dit-il entre ses dents. Il y a une voiture de police derrière nous. Et elle se rapproche à toute allure !

Juste à ce moment-là, Anna fut aveuglée par la lumière des phares dans son rétroviseur. Elle sentit un grand vide l'envahir, puis un vent de panique s'empara d'elle.

— Qu'est-ce que je fais s'ils nous arrêtent ?

— Espérons que ce sont des agents de la circulation, marmonna Joe d'un air sombre.

— Mais je ne suis pas en excès de vitesse !

Pour toute réponse, Joe prit le revolver d'Anna dans la boîte à gants, puis il le posa sur ses genoux en le pointant vers elle.

— S'ils nous arrêtent, pas d'héroïsme, Anna ! Dis-leur que je t'ai forcée à monter en voiture.

— Tu risques la perpétuité si je dis ça ! protesta-t-elle en lui lançant un bref regard.

Il la considéra tranquillement.

— A part un miracle, c'est ce qui m'attend. Quoi que tu fasses.

— Alors, je pense que je vais croire aux miracles…

Le jet de lumière brutale qui trouait la nuit derrière eux se rapprochait dangereusement, accompagné d'un hurlement de sirène. Cramponnée au volant, Anna ralentit et se rabattit sur la file de droite, en priant le ciel que la voiture de police la dépasse sans s'arrêter. Elle faillit s'étrangler de soulagement lorsqu'elle comprit que les gendarmes en voulaient au camion qui roulait devant elle. Le chauffeur avait dû faire un excès de vitesse, mais elle éprouvait un tel sentiment de culpabilité qu'elle ne s'en était pas rendu compte.

Joe poussa un soupir presque aussi profond que le sien, et rangea le revolver dans la boîte à gants.

— Espérons que cette petite plaisanterie ne se reproduira pas trop souvent au cours de la nuit. Mon sens de l'humour n'y résisterait pas.

Anna dut attendre pour répondre que les battements de son cœur se soient un peu calmés.

— Je crois que je n'ai pas la trempe d'une criminelle, déclara-t-elle quand elle se fut enfin reprise. Je me fais l'effet d'une lavette !

Joe la regarda en silence, puis finit par éclater de rire.

— Tu parles sérieusement ? Alors écoute, ma douce : il n'y aura jamais rien de commun entre toi et une lavette !

Anna se sentit ridiculement flattée du compliment. Elle avait fréquenté pas mal d'hommes, dans l'espoir, toujours déçu, d'effacer le souvenir de Caleb Welks. Et pas un ne l'avait regardée comme Joe la regardait en cet instant. C'est-à-dire comme la créature de rêve la plus fascinante qu'il eût jamais rencontrée…

Il effleura son genou d'une caresse sensuelle, destinée à la troubler, lui sembla-t-il, autant qu'à la rassurer.

— Alors, par où commençons-nous notre enquête ?

— Je pensais à Alana Springs, une petite ville située à une centaine de kilomètres de Durango. La police n'aura jamais l'idée de venir nous y chercher, et c'est un endroit judicieux pour poser nos premières questions.

— Alana Springs ? Ça ne me dit rien du tout.

— Normal. C'est une agglomération de ranchers, pas bien riche. Une famille sur deux vit d'allocations et d'aides sociales diverses. Il y a un poste à essence et un seul dépôt d'épicerie installé dans un entrepôt d'aliments pour le bétail. On va y chercher ses conserves de haricots ou ses paquets de farine sur l'étagère à côté du gas-oil et de l'engrais.

Joe eut un sourire.

— J'imagine que ce n'est pas pour le standing que tu nous y emmènes ! Alors, pourquoi ?

— Parce que c'est là que Caleb Welks habitait, juste à la sortie de la ville, et que c'est aussi le siège de l'Eglise des Saints des Desniers Jours et de la Vraie Vie. Il y a des chances pour que les deux premières femmes de Caleb vivent toujours dans la même maison. Il se pourrait même qu'elles acceptent de nous parler. En tout cas, ça me paraît un bon endroit pour commencer.

— Excellent, même. Seulement, pour quelle raison ces femmes continueraient-elles à vivre ensemble si leur mari a quitté la ville ?

— Et où voudrais-tu qu'elles aillent ? Darlene et Pamela avaient toutes les deux des enfants à élever, et elles ne possédaient aucune qualification professionnelle. Par ailleurs, l'une des raisons pour lesquelles la polygamie persiste, dans cette communauté, c'est que les hommes prennent leurs obligations familiales très au sérieux. Aussi incroyable que ça puisse paraître, c'est une vraie sécurité pour les femmes d'Alana Springs — à la seule condition qu'elles respectent le code de bonne conduite de l'Eglise, et qu'elles ne parlent jamais de leurs problèmes à des membres extérieurs à la communauté.

— Tu veux dire que Caleb entretient toujours ces femmes, même s'il n'a jamais été légalement marié avec elles ?

Anna acquiesça.

— Il paie probablement toutes les factures, et il leur verse même une petite pension. La polygamie revient extrêmement cher, et pas mal de familles vivent à peine au-dessus du seuil de pauvreté, à Alana Springs. Caleb, avec son emploi de col blanc à la banque, a toujours été considéré comme l'un des plus riches notables de l'Eglise des Saints des Derniers Jours et de la Vraie Vie. Je serais surprise qu'il ait renoncé à entretenir sa réputation.

— C'est donc si important, ce que les autres membres de l'Eglise peuvent penser de lui ? demanda Joe en essayant d'adapter sa ceinture de sécurité qui devait frotter contre sa blessure. Après tout, il ne vit plus à Alana Springs. Il doit vouloir s'intégrer à la petite élite du monde des affaires de Durango, plutôt que de s'occuper du qu'en-dira-t-on dans un patelin sans intérêt où sévit une secte marginale !

— C'est ta façon de voir les choses, mais pas celle de Caleb. Il a toujours été partagé entre deux mondes différents mais je pense qu'il croit sincèrement dans les préceptes de l'Eglise de la Vraie Vie.

— Qu'il y *croyait* sincèrement, rectifia Joe. Il faut en parler au passé. Parce qu'il a quitté Alana Springs, maintenant. Ça fait huit ans qu'il est installé à Durango !

— Peut-être, mais il n'a sûrement pas renoncé à la polygamie. Sinon, il ne vivrait pas avec Christine et Lynette, et il ne serait pas obligé de mentir à propos de sa situation matrimoniale.

— Mais enfin, son histoire de mariage, c'est peut-être la vérité ? Il a très bien pu épouser Christine et prendre Lynette chez lui parce qu'elle n'avait pas de travail !

— Et comment se fait-il qu'elle vive encore à leurs crochets, au bout de sept ans ?

Anna secoua la tête.

— Non, non, reprit-elle. Tout ça, ce sont les boniments habituels. C'est ce que racontent tous les membres de l'Eglise de la Vraie Vie quand ils veulent cacher qu'ils ont plusieurs jeunes épouses.

— Est-ce que tu connaissais bien Christine et Lynette ?

Sans ralentir, Anna remua une épaule, puis l'autre, pour essayer de se détendre, puis elle répondit enfin, après un temps de réflexion :

— Nous n'étions pas des amies intimes. Mais Christine n'avait que trois ans de moins que moi, et tout le monde connaît tout le monde, à Alana Springs. Ce qui est certain, en tout cas, c'est qu'aucune de ces deux filles n'aurait été donnée en mariage à Caleb s'il n'était pas resté un fervent adepte de l'Eglise de la Vraie Vie.

— J'ai vraiment du mal à me faire à cette idée ! dit Joe. Comment est-il imaginable que Christine et Lynette acceptent de rester avec Caleb ? Se résigner à la polygamie, quand on vit dans une communauté isolée où tout le monde fait partie de la secte, c'est une chose. Mais Christine et Lynette vivent à Durango ! Et depuis des années ! Je ne vois pas ce qui les empêcherait de changer de vie si elles étaient malheureuses.

— C'est bien simple, dit Anna avec un soupir de résignation. C'est qu'elles ne doivent pas être malheureuses !

— Tu veux dire qu'elles *aiment* partager leur mari ? Qu'elles *aiment* être mariées à un homme qui aurait largement l'âge d'être leur père ? On ne me fera jamais croire ça !

Ce qui était extraordinaire, ce n'était pas que des jeunes filles acceptent des mariages arrangés par leurs parents. Ce qui était extraordinaire, Anna s'en rendait compte, maintenant, c'était qu'elle, elle ait décidé de fuir pour échapper à cette situation.

— Ce n'est, pourtant, pas si difficile à croire ! reprit-elle. Christine et Lynette appartiennent à la quatrième génération polygame. Elles n'ont jamais connu d'autre style de vie. Leur

348

arrière-grand-père était l'un des fondateurs de l'Eglise de la Vraie Vie. Il s'est séparé de l'Eglise mormone pour une dissension sur la question de la polygamie : il avait reçu en songe la visite d'un ange, au début des années 30. L'ange lui a ordonné d'émigrer à Alana Springs et de fonder l'Eglise de la Vraie Vie. Ils étaient vingt pionniers au début, et ils devaient être d'une pauvreté désespérante. C'était pendant la Crise de 29 et, par-dessus le marché, le Colorado connaissait une période de grande sécheresse. Le simple fait que la Communauté ait survécu est apparu comme un signe de l'approbation divine. Tout ce qu'on peut dire, en tout cas, c'est que la secte a fini par prospérer, puisqu'elle est passée à six mille membres actifs, disséminés dans de petites communautés un peu partout en Amérique.

— Six mille membres ! s'exclama Joe.

Dans un élan de stupéfaction, il s'était porté en avant, mais il reprit vite sa place sur son siège avec une grimace de douleur. La ceinture venait de nouveau de frotter contre ses points de suture.

—Tu veux dire qu'il y a six mille polygames aux Etats-Unis ?

— Vingt ou trente mille, plutôt ! corrigea Anna. Il y en a aussi au Canada. D'ailleurs, la mère de Christine venait d'une communauté polygame de Colombie britannique. L'Eglise de la Vraie Vie enseigne que les filles sont la propriété de leur père jusqu'à leur seizième année. Après quoi, elles passent sous la tutelle des Anciens. A moins qu'elles ne se marient, évidemment. Auquel cas, elles deviennent la propriété de leur mari. Ce qui signifie qu'elles n'ont jamais la liberté d'agir à leur guise. Les filles font l'objet d'échanges entre Alana Springs et la Colombie britannique, dans le but d'éviter de trop fréquents mariages consanguins.

— Ça veut donc dire que ces filles, toutes jeunes, épousent des hommes qu'elles n'ont jamais vus auparavant, et dont elles n'ont, évidemment, aucune chance de tomber amoureuses… Outre le fait qu'elles se retrouvent à des milliers de kilomètres de chez elles.

Anna eut presque envie de sourire en entendant le ton horrifié de Joe. Presque seulement.

— Pour un membre de l'Eglise de la Vraie Vie, le mariage n'a rien à voir avec les sentiments amoureux. Le mariage sert à optimiser le nombre d'enfants qu'un homme peut concevoir.

Joe eut un haut-le-corps.

— On est aux Etats-Unis, tout de même ! Pas en Afghanistan ! Il n'y a pas de milices religieuses qui patrouillent dans les rues et qui fouettent les femmes qui osent sortir sans la surveillance d'un homme. Je n'arrive pas à imaginer que des femmes américaines puissent accepter ce genre de vie. En fait, je n'arrive pas non plus à imaginer que des hommes puissent le leur infliger.

— C'est qu'ils y trouvent plus d'avantages que tu ne sembles le croire !

La vérité, c'était qu'Anna elle-même avait aimé la vie qu'elle avait menée chez Ray Welks, pendant les premières années. Ses demi-frères d'adoption étant plus jeunes qu'elle, il n'y avait pas d'adolescent mâle pour la gouverner. Et elle était heureuse d'avoir des demi-sœurs à peu près de son âge avec lesquelles elle pouvait partager ses inoffensifs petits secrets. Elle aimait l'atmosphère enthousiaste que suscitait l'arrivée de chaque nouveau bébé. Elle aimait avoir des tout-petits à dorloter et à soigner. Elle aimait les vastes tablées dans la cuisine, les repas familiaux autour des marmites fumantes, les plats de pommes de terre, les beignets de poulet, et les daubes à la tomate verte de tante Debbie… Elle aimait même les rencontres bibliques du vendredi soir, à l'école, qui lui donnaient l'occasion de retrouver toutes ses amies, et les services du dimanche matin, au temple, où elle était autorisée à porter une robe à volants confectionnée par tante Patsy… Quant à son beau-père, c'était un tyran domestique mais un tyran débonnaire — du moins jusqu'à ce qu'elle se rebelle contre son diktat.

— Vu sous un certain angle, on peut trouver une sorte de charme désuet à ce style de vie, dit-elle pour répondre à la diatribe de Joe. Charme désuet un peu perverti, évidemment, mais… si les épouses s'entendent bien entre elles, elles peuvent s'épauler vraiment, entretenir une amitié et une affection véritables. Si on est fatiguée, il y en a toujours une pour tenir la maison et s'occuper des enfants. Quand l'une déteste cuisiner, il s'en trouve généralement une autre pour aimer ça. Pareil pour la couture ou le jardinage… Les hommes affirment que ce n'est pas pour le sexe qu'ils veulent plusieurs épouses, mais moi, je crois que c'est quand même en partie pour ça, malgré toutes leurs pieuses protestations. Cela dit, ce ne sont pas non plus des obsédés du sexe.

— Alors, quelles sont leurs véritables motivations ?

— Le pouvoir. C'est la volonté de puissance qui tient les hommes et qui les maintient dans leur credo. Ils sont les maîtres absolus chez eux, et cette toute-puissance ne s'exerce pas seulement sur une femme mais sur un harem entier ! Leur parole a valeur de loi. Quand le seigneur et maître ouvre la bouche, toute la maisonnée écoute et obéit. Les enfants comprennent vite qu'il y a un certain nombre de mères dans le circuit mais qu'il n'y a qu'un seul père, et que c'est sa volonté à lui qui compte. Et puis, il y a l'ultime argument : le ciel. L'Eglise de la Vraie Vie enseigne que les femmes ne peuvent aller au ciel qu'avec le consentement de leur mari. Pour les épouses, c'est un chantage permanent. Du point de vue de l'homme, c'est l'assurance d'un pouvoir illimité. Il ne contrôle pas sa femme seulement pendant cette vie ; il la contrôle jusque dans l'éternité.

— C'est monstrueux ! dit Joe, atterré. Absolument monstrueux.

— Oui. Mais ça marche avec pas mal de gens.

— Mais toi, tu t'es rebellée ! Tu t'es échappée !

— Moi, je suis l'exception qui confirme la règle. Mon père est mort juste avant que j'entre au collège, et les années que j'ai passées dans ma banlieue, avant que ma mère n'épouse Ray Welks, m'ont offert des critères d'appréciation et de comparaison que n'avaient pas la plupart des autres filles d'Alana Springs.

— Ray Welks ? répéta Joe. Ton beau-père avait un lien de parenté avec Caleb ?

— Oui. C'est son frère aîné. Maman l'a épousé environ un an après la mort de mon père.

— Donc, on t'a mise dans le lit de ton oncle adoptif !

Joe ne cachait pas le dégoût que lui inspiraient ces alliances immondes.

—Tout ça sent l'inceste à plein nez ! conclut-il.

— C'est vrai mais, en même temps, on trouve des unions beaucoup plus incestueuses, à Alana Springs ! Et cela, en dépit de tous leurs efforts pour importer du sang neuf !

Ils continuèrent à discuter à bâtons rompus, tout en avalant les kilomètres.

352

Quel drôle de voyage ! songeait Anna. Sur la route d'Alana Springs, elle fouillait son passé dans l'espoir de libérer son avenir. Et Joe en faisait tout autant. Ce voyage dans l'obscurité les portait à se confier les secrets les plus intimes de leurs vies respectives. Et cela de façon tout à fait naturelle...

Lorsque Joe posa des questions à propos de Marina, Anna se révéla intarissable. Les vannes s'ouvraient enfin. Elle lui fit part des moindres détails qu'elle avait glanés au fil des années, et s'émerveillait elle-même de découvrir combien il était doux de pouvoir parler librement de son enfant, malgré le pincement au cœur qu'elle éprouvait inévitablement.

De son côté, Joe lui parla de ses parents. De Claire, sa mère, qui était, paraît-il, aussi douce et pure que son prénom, mais qui souffrait d'une maladie du cœur non diagnostiquée. Faiblesse qui l'emporta lorsqu'elle mit son fils au monde.

Par une ironie du sort, son père était gardien de prison au Kansas. Tom Mackenzie ne buvait jamais ; il allait à la messe le dimanche et tenait la bride serrée à sa deuxième femme, mais il ne s'était jamais montré violent envers elle, ni physiquement ni verbalement. Il gardait sa brutalité pour son unique fils, probablement parce qu'il ne lui pardonnait pas d'avoir causé la mort de sa mère en venant au monde...

Sa violence ne fit qu'augmenter lorsque Joe se révéla un étudiant hors pair et un musicien surdoué. Tom Mackenzie n'avait aucune admiration pour la culture en général, et il exécrait la musique au-delà de toute expression, considérant que c'était réservé aux homosexuels, aux drogués et autres dégénérés. Il fut horrifié lorsqu'il apprit que son fils prenait des cours de violon. S'il y avait un instrument de pédé et de lavette, c'était bien le violon ! Tom Mackenzie interdit les leçons de violon — ordre que Joe outrepassa allègrement jusqu'à ce que son père lui casse le bras pour bien marquer son autorité.

A partir de cette époque-là, le père Mackenzie garda un œil méfiant sur Joe, redoutant qu'une nouvelle manifestation de son Q.I. dangereusement élevé ne provoque l'apparition de symptômes malsains. En guise de remède, il tapait sur son fils jusqu'à l'épuisement.

Joe supporta cette situation jusqu'au jour de son quinzième anniversaire. Il mesurait alors cinq centimètres de plus que son père, même s'il pesait quinze kilos de moins. Lorsque ce dernier s'avisa de lui balancer un coup de poing, Joe le lui rendit. Puis un deuxième… Il laissa son père sur le carreau, et quitta la maison avec les vêtements qu'il portait sur le dos et les trois sous qu'il avait en poche.

Il fit du stop jusqu'à la ferme de ses grands-parents, à cinq cents kilomètres de là, dans le sud du Kansas, et ne remit jamais les pieds sous le toit paternel.

Par la suite, il remporta un concours qui lui permit d'obtenir une bourse d'études à l'université du Kansas.

Après deux ans à New York, comme courtier de change, il reprit des études, et obtint son mastère de gestion à la Wharton School de Philadelphie. Son engagement à Durango, qui était, somme toute, un poste de seconde zone, avait été son choix propre : on était dans les années 90, le marché boursier était en pleine expansion. Joe voulait trouver un moyen d'intégrer les petites communautés rurales, au moment où une formidable explosion économique était en train de se faire sans elles.

A deux reprises, Anna et Joe eurent des frayeurs en rencontrant des patrouilles de police, mais, chaque fois, il s'agissait de fausses alertes.

Ils arrivèrent à Alana Springs vers 7 heures du matin, après s'être arrêtés brièvement sur le bord de la route pour manger leurs barres céréalières et boire un verre d'eau en regardant le lever du soleil.

Anna éprouvait une sensation de brûlure au niveau des yeux : comme si on les lui avait passés au papier de verre. Quant à Joe, malgré ses efforts pour traiter la douleur par le mépris, il ne pouvait plus cacher que sa blessure le faisait souffrir comme un damné. Il prit une dose d'antibiotiques et quatre comprimés d'antalgiques. Après quoi il déclara qu'il avait retrouvé la « pêche ».

Anna n'en crut pas un mot. Mais elle se réjouissait qu'ils aient, malgré tout, réussi à faire la route sans être arrêtés. Elle retrouva même avec un certain plaisir les environs d'Alana Springs.

La ville avait dû prospérer pendant le boom des années 90. Le macadam des rues avait été refait, et il y avait un drugstore flambant neuf juste en face de la station-service, à l'intersection des deux artères les plus importantes. On comptait quatre voitures garées devant le Maisie's Coffee Shop — il y avait de fortes chances pour que ce soit toujours le lieu de rendez-vous des quelques citoyens qui n'étaient pas membres de l'Eglise de la Vraie Vie : ceux-là seuls étaient autorisés à polluer leur organisme avec de la caféine.

A part ça, la ville était à peu près déserte. Ils descendirent la rue principale et s'engagèrent sur la départementale qui menait à la maison de Caleb.

La maison sembla à Anna plus petite que dans son souvenir mais aussi plus avenante. Le crépi avait été refait récemment, et l'entrée était flanquée par deux grosses jarres pleines de tulipes magnifiques. Il y avait aussi deux bouquets d'arbres agréablement disposés de part et d'autre de la maison — des trembles, apparemment — qui ne devaient pas être là, du temps d'Anna. Enfin, une bordure de bonne terre qui semblait avoir été retournée fraîchement, sans doute dans l'attente de plantations, courait tout le long du perron.

Une Toyota Cruiser étincelante était garée sous le porche, à côté d'une Ford Escort et d'une camionnette défraîchie. Avec trois voitures devant la maison, on était en droit d'espérer trouver au moins Darlene et Pamela...

Anna gara sa Subaru devant les marches du perron. A l'endroit précis où Ray avait laissé sa voiture, le jour de son mariage... Elle coupa le contact, mais dut marquer un temps d'arrêt avant d'être en mesure de sortir de la voiture... Elle s'attendait à des souvenirs pénibles, mais elle n'imaginait pas que son corps réagirait comme si c'était hier. Comme si elle n'était encore qu'une gamine de dix-sept ans qu'on allait livrer à un viol rituel au nom d'une religion perverse.

Elle haïssait toujours autant Caleb Welks, voilà la vérité ! Et ce sentiment de haine était devenu un poids mortel niché dans les profondeurs de son être, et qui lui plombait l'âme.

Joe passa le bras autour de ses épaules.

— Est-ce que ça va ?

— Je me sens très bien.

Elle aussi, elle était capable de mentir !

— Et ton revolver ? Tu le laisses dans la voiture ?

— Non. Contrairement au règlement, je le prends. Trop facile à voler.

Joe eut un petit rire.

— Qu'est-ce qu'il y a de drôle ?

— Que tu te soucies encore de déontologie ! Au point où nous en sommes, je pense que ce n'est plus un problème.

— Alors, admettons que ce soit pour des raisons de sécurité.

Elle vérifia que le revolver était verrouillé, et le glissa dans son sac à dos.

Joe sortit de la voiture et s'étira.

— Il y a une femme qui nous observe derrière un rideau, à l'étage.

Anna leva la tête juste à temps pour voir le rideau retomber.

— Au moins, nous savons qu'il y a quelqu'un !

L'anecdote du rideau lui rappela d'un seul coup l'atmosphère de bêtise et de pusillanimité dans laquelle on croupissait, à Alana Springs.

Galvanisée par l'irritation qui montait en elle, elle gravit les marches du perron à la suite de Joe, et appuya avec insistance sur le bouton de la sonnette.

Ils n'eurent pas à attendre très longtemps. Une femme vint leur ouvrir. Anna reconnut les pommettes couperosées, la peau vieillie prématurément par le grand air et le soleil redoutable du Colorado, les yeux bleus et les cheveux gris où subsistaient quelques mèches acajou…

Pendant un instant, la jeune femme oublia de respirer. Les souvenirs, les émotions déferlèrent, et elle dut faire un effort pour ne pas se laisser submerger.

— Maman ? murmura-t-elle avec peine. Que… qu'est-ce que tu fais ici ?

Sa mère ne lui répondit pas, ne lui sourit même pas.

— Tu as fai ton choix, il y a quinze ans, dit-elle. Pourquoi es-tu revenue ?

La réaction de sa mère atteignit Anna en plein cœur, plus profondément qu'elle ne l'aurait cru possible. La gorge serrée, elle était incapable de prononcer le moindre mot. Heureusement, Joe vint à sa rescousse et répondit pour elle.

— Nous cherchons Pamela et Darlene Welks.

— On ne peut pas les joindre. De toute façon, qui que vous soyez, vous n'avez rien à faire ici.

Betty Jean s'était déjà retournée et s'apprêtait à refermer la porte.

Joe s'élança, coinça son pied dans celle-ci et insinua l'épaule entre le chambranle et le battant.

— Nous avons des questions à vous poser sur Caleb Welks. Pour une affaire urgente.

— Vous n'avez pas le droit d'entrer chez les gens par la force ! cria Betty Jean. Allez-vous-en !

— Certainement. Dès que vous aurez répondu à nos questions. Sinon, nous serons obligés de faire une petite visite à la police de Durango pour les informer que Caleb Welks est un polygame avéré qui a eu au moins cinq épouses, au cours de sa vie. Avez-vous envie de voir votre beau-frère en prison ? Sans parler de l'enquête qui s'ouvrirait à Alana Springs sur les pratiques de l'Eglise de la Vraie Vie, à la suite de l'arrestation et du jugement de Caleb Welks !

Le sang quitta les joues de Betty Jean.

— Caleb n'a jamais épousé personne selon les procédures de l'Etat. Il n'a rien à craindre de gens comme vous.

Son regard glissa vers Anna.

— Ou comme elle.

— Vous voulez parier ?

Joe avait donné à sa voix une inflexion menaçante.

— Laissez-les entrer, Betty Jean. Nous pouvons entendre ce qu'ils ont à nous dire, fit une voix masculine, à l'arrière-plan.

Une voix assourdie, fatiguée mais qu'Anna n'eut aucun mal à identifier. Caleb Welks. Comment aurait-elle oublié cette voix qui avait peuplé ses cauchemars, des années durant ?

Il s'avança et vint se placer derrière Betty Jean. Anna sentit sa blessure se rouvrir, et un poison dévorant envahit tout son être, aussi vivace que quinze ans auparavant.

Elle aurait voulu sauter à la gorge de Caleb, laisser libre cours à sa douleur et à sa haine, et vomir toutes les insultes qui l'étouffaient depuis si longtemps. Elle aurait voulu le frapper à mains nues pour se venger des outrages qu'il lui avait fait subir.

Mais, plus que tout, elle aurait voulu s'enfuir très loin, se cacher et ne plus avoir à affronter le spectacle de sa mère la trahissant une fois encore.

Elle s'était inconsciemment rapprochée de Joe, et ne s'en aperçut que lorsqu'elle sentit ses doigts emprisonner les siens. Les doigts de Joe diffusaient sa chaleur bienfaisante et sa force vitale, et leur contact revigorant la ramena à l'heure présente, l'empêchant de sombrer dans un passé cauchemardesque.

Sa mère s'effaça devant Caleb, se reléguant d'elle-même dans les coulisses réservées aux seconds rôles. Elle laissait le maître faire face à l'ennemi, tel un héros dans sa solitude splendide ! songea Anna en ricanant intérieurement.

Caleb était plus vieux, plus gras et encore plus inconsistant que dans son souvenir. Mais, malgré tout cela, il la faisait toujours frissonner.

— Anna.

Il lui adressa un signe de tête, montrant qu'il l'avait parfaitement reconnue. En revanche, il réprima un mouvement de surprise en reconnaissant son compagnon.

—Joe ! Mon Dieu, mais c'est Joe Mackenzie ! Je ne savais pas que vous étiez sorti de prison… Que voulez-vous ?

Joe lui adressa un sourire carnassier.

— Eh bien, pour commencer, j'aimerais savoir qui m'a fait accuser de détournement de fonds.

18.

Betty Jean les conduisit dans le salon pour qu'ils puissent parler à leur aise. Jetant un coup d'œil du côté de Caleb pour voir s'il approuvait sa suggestion, elle proposa de faire du thé et d'apporter les muffins frais qu'elle avait confectionnés pour le petit déjeuner. Caleb acquiesça d'un signe de tête, et Betty Jean disparut vers la cuisine.

Caleb désigna un canapé à Anna et Joe, et les pria de s'asseoir.

— Darlene rentre tout juste de l'hôpital, dit-il. C'est la raison pour laquelle vous me trouvez ici. En temps normal, je ne viens que le deuxième et le quatrième week-end du mois. Mais Darlene a dû subir une intervention pour un... euh... pour un problème gynécologique, et Betty Jean est venue s'occuper d'elle.

— Je suis navrée que Darlene soit souffrante.

Anna avait les nerfs à fleur de peau, et elle luttait pour rester à peu près polie.

—Où est Pamela ? demanda-t-elle. Pourquoi ne peut-elle pas s'occuper de Darlene ?

Caleb ne répondit pas tout de suite. Ses mains inquiètes tripotaient le napperon qui protégeait les bras du fauteuil.

— Pamela ne vit plus ici, dit-il finalement.

361

Anna redressa la tête d'un mouvement brusque.

— Elle est partie ?

Caleb se contenta d'incliner la tête en signe d'acquiescement.

— Pamela a choisi d'aller vivre avec l'un de ses cousins, en Californie. Il y a plusieurs années de cela. Elle a emmené nos deux filles avec elle. Notre fils avait déjà quitté la maison pour s'engager dans l'armée de l'air.

L'émotion étincela un instant dans le regard de Caleb, mais Anna n'arrivait pas à déterminer s'il s'agissait de colère, de ressentiment ou d'humiliation... Peut-être était-ce tout cela à la fois ?

— Décidément, vous n'avez pas de chance avec vos femmes ! lança-t-elle. Elles n'ont pas l'air d'aimer vivre à vos côtés. Je me demande bien pourquoi...

Caleb se détourna. Pas assez vite, cependant, pour parvenir à dissimuler le sentiment qui l'avait assailli : ce n'était ni de la colère ni de l'humiliation, cette fois. C'était de la haine.

Sa voix, pourtant, restait douce, et avait l'air presque conciliante lorsqu'il répondit à Anna :

— Je n'ai nullement à m'excuser pour les choix de vie qui sont les miens. Ni devant vous ni devant personne. Les Etats-Unis prétendent offrir la liberté de culte, mais aux yeux de ceux qui, comme moi, croient sincèrement dans le mariage « naturel », cette prétention n'est qu'une sinistre plaisanterie.

Il eut un sourire cynique en ajoutant :

—Cependant, j'ai pris conscience, avec les années, que je devais respecter la sensibilité de ceux qui entendent mener leur vie différemment, si je voulais qu'ils respectent mon droit à vivre selon ma foi. Je regrette beaucoup que l'on t'ait forcée à participer à un mariage dont tu ne voulais pas, Anna. La contrainte n'était pas de mon fait. J'avais l'impression qu'au contraire, tu étais heureuse de devenir ma femme.

— Ah ! non ! Par pitié, Caleb ! Ne réécrivez pas l'histoire ! Quand j'ai fait savoir que je ne voulais pas vous épouser, votre frère m'a confisqué mes chaussures et m'a enfermée dans ma chambre pendant trois jours avec une carafe d'eau et rien à manger. Le fait qu'on ait dû m'enfermer pour m'empêcher de me sauver aurait pu vous faire comprendre que je n'étais pas exactement réjouie à l'idée de vous épouser, me semble-t-il !

La voix de Caleb se durcit.

— On ne m'avait jamais parlé de ta répugnance. Jamais. Jusqu'à ce que je m'éveille et que je trouve mon lit vide, je n'avais pas le moindre soupçon. Comment aurais-je deviné que tu ne désirais pas ce mariage autant que je le désirais moi-même ?

« Belle performance d'acteur ! » se dit Anna.

Joe lui-même avait l'air à moitié convaincu. Mais, à elle, on ne lui ferait pas avaler ça ! Elle avait passé six semaines à étudier Caleb pendant leurs fiançailles ; elle l'avait observé intensément, comme une proie scrute son prédateur. Elle était prête à mettre ses deux mains au feu qu'il savait parfaitement à quoi s'en tenir. Il savait pertinemment qu'elle ne voulait pas l'épouser, mais il considérait que cela n'avait aucune importance. Et, aujourd'hui, il était toujours furieux qu'elle eût échappé à ses griffes impunément…

Betty Jean revint avec un plateau lourdement chargé. Elle eut un murmure de surprise et balbutia un remerciement étonné lorsque Joe lui prit le plateau des mains pour le déposer sur la table.

— Je vous laisse bavarder, déclara-t-elle vivement en lorgnant du côté de Caleb pour vérifier qu'il l'approuvait.

Je vais retrouver Darlene. Elle n'a pas grand appétit… Elle appréciera probablement d'avoir de la compagnie pour son petit déjeuner.

— J'en suis sûr, répondit Caleb avec un sourire chaleureux. Un grand merci pour votre aide, Betty Jean.

— Je vous en prie.

Betty Jean avait l'air anormalement agitée. Elle lançait des regards furtifs en direction d'Anna, comme si elle avait voulu lui parler mais que le courage lui avait manqué autant que les mots.

— Ta mère est une brave femme, fit remarquer Caleb lorsque Betty Jean eut quitté la pièce. Elle connaît son devoir, et elle le remplit avec tout son cœur.

Il se leva pour présenter à Anna le plat rempli de muffins.

La jeune femme secoua la tête, refusant de toucher à la nourriture. Elle avait la gorge si nouée qu'elle aurait été incapable d'avaler quoi que ce fût.

— Je prendrai juste du thé, merci.

Elle s'agenouilla devant la table basse, et saisit une tasse en porcelaine de Chine, pour se donner une contenance. Elle ressentait le besoin physique de mettre la largeur de la table entre elle et Caleb.

—Un peu de thé ? proposa-t-elle à Joe. Enfin, je suppose qu'il s'agit plutôt d'un breuvage à base d'herbes. Les membres de l'Eglise de la Vraie Vie s'interdisent les stimulants tels que la caféine.

— Une tisane me convient parfaitement, répondit Joe.

Il prit un muffin, mais le déposa sur une assiette sans faire mine d'y toucher.

—Mon cher Caleb, j'apprécie votre hospitalité, mais Anna et moi n'avons pas de temps à perdre, et nous devons aller droit au but.

— Je comprends. Je dois dire que je suis surpris de vous voir ensemble. Je n'imaginais pas que vous puissiez vous connaître…

La remarque de Caleb sonnait comme une question.

— Anna m'aide à tirer au clair les circonstances de mon arrestation et de ma condamnation.

Ce n'était pas vraiment une réponse mais Caleb sembla s'en contenter.

— C'est ce que j'avais cru comprendre, reprit Caleb négligemment, en s'essuyant les doigts sur une serviette brodée. Mais j'avoue que je ne vois pas très bien en quoi je peux vous aider.

Anna le trouvait doucereux. Beaucoup trop doucereux. Joe et elle avançaient à l'aveuglette ; ils n'avaient pas assez d'informations pour pouvoir peser sur Caleb. Tout ce que Caleb avait à faire, c'était rester calme et voir venir.

Grâce à Dieu, Joe ne laissait pas deviner qu'il était en position de faiblesse. Il parlait comme quelqu'un qui est sûr de son fait et qui sait où il va.

— Quand on m'a accusé d'avoir détourné près d'un million de dollars à mes clients, j'avais un avantage sur les gens officiellement chargés de l'enquête : je savais que je n'étais pas coupable ! Je savais aussi que le problème véritable, ce n'étaient pas les neuf cent vingt-trois mille dollars manquant dans les caisses…

— Pardonnez-moi de vous dire ça, commença Caleb avec douceur. Mais l'avantage en question ne vous a pas rapporté grand-chose, me semble-t-il.

— Je veux dire que j'avais un avantage, au sens où j'étais plus proche de la vérité. J'en savais plus que les autres sur ce qui se passait réellement à la banque. On m'a arrêté quelques heures avant que je ne me décide à venir vous trouver avec les preuves que quelqu'un, à l'intérieur de la banque, avait monté tout un système d'entreprises fantômes, avec des emplois fictifs, et que ces comptes étaient utilisés à seule fin de blanchir de l'argent.

Caleb eut du mal à dissimuler une réaction d'impatience.

— Ecoutez, Joe. Nous avons discuté en long, en large et en travers de l'existence de ces comptes fantômes, avant que vous ne passiez en jugement.

— Oui, c'est vrai. Et vous avez fait semblant de ne pas me croire, à cette époque-là. Exactement comme vous le faites aujourd'hui... Malheureusement pour vous, je ne suis plus sous les verrous, et je continue à protester de mon innocence. Ces fonds ont été volés pour détourner l'attention de ce qui se passait réellement à la banque. Parce qu'il fallait me mettre hors-circuit afin de protéger l'individu qui était responsable du montage bancaire destiné au blanchiment.

Caleb soupira.

— Vous avez peut-être raison, Joe. Mais tout ce que je peux dire, c'est que personne n'a jamais pu trouver la moindre trace de l'activité illicite dont vous parlez...

— Parce que l'un de mes collègues à la banque a fait en sorte que les comptables et les commissaires aux comptes n'aillent pas fouiner aux bons endroits, coupa Joe.

— Ce n'est pas aussi facile que vous avez l'air de le croire, de tromper les commissaires aux comptes. Vous le savez, Joe. Et vos déclarations n'ont pas été négligées. Bien au contraire. Croyez-moi : nos comptes ont été passés au crible, à l'époque en question, et chaque année, depuis lors. Je suis désolé pour ces quatre ans que vous avez dû passer en prison. Vraiment désolé. Mais on ne peut pas revenir en arrière. Je ne voudrais pas que vous me preniez pour un sans-cœur, Joe. Mais il faut vous refaire une nouvelle vie, maintenant, et…

Caleb s'étrangla. Joe venait de l'attraper par le revers de son veston, et il l'avait contraint à se mettre debout.

— J'ai une fâcheuse tendance à m'énerver, ces temps-ci, Caleb. Alors, un bon conseil : ne me faites pas de morale !

Joe laissa retomber ses mains et repoussa Caleb qui revint s'écrouler dans son fauteuil. Il remit de l'ordre dans sa tenue et rabattit une mèche sur son crâne chauve.

— Mon Dieu, Joe ! Il n'y a pas de quoi être aussi agressif, voyons !

— Il y a tout à fait de quoi, au contraire ! J'ai passé quatre ans enfermé pour un crime que je n'avais pas commis. Et vous savez quoi ? J'ai bien l'intention de mettre la main sur le salopard qui est responsable de ça et de m'occuper de lui.

Caleb le regarda avec un mélange de crainte et de stupeur.

— Qu'est-ce qui vous est arrivé, Joe ?

— Ce qui m'est arrivé ? Je viens de vous le dire ! Et, si vous avez deux sous de jugeote, vous comprendrez facilement que vous n'avez plus affaire au même Joe Mackenzie qu'il y a quatre ans.

Caleb reprit sa tasse d'une main qu'il voulait ferme mais qui trahissait son anxiété.

— Qu'est-ce que vous attendez de moi, Joe ?

— Des informations. En prison, j'ai eu le temps de réfléchir, et j'ai essayé de découvrir qui avait bien pu prêter la main à des gangsters pour qu'ils blanchissent des profits illégaux. Vous étiez mon suspect numéro un parce que vous dirigiez la banque et que c'était vous qui pouviez le plus facilement vous mettre à couvert. En plus de cela, vous étiez le seul, d'après moi, à être assez malin pour mettre sur pied une combinaison aussi ingénieuse.

— Enfin, c'est complètement ridicule ! Vous n'allez quand même pas supposer que j'aie blanchi de l'argent !

— Ce n'est pas ridicule du tout. Bien au contraire, reprit Joe en hochant la tête. C'est même très logique. Mon problème, c'est que je ne voyais pas pour quelle raison vous auriez fait une chose pareille. Vous n'aviez pas l'air de mener grand train, vous n'étiez pas du genre à vous acoquiner avec des malfaiteurs sous prétexte de toucher des pots-de-vin. Par ailleurs, vous ne sembliez pas avoir de vices cachés. Je ne comprenais donc pas comment vous pouviez prêter le flanc au chantage. Mais Anna m'a donné un autre éclairage du personnage, et vous avez retrouvé la première place sur ma liste de suspects. En tant que polygame avéré, avec une femme qui n'avait que seize ans quand vous l'avez épousée, vous êtes, en fait, extrêmement vulnérable, n'est-ce pas, Caleb ?

— L'information d'Anna n'a aucune valeur. En tout cas, elle ne justifie pas que l'on me fasse chanter. Détrompez-vous, Joe. Je n'ai jamais épousé personne, selon les lois en vigueur dans le Colorado. Et il est parfaitement légal d'avoir des relations sexuelles avec une mineure de seize ans si elle est consentante.

Caleb esquissa un sourire de triomphe et, l'espace d'un instant, son œil s'alluma de cette lueur glauque qu'Anna se rappelait trop bien.

—Croyez-moi, reprit-il, Lynette est absolument consentante.

L'allusion provoqua un haut-le-cœur chez Anna. Elle dut s'éloigner vers la fenêtre, tant la proximité de Caleb lui était insupportable.

Joe vint se placer tout près d'elle, posa les mains sur ses épaules et lui glissa à l'oreille :

— Ça va ? Veux-tu que je t'accompagne dehors ?

— Non, surtout pas. Je vais bien. Ne le lâche pas. Il faut le pousser dans ses retranchements. Mes états d'âme nous ont déjà fait perdre trop de temps !

Caleb vint les rejoindre près de la fenêtre. Comme il s'approchait, Anna sentit son cœur s'affoler, jusqu'à ce que Joe la prenne par la taille et la serre contre lui.

Caleb donna une tape amicale sur l'épaule de Joe.

— Ecoutez, mon vieux, vous en ferez ce que vous voudrez, mais moi aussi j'ai réfléchi à la question. Je me suis honnêtement demandé, pendant ces quatre ans, si la société n'avait pas commis une terrible injustice à votre endroit. Je n'ai pas aimé la façon dont Franklin Saunders a témoigné contre vous, au procès. J'ai encore moins aimé qu'il se mette à tourner autour de votre fiancée et qu'il lui propose le mariage, deux semaines à peine après votre condamnation. Ce n'était un secret pour personne que Frank était amoureux de Sophie Bartlett. Il était littéralement fou d'elle ! Je vous avoue que je me suis toujours demandé s'il avait délibérément apporté ce témoignage défavorable contre vous pour avoir le champ libre avec Sophie.

— Evidemment que oui !

— C'est possible, concéda Caleb. Mais c'est une chose de penser qu'un ami vous a joué un tour de cochon dans un procès, et c'en est une autre de croire qu'il a monté une conspiration dans le seul but de vous mettre sur le dos un crime que vous n'avez pas commis !

— Désolée de vous interrompre, Caleb, mais Darlene vous demande.

Betty Jean venait d'entrer dans le salon, et elle s'appliquait déjà à rassembler les tasses vides — la force de l'habitude, sans doute. Elle poursuivit, tout en empilant sur le plateau les reliefs de la collation :

— Elle vient de prendre un calmant, et elle risque de s'endormir assez vite, mais elle voudrait vous dire un mot, d'abord, si vous pouvez lui consacrer quelques minutes.

— Naturellement. Je peux lui accorder tout le temps qu'elle veut. C'est pour elle que je suis ici.

Caleb fit un rapide signe de tête à l'adresse de Joe, plus rapide encore en direction d'Anna.

—Mettez-vous à votre aise. Peut-être aimeriez-vous vous rafraîchir, si vous avez passé la nuit en voiture ? Nous avons une chambre et une salle de bains supplémentaires, à l'étage, maintenant que les enfants ont quitté la maison — à part le plus jeune fils de Darlene. Je ne serai pas long. Je ne pense pas que Darlene ait envie de se lancer dans une longue conversation, pour le moment. La pauvre ! Elle est vraiment mal en point. Betty Jean, veillez à ce que nos hôtes ne manquent de rien, voulez-vous ? Merci.

Mal à l'aise, Betty Jean attendit que les pas de Caleb se soient éloignés dans l'escalier. Puis, cessant de plier les serviettes, elle se redressa et regarda Anna avec insistance.

— Je t'ai parlé trop durement quand tu es arrivée.

Elle avait joint ses deux mains à hauteur de sa poitrine, en un geste de supplication, mais elle gardait le menton fièrement levé.

—La vérité, c'est que ça m'a fait un choc de te voir, Anna. Je… je ne savais pas comment réagir.

Anna soutint le regard de sa mère.

— Ça m'aurait fait plaisir que tu m'embrasses.

— Vraiment ? s'exclama Betty Jean. J'imaginais que tu avais trop de ressentiment. Et tu aurais raison, d'ailleurs. Bien des années ont passé, depuis, mais… je ne me suis pas bien conduite vis-à-vis de toi, Anna. Et j'en suis désolée, tu sais ?

C'était beaucoup plus qu'Anna n'en demandait — elle n'imaginait pas que sa mère pût lui demander pardon. Et, à sa grande honte, elle se sentait dans l'incapacité d'accueillir ce bon mouvement avec autant de bonne grâce qu'il aurait fallu, tant elle était encore écorchée vive. Malgré tous ses efforts, elle avait la voix qui tremblait.

— Je n'étais qu'une enfant. Tu aurais dû me protéger ! Au lieu de ça, tu as même refusé de me parler quand je t'ai téléphoné de Denver pour t'appeler au secours. J'étais au trente-sixième dessous, et…

Furieuse contre elle-même, elle dut s'essuyer les yeux d'un revers de main, incapable de réprimer ses larmes. Alors qu'elle voulait tant paraître forte et maîtresse de la situation ! Betty Jean la regardait avec chagrin, en se mordant la lèvre. Elle se retourna brusquement, et se mit à plier les serviettes pour laisser à sa fille le temps de se reprendre. Les effusions en public étaient mal vues, à Alana Springs ; elles gênaient tout le monde.

— Je crois sincèrement au mariage « naturel », balbutia Betty Jean. Après la mort de ton père, c'est ce qui m'a sauvée.

— Je sais. Mais ce qui était bon pour toi ne l'était pas forcément pour moi !

— Maintenant, je m'en rends compte. Mais Ray, lui, ne voyait pas les choses de cette façon. Il était vraiment indisposé par ton goût des études et ton désir d'obtenir une bourse pour aller à l'université. Il pensait que le mariage avec Caleb te détournerait de ces pensées terre à terre et te ferait comprendre qu'un foyer et une famille sont les vrais moyens, pour une femme, de gagner son ciel. Evidemment, notre église nous enseigne que le mariage « naturel » n'est pas fait pour tous. A Alana Springs, les gens ont tendance à l'oublier. Mais moi, j'étais ta mère : j'aurais dû m'apercevoir que ce n'était pas pour toi. J'aurais dû m'attendre que Ray ne te comprenne pas aussi bien que moi. C'était mon devoir de protester. Mais, à cette époque-là, mon seul souci était de me soumettre à la volonté de mon mari.

Anna ne pouvait qu'être d'accord : sa mère aurait dû se battre pour lui éviter d'être donnée en mariage à Caleb. Mais il fallait aussi reconnaître qu'après sa rébellion des premiers jours, elle avait affirmé mordicus qu'elle était ravie de se marier. C'était une stratégie défensive parfaitement logique pour une gamine qui n'avait pas encore fêté ses dix-sept ans.

Si elle pouvait revenir en arrière, agirait-elle différemment ? Peut-être. Mais, si elle n'avait pas vécu cette nuit de noces avec Caleb, elle n'aurait pas donné naissance à Marina, et elle ne connaîtrait pas la joie douce-amère de se projeter dans l'avenir — proche, désormais — où elle allait serrer sa fille dans ses bras. Elle n'aurait jamais suivi sa formation d'assistante sociale, elle ne serait jamais devenue juge d'application des peines. Elle n'aurait jamais rencontré Joe... Evidemment, à l'instant présent, elle ne serait pas, non plus, une hors-la-loi !

Cette dernière pensée lui arracha un triste sourire. Après un instant d'hésitation, elle traversa la pièce et s'approcha de sa mère.

— Ne te fais pas de reproches à propos du passé, maman. Ce qui est fait est fait. J'ai toujours su que tu m'aimais et que tu faisais de ton mieux, dans les limites que tu t'étais imposées.

— Mais je t'ai rendu la vie impossible.

— Non. La preuve : je m'en suis sortie.

— Ce n'est pas grâce à moi, en tout cas.

Anna haussa les épaules.

— J'en ai bavé, au début, mais, maintenant, je suis heureuse de la vie que je mène, et fière de ma réussite.

— Dieu soit loué pour cela !

Betty Jean repoussa une mèche de cheveux gris mêlés d'acajou, et la fixa dans le chignon qu'elle portait sur la nuque. Anna eut un coup au cœur en reconnaissant ce geste : ce n'était pas seulement un souvenir familier, c'était aussi quelque chose dont elle-même avait hérité au quotidien. Cette épaisse chevelure, ces boucles rebelles, elle les tenait de sa mère. Et c'était comme un rappel permanent de tout ce qui les liait l'une à l'autre.

Elle serra sa mère dans ses bras — étreinte brève, maladroite. Betty Jean lui rendit son mouvement de tendresse. Presque furtivement, avant de se détourner pour s'essuyer les yeux.

— Si vous voulez bien me suivre, je vais vous montrer la chambre dont Caleb vous a parlé. Il y a des serviettes propres dans le cabinet de toilette. Vous pourrez prendre une douche. N'hésitez pas ! Si vous avez passé la nuit en voiture, vous devez en avoir besoin.

Tout en bavardant, elle les conduisit jusqu'à la chambre qui avait dû être celle de Pamela, et se mit en quatre pour leur procurer un pain de savon neuf, du linge et des peignoirs propres.

— Je vais obéir à ma mère, pour une fois ! lança Anna, dès qu'ils furent seuls. Une bonne douche chaude remettra peut-être en état quelques-unes de mes fonctions cérébrales… Au début, je me suis dit que nous avions une chance inespérée de trouver Caleb ici. Mais, maintenant, j'en suis moins sûre. Je n'ai pas l'impression qu'il dise la vérité. D'un autre côté, je ne vois pas quel moyen de pression nous pourrions exercer sur lui. Il n'est pas idiot. Il doit bien se rendre compte qu'il lui suffit de se taire et que nous ne pouvons rien contre lui.

— On peut toujours lui briser les rotules, dit Joe.

Anna le regarda avec stupeur. Il sourit et déposa un baiser sur sa bouche.

—Tu vois bien ! Même toi, tu y as cru ! Avec un peu de chance, Caleb ne sera pas plus difficile à convaincre ! Va prendre ta douche. Pendant ce temps-là, je me rafraîchirai à l'eau du lavabo. Je ne veux pas risquer de mouiller ce fichu bandage.

Anna se doucha et enfila des vêtements propres qu'elle tira de son sac à dos, en même temps que l'un de ses sweat-shirts trop grands qu'elle comptait prêter à Joe. Elle s'était allongée sur le lit, les pieds nus dépassant du matelas, se répétant qu'elle n'était pas du tout épuisée, quand Joe sortit de la salle de bains. Torse nu, des gouttelettes d'eau ruisselant de la pointe de ses cheveux, il brandissait les compresses stériles qu'Anna avait emportées pour lui.

La jeune femme sentit immédiatement sourdre en elle un désir intense. Elle considérait la cicatrice qui barrait la cage thoracique de Joe, symétrique à la blessure qu'il venait de recevoir, et ces marques violentes, loin de réfréner son trouble, ne faisaient que l'accentuer.

— Je déclare forfait, dit-il avec un sourire charmeur. Tu peux m'aider, s'il te plaît ?

— Bien sûr !

Anna se coula à bas du lit pour nettoyer la plaie. Elle fut soulagée de voir que les points de suture avaient tenu et qu'une mince pellicule cicatricielle commençait déjà à se former. Elle prit du recul, et hésita à faire un mauvais jeu de mots sur les talents de couturière de Charlie.

Ce qu'elle lut dans les yeux gris qui la regardaient ardemment lui ôta toute envie de parler. Joe prit son visage entre ses deux mains sans la quitter des yeux, tandis que leurs bouches se rapprochaient.

A chacun de leurs baisers, Anna avait l'impression de s'abandonner plus vite et plus complètement. Cette fois, bien que la passion fût à son comble, plus brûlante que jamais, elle sentait qu'il y avait aussi autre chose. C'était au-delà du puissant désir charnel… une intuition encore ténue : ses sentiments pour Joe avaient changé. Elle éprouvait pour lui beaucoup plus qu'une passion amoureuse.

Elle était si absorbée par le délicieux éventail de sensations qui s'ouvrait à elle qu'elle n'identifia pas tout de suite le bruit qu'elle entendait. Non, ce n'était pas le sang qui bourdonnait à ses tempes. C'étaient, bel et bien, des bruits de pas étouffés qui montaient l'escalier.

Son compagnon dut percevoir le même bruissement, à peu près au même moment. Ils s'écartèrent l'un de l'autre. Joe attrapa au vol le sweat-shirt posé sur le lit. Il achevait tout juste de l'enfiler quand Caleb fit irruption dans la chambre, suivi d'un individu en uniforme.

Seigneur ! Le shérif Betz !

Anna sentit son sang se glacer dans ses veines. Caleb les avait piégés ! *Il avait appelé le shérif Betz !*

Le revolver braqué sur le ventre de Joe, le shérif s'avança dans la pièce. Il avait une cinquantaine d'années, maintenant, et il perdait ses cheveux, mais Anna n'avait eu aucun mal à le reconnaître. C'était bien le même shérif que quinze ans auparavant. Un membre respecté de l'Eglise de la Vraie Vie !

Même s'il n'avait qu'une seule femme, eu égard à son statut de représentant de la loi.

Caleb dissimulait mal sa jubilation. Il vint se placer entre Joe et Anna, et son regard alla de l'un à l'autre, comme s'il guettait avec gourmandise les signes de leur consternation.

Le shérif s'éclaircit la voix.

— Joseph Mackenzie, au nom de la loi, je vous arrête pour le meurtre de Franklin Saunders. Anna Langtry, au nom de la loi, je vous arrête pour complicité avec un criminel avéré, et pour délit de fuite.

Le shérif commença à leur lire leurs droits, mais il ne dépassa pas le paragraphe stipulant qu'ils pouvaient fort bien ne rien dire : Joe lança la jambe et décocha un coup de pied circulaire qui envoya voler le revolver du shérif de l'autre côté de la pièce. Dans la foulée, il lui asséna un coup fulgurant sur la nuque avec le tranchant de la main. Le shérif s'effondra sans un cri.

— Vous l'avez tué ! hurla Caleb, les mains crispées sur sa poitrine.

— Non. Pas encore.

Joe ramassa l'arme du shérif et la pointa sur Caleb. Puis il se tourna vers Anna.

—Que veux-tu que je fasse de lui ?

Il avait parlé d'une voix neutre, du ton dégagé qu'il aurait pris pour lui demander si tel déchet allait plutôt à la poubelle ou au recyclage.

— Rien, dit Anna. Je vais m'en occuper moi-même.

Son expérience du combat se résumait à un cours d'autodéfense, mais elle en avait assez retenu pour savoir exactement où elle devait frapper. Elle balança un coup de poing dans la bedaine de Caleb, avec toute la force qu'elle avait emmagasinée pendant quinze ans. Puis elle le prit par les cheveux, et lui tira la tête en arrière, de manière à pouvoir lui flanquer une beigne en règle dans la mâchoire.

Elle avait les phalanges en compote, mais elle vit Caleb tourner de l'œil sans demander son reste. Elle lui envoya un dernier coup de poing pour achever le travail. Avec un grognement, il glissa sur le sol.

Joe hocha la tête.

— La violence n'est jamais une solution ! lança-t-il en réprimant un rire.

— Je sais, dit Anna avec un soupir de satisfaction.

Un large sourire flottait sur ses lèvres, tandis qu'elle frottait son poing endolori.

—Mais Dieu, que ça fait du bien !

19.

Dans la minute qui suivit, Caleb bougea faiblement. Anna en conclut que ses crochets n'étaient pas très efficaces. Mais elle avait eu, au moins, le plaisir de se défouler !

Le shérif Betz fut prestement attaché à l'un des pieds du lit avec les menottes qu'il portait à la ceinture. Anna lui mit un oreiller sous la tête, ce qui eut pour effet de faire rire Joe aux éclats.

— Prends ton revolver, lui dit-il. J'ai l'impression que nous n'aurons pas trop de deux armes.

Anna s'empara du sac à dos, en sortit son revolver et boucla son holster. Avec deux armes braquées sur lui, Caleb se laissa aisément persuader d'entrer dans la pièce voisine.

Là, Joe l'attacha sur une chaise avec le fil du téléphone, avant de lancer le combiné de l'autre côté de la porte. Caleb leur lançait des regards furibonds, mais il ne dit pas un mot. Anna garda le silence, elle aussi. Elle n'avait absolument plus rien à lui dire, et elle en éprouvait une intense sensation de libération.

— Il va falloir enfermer Darlene dans sa chambre avec ta mère, annonça Joe lorsqu'ils eurent bouclé Caleb. Je ne vois, malheureusement, pas d'autre solution.

Anna fit la grimace.

— Darlene rentre à peine de l'hôpital. Ce serait ignoble de l'emprisonner dans sa chambre. Est-ce qu'on ne peut pas juste convaincre ma mère de ne pas appeler la police ?

— Ce serait possible, dit Joe d'un air dubitatif. Mais il y a autre chose. Il faut lui éviter d'être accusée de complicité. Si elle est enfermée dans une pièce sans téléphone, personne ne pourra lui reprocher de ne pas avoir averti les forces de l'ordre.

— Je n'avais pas pensé à ça. C'est vrai qu'il y a une salle de bains attenante. Darlene ne devrait pas se trouver en danger, même si elle reste dans sa chambre pendant deux heures.

— Il vaudrait mieux s'assurer qu'elle a tous ses médicaments. Encore que sa vie ne soit sûrement pas en danger, sinon les médecins ne l'auraient pas laissée sortir de l'hôpital.

Anna eut un moment de panique lorsque Joe frappa à la porte de la chambre matrimoniale. Mais, après tout, ce n'était qu'une chambre comme une autre… Aucun monstre n'y était tapi, à part ceux auxquels elle-même voulait bien donner consistance. Et elle venait de décider que Caleb ne pouvait plus la blesser ni même l'intimider… C'était donc le moment ou jamais de neutraliser définitivement les hantises que lui avait laissées sa nuit de noces.

Betty Jean passa la tête par la porte entrouverte lorsqu'elle entendit frapper.

— Que se passe-t-il ? chuchota-t-elle en ouvrant plus grand. Darlene s'est endormie…

Elle sortit dans le couloir.

— Maman, est-ce que tu savais que Caleb avait appelé le shérif ?

Sa mère la regarda avec stupeur.

— Le shérif ? Mais pourquoi aurait-il fait ça ?

— Parce qu'il voulait nous voir sous les verrous.

380

— Sous les verrous ? C'est tout à fait exagéré ! Il vous a accusés d'avoir pénétré chez lui ?

Betty Jean marqua une pause. Elle n'y comprenait rien.

—Je me demande comment il comptait s'y prendre pour persuader John de faire quelque chose d'aussi saugrenu, reprit-elle.

Anna et Joe échangèrent un coup d'œil.

— La police de Denver a lancé un mandat d'arrêt contre nous, confessa Anna. Pas pour violation de propriété. Pour… pour autre chose.

— Contre *vous deux* ?

— Oui.

— Oh ! Mon Dieu ! Mon Dieu !

Betty Jean devint toute pâle et porta la main à sa poitrine.

—Oh, Anna, qu'as-tu fait ?

— Rien qui justifie qu'on m'arrête.

Manifestement, ce n'était pas le moment de faire allusion à un meurtre ni à un criminel en fuite.

— Ecoute, maman, reprit Anna. Nous sommes pris à la gorge, et il nous faudrait au moins une heure pour tout t'expliquer en détail. C'est compliqué, mais je te supplie de me croire. Au moins pour cette fois ! Joe et moi, nous n'avons rien fait de mal, je te le jure. Mais nous sommes certains que Caleb, lui, a des choses à se reprocher. Il veut nous faire arrêter non pas parce qu'il nous croit coupables d'un crime mais parce qu'il veut se protéger.

— Où est-il, en ce moment ?

Betty Jean fronça les sourcils.

— Et le shérif ? Il est reparti ?

Joe toussota.

— Le shérif Betz est… hum… il est attaché au pied du lit avec ses propres menottes.

Betty Jean avala de travers.

— Oh là là ! Et Caleb ?

— Il est ficelé avec le cordon du téléphone et enfermé dans l'autre chambre.

A leur grande surprise, Betty Jean eut un petit rire sous cape, qu'elle réprima en hâte. Elle appuya ses doigts sur ses lèvres.

— Ce n'est pas gentil de ma part ! Mais Caleb est parfois si… enfin… tellement plein de morgue !

Elle se sentait coupable d'avoir émis cette légère critique à propos d'un Ancien de l'Eglise. Elle se recomposa un visage grave.

—Vous devez les libérer, vous savez ?

— C'est impossible, déclara Joe. Et, pour tout vous dire, il faut que nous vous enfermions, vous aussi, pour éviter que vous ne soyez soupçonnée.

Pour la première fois, Betty Jean eut l'air vraiment effrayé.

— Pourquoi avez-vous tellement besoin d'échapper à la police ? leur demanda-t-elle. Dis-moi la vérité, Anna. As-tu… as-tu vraiment fait quelque chose de mal ?

Anna s'approcha de sa mère et la prit dans ses bras.

— Rien de mal, maman, je te le promets. Joe travaillait à la banque dont Caleb est le directeur. On l'a accusé à tort d'avoir détourné près d'un million de dollars. Maintenant, nous essayons de savoir qui a réellement volé cet argent. Et nous pensons que Caleb a quelque chose à voir là-dedans.

C'était plus facile d'expliquer les choses à Betty Jean en terme de vol que de blanchiment. La brave femme ne réagit pas à l'accusation proférée contre Caleb. Elle devait être trop choquée pour cela.

382

— Même si Caleb n'a pas volé l'argent lui-même, il sait qui est le vrai coupable, dit Joe.

— Mon Dieu ! Mon Dieu ! répétait Betty Jean.

Elle tortillait nerveusement les pointes de son col de dentelle, mais Anna n'arrivait toujours pas à deviner ce qu'elle pensait. Le seul argent que Betty Jean manipulait, c'était celui des courses, et elle ne se rendait peut-être pas compte de ce dont son beau-frère était accusé. Anna décida de lui présenter le problème différemment.

— Nous pensons que certaines personnes font chanter Caleb pour le forcer à coopérer avec des gangsters, maman. Ces individus sont impitoyables. Ils savent que Joe est sur leur trace, et ils sont déterminés à l'arrêter par tous les moyens, même s'ils doivent l'assassiner pour ça. Deux hommes viennent d'être arrêtés, à Denver : deux tueurs à gages qui avaient été payés dix mille dollars pour assassiner Joe.

— Des tueurs à gages ? répéta Betty Jean d'un air incrédule. Tu parles sérieusement ?

Anna fit signe que oui.

— Nous avons le couteau sous la gorge, maman. Un homme est déjà mort. Si nous ne faisons pas éclater la vérité dans les plus brefs délais, Joe va mourir, lui aussi.

« Et je pourrais bien me trouver dans la ligne de mire », songea la jeune femme. Joe lui avait rebattu les oreilles avec les risques qu'elle prenait en le suivant, mais c'était la première fois qu'elle réalisait pleinement ce que cela voulait dire.

— Justement ! s'écria Betty Jean. C'est pour assurer votre protection à tous les deux que Caleb a appelé le shérif.

— Non, maman. Il n'a aucun intérêt à protéger Joe. Ecoute, nous n'avons pas le temps de te démontrer que Caleb n'est pas l'homme merveilleux que tu as imaginé. Je voulais seulement que tu saches, en gros, ce dont il s'agit, avant que nous ne soyons obligés de vous enfermer, Darlene et toi. Nous sommes vraiment navrés, mais nous n'avons pas le choix.

— Qu'est-ce que vous allez faire, une fois que vous m'aurez enfermée ?

— Persuader Caleb de nous dire ce qu'il sait.

— Mais cela risque d'être difficile, n'est-ce pas ?

— C'est probable. Mais il le faut bien. Sinon, nous sommes fichus.

Betty Jean rentra dans la chambre de Darlene, puis revint sur ses pas, et buta contre Joe qui la suivait de près.

— Attendez, dit-elle. Je peux peut-être vous aider.

Anna fut touchée par cette proposition inattendue.

— Merci, maman, mais je crains que le rôle de Grand Inquisiteur ne te convienne pas.

Betty Jean fit la grimace.

— Non, non ! Ce n'est pas ce que je voulais dire. Simplement… j'ai une information qui pourrait peut-être vous être utile.

Le temps passait à une allure angoissante, et Anna ne voyait pas en quoi sa mère aurait pu leur délivrer une information qui fût le moins du monde susceptible de les aider. Cependant, d'après les mœurs en usage à Alana Springs, Betty Jean venait déjà de se compromettre au-delà de toute mesure, et Anna ne voulait pas la rembarrer trop brutalement.

— Si tu as un argument qui pourrait forcer Caleb à nous lâcher une quelconque information, Joe et moi t'en serons reconnaissants, dit Anna en s'efforçant de ne pas laisser paraître son impatience.

— Tu penses que je vous fais perdre votre temps, n'est-ce pas ? dit Betty Jean en faisant, de nouveau, preuve d'une clairvoyance fulgurante. Mais je ne crois pas. Il y a quelques années — c'était même il y a sept ans, pour être précise —, Ray et Caleb ont cessé de se parler pendant presque six mois.

Cela a fait beaucoup de remue-ménage dans l'Eglise, tu t'en doutes. Mais moi, il se trouve que j'ai surpris la conversation qui a marqué le début de leur fâcherie. Je n'en ai jamais parlé à personne, bien sûr.

— Bien sûr, coupa Anna sèchement.

— C'était un dimanche, après la célébration. Christine nous avait amené sa petite fille pour la première fois. Ray buvait un verre de jus de fruits, dehors, avec Caleb, pendant que les femmes étaient dans le salon avec le bébé. Moi, je finissais de débarrasser la table du déjeuner, et j'écoutais plus ce qui se disait du côté des femmes que du côté de Caleb et Ray. En fait, la porte qui menait dehors était fermée, et je n'aurais pas entendu grand-chose s'ils n'avaient haussé le ton...

Anna serrait les dents. Elle frémissait d'impatience devant le temps qui passait, tandis que sa mère se perdait en digressions.

— Maman, excuse-moi, mais est-ce que tu pourrais aller plus vite ? Pour quel motif Ray et Caleb se disputaient-ils ?

— C'est compliqué... Caleb racontait à Ray qu'il y avait cet homme, à Durango, qui était très riche et très influent. Probablement le plus riche et le plus influent de tout le district. Il devait avoir une grosse usine, là-bas, d'après ce que j'ai compris, et il avait fait en sorte d'être au mieux avec tout le monde, sûrement parce qu'il employait beaucoup de gens, j'imagine. Caleb expliquait que l'homme en question n'était pas le bon citoyen qu'il cherchait à paraître, et qu'il avait des accords et des appuis secrets à tous les niveaux. Il pouvait demander une faveur à tout moment en étant sûr de l'obtenir. Apparemment, cet homme-là avait des juges et des hommes de loi dans la poche, outre le fait qu'il n'y avait pas un seul organe de gouvernement local où il n'eût placé, au moins, l'un de ses hommes.

Betty Jean avait mené une petite existence surprotégée, en marge de la société, et son ingénuité était attendrissante. Son explication reflétait bien sa vision naïve des choses. Elle avait l'air scandalisée qu'un personnage riche et puissant se livre à des pratiques corrompues telles que marchander des faveurs et des passe-droits auprès des autorités judiciaires, que ce soit la magistrature ou la police.

—Enfin, Caleb disait qu'il avait des ennuis terribles parce que cet homme avait découvert qu'il appartenait à l'Eglise de la Vraie Vie, et qu'il menaçait de le dénoncer aux autorités à cause de ses mariages multiples. Je n'ai pas entendu tous les détails, vous comprenez, mais je crois que cet homme exerçait un chantage sur Caleb pour le forcer à faire quelque chose qu'il ne voulait pas, et Ray était en colère contre lui.

— Contre l'homme riche et puissant ? interrompit Joe.

C'était la première fois qu'il intervenait au milieu du récit un peu confus de Betty Jean. Celle-ci secoua la tête en signe de dénégation.

— Non. Ray était en colère contre son frère. Contre Caleb. Ray lui rappelait que Dieu ne nous a pas demandé de protéger notre vie à n'importe quel prix, en tout cas pas au prix de crimes graves. Que Caleb devait faire ce qui était bien et honnête, et que Dieu aurait soin de lui parce que Dieu protège toujours les justes. Mais Caleb a répliqué que ce n'était pas seulement lui qui risquait gros dans l'affaire. C'était aussi toute l'Eglise de la Vraie Vie et tous ses membres qui étaient en danger si l'on n'arrêtait pas cet homme. Alors, Ray a crié que c'était le moment pour Caleb de montrer qu'il avait vraiment la foi. Que Dieu avait soin de la création tout entière, et qu'Il était bien capable de protéger les quelques centaines de croyants de son Eglise si c'était cela qui devait advenir.

— Le conseil de Ray était excellent, dit Joe. Savez-vous si Caleb l'a suivi ?

— Je suppose que non, répondit Betty Jean. Puisqu'il s'est fâché avec Ray !

Anna laissa échapper un soupir nerveux.

— Est-ce que, par hasard, Caleb aurait prononcé le nom de l'homme qui le menaçait ?

— Oui, répondit Betty Jean, l'air embarrassé. Le problème, c'est que je ne m'en souvient plus. C'était un nom ordinaire, bien de chez nous. Enfin, je veux dire… pas un de ces noms russes ou grecs ou je ne sais quoi !

— Est-ce que ce ne serait pas quelque chose comme Arthur Bartlett ? demanda Joe. Ce nom vous dit-il quelque chose ?

— Oui ! Oui, c'est ça, c'est ça ! s'exclama Betty Jean en dévisageant Joe d'un air éberlué. Mon Dieu ! Mais comment avez-vous fait pour trouver si vite ?

— Ce n'était pas difficile. Barltett a la réputation d'être l'homme le plus riche de Durango, et il est aussi le P.-D.G. d'une entreprise qui porte son nom : la Bartlett Nutrition Company. C'est l'un des plus gros fabricants et distributeurs de compléments alimentaires du pays.

Joe parlait comme un homme d'affaires. Pourtant, derrière son ton concis et compétent, Anna flaira une note subtile qui n'était pas strictement professionnelle.

— Tu connaissais cet Arthur Bartlett ?

Le regard de Joe vint se planter dans le sien.

— C'est le père de Sophie Bartlett. J'ai eu l'occasion de le rencontrer plusieurs fois dans des réunions mondaines, mais je ne le connais pas intimement.

Sophie Bartlett. Anna ne fit pas tout de suite le rapprochement. Puis, brusquement, elle comprit. Bon sang ! *Sophie*. Femme de Franklin Saunders, ex-fiancée de Joe.

Elle lança un coup d'œil à Joe en essayant d'évaluer sa réaction, mais il évitait manifestement de la regarder.

Ils remercièrent Betty Jean avec effusion. Elle leur avait fourni des informations précieuses. Ils voulurent s'assurer que les deux femmes ne manqueraient de rien, qu'elles avaient bien leurs lunettes de lecture, des petits gâteaux et les médicaments de Darlene avant de les enfermer dans la grande chambre.

Anna et Joe se dirigèrent ensuite vers la pièce où ils avaient laissé Caleb. Arrivée devant la porte, Anna s'arrêta et posa les mains sur les épaules de Joe. Puis elle descendit le long de ses bras et emprisonna ses poignets entre ses doigts.

— Ce n'est pas parce qu'Arthur Bartlett semble impliqué dans ce qui t'est arrivé que Sophie était forcément au courant. Elle n'a peut-être rien à voir avec tout ça...

Joe eut un sourire sauvage, comme elle ne lui en avait encore jamais vu.

— Elle savait.

— Comment peux-tu en être si sûr ?

— Je lui avais parlé des comptes maquillés. C'est la seule personne à qui j'en aie parlé. Nous venions de faire l'amour, nous étions couchés tous les deux, et j'ai commencé à lui expliquer comment quelqu'un, à la banque, avait dû aider, de l'intérieur, à établir des séries entières de fichiers de salaires dont j'étais convaincu qu'ils étaient fictifs. Deux ou trois millions de dollars transitaient, chaque année, à travers ces comptes, et en ressortaient gentiment blanchis. Quand j'ai eu fini de lui expliquer ce que j'avais découvert, les relevés complets que j'avais établis, comment je les avais placés en lieu sûr, dans un coffre, je lui ai raconté que j'avais l'intention de dévoiler toute l'affaire à Caleb Welks, la semaine suivante, dès que la quinzaine serait passée et que j'aurais une preuve de plus. Et c'est à ce moment-là que je me suis aperçu qu'elle s'était endormie et qu'elle n'avait pas écouté un traître mot de mes confidences.

— Sauf qu'elle ne devait pas être endormie…, commenta Anna.

Joe lança un juron particulièrement bien senti.

— Non. Elle ne devait pas être endormie. Elle devait même écouter attentivement ! Tu penses ! Quand on sait que cette petite plaisanterie devait rapporter à Daddy Bartlett — et doit toujours lui rapporter — plusieurs millions de dollars illicites par an…

En tout cas, elle s'est empressée d'aller trouver papa ! Bartlett a sûrement remué ciel et terre pour me coincer à temps et me faire arrêter illico. Parce que, même avec des relations bien placées, ça n'a pas dû être une mince affaire de monter cette histoire de détournement aussi vite !

— Avec ce que ma mère nous a révélé, est-ce que nous en savons assez pour aller trouver la police ? demanda Anna naïvement.

Joe lui décocha un regard plus que dubitatif.

— Je suppose que tu plaisantes ! Betty Jean sous-estime largement l'influence d'Arthur Bartlett dans la région. Il possède cinquante pour cent de l'Etat du Colorado ! Il ne nous suffira pas d'arriver, la bouche enfarinée, et de déclarer qu'en fait, Arthur Bartlett est un escroc. Il va falloir que Caleb nous fournisse des preuves tangibles et indiscutables de la culpabilité de Bartlett dans un délit passible de poursuite. Et, même avec ça, il faudra nous assurer que le juge devant lequel nous étalerons nos preuves sera parfaitement intègre !

Anna eut une moue éloquente : il fallait bien reconnaître que Joe avait raison.

— Alors, je crois que le moment est venu de faire appel à tes trucs de taulard et de menacer les rotules de Caleb ! Il va falloir jouer les grands méchants patibulaires, Mackenzie !

— Rien de plus facile pour moi !

Joe sortit son revolver et poussa la porte de la chambre.

20.

Lorsqu'ils pénétrèrent dans la chambre, Caleb transpirait à grosses gouttes, bien qu'il fît parfaitement frais.

— Vous ne vous en tirerez pas comme ça, dit-il d'un ton hargneux. Si John Betz n'est pas au rapport dans la demi-heure qui vient, il y aura des flics plein la maison !

— Merci de nous avertir.

Joe décrivit un moulinet avec son arme, et s'arrêta quand Caleb fut droit dans sa ligne de mire. Il déverrouilla ostensiblement la sécurité.

—Puisqu'il en est ainsi, nous allons écourter les préambules et entrer directement dans le vif du sujet. Comment Arthur Bartlett gagne-t-il tout l'argent sale que vous lui blanchissez par l'intermédiaire des comptes fantômes de la banque ?

Caleb ne put réprimer un léger sursaut d'étonnement en entendant mentionner Arthur Bartlett. Il ferma immédiatement les yeux pour ne pas laisser voir sa surprise.

— Je n'ai rien à vous dire.

— Ce n'est vraiment pas la bonne décision, ça.

Joe s'approcha de la chaise et attrapa la tête de Caleb. Il la fit tourner vers lui sans ménagement, et lui parla tout près du visage.

—Je t'explique la situation, Welks. Je vais compter jusqu'à trois. A trois, si tu n'as pas commencé à t'allonger, je te troue la main droite Après ça, je compterai de nouveau jusqu'à trois. Si tu ne te décides toujours pas à parler, je te trouerai la main gauche. Ensuite, ce sera le tour des rotules. Je ne sais pas si tu vas souvent au cinéma, Welks. Mais, si tu y vas, tu as forcément vu l'une de ces scènes au cours desquelles un type se fait tirer dans les genoux. Maintenant, si ta religion t'interdit le cinoche, je vais t'expliquer : à ce qu'il paraît, une balle dans la rotule, c'est l'une des douleurs les plus intolérables qu'on puisse infliger à un être humain.

Joe retourna à sa place.

—Maintenant, je vais répéter ma question, Welks. Comment Arthur Bartlett se procure-t-il tout cet argent ?

Caleb répondit entre ses dents :

— Il a des activités commerciales très diversifiées. Des biens immobiliers, une station de radio, et j'en passe. Mais sa principale source de revenus, c'est l'Aliment Sain. C'est la branche de la Bartlett Nutrition Company qui fabrique les vitamines et les oligo-éléments de complément.

— Encore une mauvaise réponse, mon pote ! s'exclama Joe.

Sa voix s'était faite plus menaçante, et elle tremblait, maintenant, de colère.

—Ce ne sont pas les activités légales de Bartlett qui m'intéressent. Ce que je veux savoir, c'est comment il se fait son argent sale.

— Je vous l'ai dit : avec l'Aliment Sain, répéta Caleb en détournant les yeux. Avec ses euh… ses gélules aux herbes.

Le regard de Joe se rétrécit.

— Tu veux parler d'herbes illégales ? C'est bien ça, n'est-ce pas ? Une cachette au vu et au su de tous ! Bartlett se sert de son usine de vitamines pour transformer de la drogue ! Il a probablement tout organisé pour pouvoir se payer le luxe de recevoir les inspecteurs du contrôle pharmaceutique et alimentaire, sans qu'ils aient la moindre idée de ce qu'ils ont sous les yeux, hein ? Qu'est-ce qu'ils raffinent, là-dedans, Caleb ? Ecstasy ? L.S.D. ? Héroïne ? Cocaïne ?

— Je ne sais pas.

— Tout ça à la fois, je parie ! Et d'autres choses encore !

Caleb était blanc comme un linge. Il devait être terrifié à l'idée d'en avoir dit assez pour mettre Joe sur la voie.

— Tout cela est pure spéculation de votre part. Je n'ai aucune connaissance des affaires de Bartlett. Et je n'ai rien à ajouter.

— Allons, bon ! Quel dommage !

Joe se tourna vers Anna.

—Tout compte fait, je pourrais laisser tomber les mains et aller droit aux burnes. Dans le fond, ça te plairait peut-être de voir ça, hein, Anna ?

— Non, Joe ! Je…

— Non ?

Il eut un haussement d'épaules.

—Bon. Alors, contentons-nous des mains, pour commencer, dit-il avec un soupir résigné. Un… deux…

Anna s'interposa. A en juger par l'expression de Joe, s'il arrivait à trois, il tirerait vraiment.

— Ne tire pas ! Je t'en prie, Joe ! Laisse-moi lui parler.

Joe sembla hésiter vraiment, au point qu'Anna se demanda si son hésitation était entièrement feinte.

— Tu as deux minutes, lui dit-il en regardant sa montre. Pas une seconde de plus.

Anna se tourna vers Caleb.

— Pourquoi tenez-vous tellement à couvrir Arthur Bartlett ?

Elle gardait un ton aimable, mais sa douceur n'eut pas plus de succès que la férocité de Joe. Caleb se contenta de la regarder comme s'il ne la voyait pas, en homme qui ne s'en est pas laissé conter par un Joseph Mackenzie. Alors, vous pensez, par une femme !

Anna poussa un soupir d'exaspération.

—Très bien ! Puisqu'il n'y a pas moyen de vous tirer les vers du nez, je vais vous dire ce que j'en pense, moi. En fait, vous avez encore plus peur de Bartlett que de Mackenzie ! Si c'est le cas, cela veut dire que ce M. Bartlett doit être un vrai suppôt de Satan ! A moins que vous ne vous imaginiez qu'en vous montrant loyal avec votre cher ami Arthur, il sera loyal avec vous ? Voilà, d'après moi, les deux seules hypothèses qui puissent justifier que vous soyez assez débile pour ne pas parler. Alors, Caleb, laquelle des deux est la bonne ?

— Ni l'une ni l'autre.

Caleb avait craché sa réponse avec mépris, mais la sueur coulait le long de ses joues.

—Je n'ai aucune information concernant Arthur Bartlett, ajouta-t-il.

— Franchement, Caleb, si j'étais à votre place, pieds et poings liés, avec le doigt de Mackenzie posé sur la détente du revolver du shérif Betz, je ne perdrais pas mon temps à débiter des sornettes auxquelles personne ne croit !

La voix d'Anna se durcit.

—Je vais vous mettre les points sur les « i ». Primo, pas la peine d'avoir tellement peur de Bartlett parce que je vous garantis que tout ce qu'il pourrait vous faire, Joe vous l'aura déjà fait avant ! Secundo, pour le soutien de Bartlett, laissez tomber ! Je suis juge d'application des peines, Caleb. Travailler avec des criminels, c'est mon métier. Je sais comment ils fonctionnent. Je peux vous dire que les deux choses qu'un criminel ne fait jamais, c'est : premièrement, avouer ses crimes et, deuxièmement, se soucier de ses complices.

Anna avait compté sur ses doigts pour illustrer son propos. Elle continua sa plaidoirie.

—Quand les copains ont des ennuis, pfut ! Il n'y a plus personne ! On se met à couvert, et on trouve un bouc émissaire… Arthur Bartlett a beau habiter une belle maison et trinquer avec le maire de Denver, c'est un criminel comme les autres. Vous croyez vraiment qu'il va se mouiller pour vos beaux yeux ? Laissez-moi rire ! Il vous offrira à la police sur un plateau d'argent, avec un cornichon dans la bouche pour vous rendre plus appétissant !

Caleb protesta, mais sa conviction semblait entamée.

— Bartlett ne peut pas me trahir sans se compromettre.

Joe éclata de rire.

— Désolé de t'interrompre, Anna. Mais là, vraiment, c'est trop drôle !

Il se pencha vers Caleb, et lui chatouilla la poitrine avec le canon de son revolver.

—Tu n'es pas seulement stupide, mon pauvre vieux : tu es pathétique ! Tu as pourtant vu avec quelle facilité Bartlett s'est arrangé pour me faire incarcérer dès qu'il a su que je représentais une menace. Il a aussi essayé de me faire assassiner, hier, et il a fait tuer son propre gendre dans la foulée. Et tu t'imagines qu'un type de ce genre n'a pas songé à ce qu'il allait faire de toi, le jour où tu cesserais de chanter sa chanson ? Un peu de réalisme, voyons, Caleb ! Bartlett t'a désigné comme victime, dès l'instant où tu t'es mis à sa solde. Je vais te dire : tu es grillé ! Tu es tellement grillé que je sens, d'ici, le rôti carbonisé !

— Je ne suis pas à sa solde ! affirma Caleb en le prenant de haut. Je ne voudrais même pas entendre parler de toucher un centime illégal !

— Ben voyons !

Joe luttait pour ne pas éclater, et il eut toutes les peines du monde à se retenir.

—Tu aides un criminel à blanchir des millions de dollars sales chaque année, tu as comploté pour envoyer un innocent pourrir quatre ans en prison dans le seul but de sauver ta petite peau, mais toucher un pot-de-vin, ça, non ! Tu ne ferais jamais quelque chose d'aussi incorrect ! Bien sûr que non ! Comment ai-je pu croire un truc pareil ?

Anna s'approcha à son tour, et toucha du doigt le torse de Caleb.

— Voici ce que vous pouvez faire pour la sauver encore une fois, cette petite peau !

Caleb regardait fixement le doigt de la jeune femme pointé sur sa poitrine. Elle prit alors conscience de ce qu'elle avait été capable de faire, et elle eut envie de sourire. Elle l'avait touché ! Elle avait touché cette ordure et elle n'avait pas été réduite en cendres ! En fait, ça ne lui avait fait ni chaud ni froid !

Galvanisée par cette découverte, elle s'enhardit.

—Tu vas nous accompagner à ton bureau, reprit-elle, et nous ouvrir tous les fichiers de ton ordinateur qui contiennent des preuves capables de nous aider à coincer Bartlett. Après quoi, tu n'auras plus qu'à te chercher le meilleur avocat du territoire…

— Tiens ! Pourquoi pas Daniel Dwight ? suggéra Joe. A moins, naturellement, que ce brave homme ne soit l'un des avocats marrons achetés par Bartlett ? Quand je pense que ce type était censé me défendre alors qu'en fait, il faisait tout pour

396

que le jury me déclare coupable ! Bah ! J'étais tellement naïf, à l'époque ! J'ai presque mérité ce qui m'est arrivé, ajouta-t-il en hochant la tête.

— Arthur Bartlett est l'un des citoyens les plus respectés du Colorado, déclara Caleb, comme s'il récitait une leçon.

Mais il n'avait plus l'air aussi sûr de lui, et il se troubla en regardant Joe.

—Vous, vous avez été convaincu de détournement de fonds et, à présent, vous êtes recherché pour meurtre. Personne ne vous a cru, il y a quatre ans, et ce n'est pas maintenant qu'on va vous croire !

— La situation n'a rien à voir avec ce qu'elle était il y a quatre ans, intervint Anna. A l'époque, Joe était en prison, seul, avec un avocat véreux, et personne ne se battait pour lui. C'est différent, aujourd'hui, Caleb. Même si on m'arrête, je serai immédiatement libérée sous caution. Et je ne vais pas perdre mon temps à parlementer avec la police ou le procureur. J'irai trouver les journalistes les plus acharnés et les plus incisifs de Denver. Je leur raconterai ce que je sais de l'Eglise des Saints des Derniers Jours et de la Vraie Vie. Je leur dirai comment des filles de seize ans sont quotidiennement forcées d'épouser des vieillards. Je leur parlerai des registres de naissance falsifiés, des femmes qui touchent des aides sociales parce que les hommes n'ont pas les moyens d'entretenir les grappes d'enfants qu'ils font à droite et à gauche. Je leur parlerai, en particulier, de tes cinq femmes — dont j'ai fait partie. Et, quand les journalistes auront l'eau à la bouche à la perspective de ces gros titres alléchants sur le sexe et la polygamie, je leur parlerai d'Arthur Bartlett. Je leur expliquerai comment il s'y prenait pour blanchir son argent par l'intermédiaire de ta banque. Je n'aurai même pas besoin d'un avocat : ce sont les médias qui se chargeront du boulot !

Caleb lança à Anna un regard tellement chargé de haine et de mépris que la jeune femme en eut la chair de poule.

— Ce sont tes frères. Comment oses-tu les menacer de détruire leur existence ? Tu n'as donc aucune crainte du châtiment de Dieu ?

Anna était sûre que Caleb trouvait tout à fait normal de la menacer du châtiment divin, sans se demander si Dieu n'aurait pas deux ou trois petites choses à lui demander, à lui, au sujet de ses mensonges, détournements et autres faux témoignages !

— Les membres de l'Eglise de la Vraie Vie ne sont pas mes frères, dit-elle tranquillement. Ce sont les tiens. Et tu as le pouvoir de les sauver, rien qu'en nous disant la vérité sur Arthur Bartlett.

— Tu veux te venger de ce qui t'est arrivé, c'est ça ?

Anna éprouva soudain de la difficulté à respirer.

— Non, Caleb. Je veux envoyer Arthur Bartlett en prison parce que c'est sa place. Et je veux aussi qu'on réhabilite Joe.

Caleb remua sur sa chaise, qui devait commencer à lui paraître singulièrement dure, et il roula des épaules pour se dégourdir. Puis il se décida enfin à parler.

— En admettant qu'il y ait des informations compromettantes dans la mémoire du système informatique de la banque, commença-t-il, et en supposant que je vous aide à retrouver les traces complètes des sommes qui auraient, soi-disant, été blanchies par l'intermédiaire de ces fameux comptes fantômes, je ne vois pas ce que ça me rapporterait. Qu'est-ce qui pourrait m'empêcher d'aller en prison si je vous livrais une pareille information ?

Anna retint à grand-peine un sursaut de triomphe. Elle échangea juste un coup d'œil réjoui avec Joe.

— Je ne peux pas te dire avec précision ce que le procureur t'accorderait, répondit Joe. Mais un bon avocat pourrait t'obtenir une remise de peine substantielle et même, peut-être, l'immunité, si tu apportais des preuves irréfutables de la culpabilité de Bartlett. N'oublions pas qu'il s'agit d'un homme qui commandite des meurtres, qui dirige un cartel de drogue et qui ramasse suffisamment d'argent pour corrompre un nombre impressionnant de fonctionnaires. Alors, Caleb Welks, en comparaison d'Arthur Bartlett, c'est du menu fretin !

Le visage de Caleb exprimait la crainte et le ressentiment, tandis qu'il soupesait ses chances. De toute évidence, aucun parti ne lui paraissait bon à prendre. Le silence pesait lourd.

— C'est donc si difficile de prendre une décision ? lui demanda Anna. Il faut, pourtant, regarder la vérité en face, Caleb. Le voyage touche à sa fin. Il n'y a pas beaucoup d'issues possibles.

— Sans doute.

Il avait soudain un ton amer.

—Si j'accepte de vous accompagner à la banque et de collaborer avec vous, vous devez vous engager à ne pas contacter les forces de l'ordre avant que j'aie pu appeler mon avocat. Et il faudra me laisser le temps de discuter avec lui de la stratégie à adopter pour négocier avec le procureur.

— D'accord. Nous te laisserons le peu de temps dont nous pourrons disposer. N'oublie pas qu'Anna et moi, nous courons le risque d'être arrêtés. Et, dans ce cas-là, il n'y aura plus de marché possible. Nous n'aurons pas le choix. Nous dirons tout ce que nous savons à la police.

Caleb serra les lèvres, et les coins de sa bouche se tordirent.

— Très bien. Je suppose qu'il va falloir, en plus, que je vous aide à échapper à la police ?

Anna le regarda avec mépris.

— Je comprends que cela représente une sérieuse difficulté pour un homme qui a une si haute conception de la morale…

— Nous allons prendre ta voiture, décida Joe. La police doit rechercher la Subaru d'Anna.

— Comme vous voudrez. Allons-y.

Depuis qu'il s'était résigné à sa défaite, Caleb semblait impatient d'en finir.

—Pourriez-vous me détacher, maintenant ? pria-t-il. Quittons les lieux avant que les adjoints du shérif débarquent. Je voudrais que cette histoire soit réglée au plus vite.

Ils avaient décidé que ce serait Caleb qui conduirait, tandis que Joe garderait braqué sur lui le revolver du shérif, pour lui ôter toute envie de ruer dans les brancards. Quoiqu'il n'eût guère de marge de manœuvre pour ruer dans les brancards, se disait Anna en grimpant à l'arrière de la Land Cruiser. Elle ne voyait pas très bien ce que Caleb aurait pu inventer. Dans la mesure où Betty Jean avait identifié Arthur Bartlett, Caleb n'avait plus personne vers qui se tourner. Joe et elle ne lui disaient rien d'autre que la vérité lorsqu'ils prétendaient que c'était son intérêt de les aider.

Comme la vie était étrange ! songeait-elle en bouclant sa ceinture de sécurité. Elle n'avait pas pu compter sur sa mère pour échapper à une union qu'elle ne désirait pas. Mais, aujourd'hui, à un autre moment décisif de son existence, c'était Betty Jean qui lui fournissait des armes contre ce mari détesté…

Caleb sortit la voiture en marche arrière, et Anna se laissa aller contre la confortable banquette de cuir. C'était maintenant qu'elle se rendait compte qu'elle avait mal partout. Tous ses muscles la faisaient souffrir. Et même le bout de ses ongles était douloureux.

Derrière les vitres teintées, le paysage devint flou. L'épuisement s'abattit sur la jeune femme comme une énorme vague noire. Toutes ces heures de tension sans relâche, portée à son paroxysme par l'angoisse de rencontrer de nouveau Caleb, tout cela ajoutait à la sensation irréelle de flotter aux confins d'un cauchemar. Elle lutta contre le sommeil. Comme si elle ne pouvait pas se permettre de glisser dans l'inconscience sans risquer d'aggraver encore leur situation.

Caleb, lui, semblait presque soulagé d'être enfin déchargé d'un lourd fardeau. Sa langue se déliait au fur et à mesure qu'ils roulaient. Joe et lui s'engagèrent bientôt dans une discussion technique sur la façon dont les comptes fantômes avaient été mis en place. Caleb donna des précisions comptables sur les escroqueries aux impôts et sur la manière dont lui-même avait réussi à dissimuler les flux d'argent aux différentes commissions et instances financières de vérification. Anna comprenait un mot sur dix, voire un sur vingt, lorsqu'ils entraient dans des subtilités techniques en utilisant le jargon financier. Mais cette situation ne la gênait aucunement.

Elle sortit vaguement de sa torpeur lorsqu'elle perçut le nom de Franklin Saunders. Pendant un moment, Joe et Caleb parlèrent un langage normal. Frank, semblait-il, n'avait pas été impliqué dans l'affaire du blanchiment. Il n'avait même pas participé à la machination contre Joe. Pourtant, il était désespérément amoureux de Sophie Bartlett, depuis des mois. La perspective de voir Joe disparaître du paysage avait dû être trop tentante pour lui. Si Joe était coupable, il pourrait poursuivre Sophie de ses assiduités. Au vu et au su de tous ! Alors, il avait dû se laisser assez facilement convaincre que son ami avait volé des millions de dollars à ses clients. Ensuite, le persuader de collaborer et de trahir avait été un jeu d'enfant. Daniel Dwight lui avait fignolé un témoignage sur mesure pour contribuer à enfoncer Joe, et Frank avait fait une remarquable prestation d'acteur, lors du procès.

Depuis son mariage avec Sophie, Frank avait fait montre d'une obligeante cécité à l'égard des activités de sa belle-famille. Enfin, c'était ce que Caleb croyait savoir, étant donné que les Saunders vivaient à Denver, c'est-à-dire à plusieurs centaines de kilomètres de Durango.

Quant à Caleb, il jurait ses grands dieux qu'il ne savait rien des tentatives de meurtres contre Joe. Mais, à son avis, Frank était parfaitement capable de s'arranger avec Sophie pour attirer Joe dans un parking sans chercher à savoir ce qui se passerait ensuite...

A un moment donné, malgré tous ses efforts pour lutter contre la somnolence, Anna sombra et s'endormit profondément. Elle s'éveilla en sursaut, dans un début de panique, lorsqu'elle s'aperçut que la voiture avait stoppé. Elle regarda à l'extérieur, persuadée qu'ils étaient cernés par la police. Quel ne fut pas son soulagement quand elle comprit qu'ils étaient simplement arrêtés dans une station-service.

— On frisait la panne sèche, lui expliqua Joe en se tournant vers elle.

Il lui sourit doucement, et lui caressa la joue.

—Tu m'as l'air bien fatiguée. Courage, ma chérie ! Il faut tenir bon.

Aussi incroyable que cela puisse paraître, lui-même ne semblait pas fatigué le moins du monde.

— Comme ce serait agréable d'être dans un bon lit ! murmura Anna.

Joe eut un petit rire de gorge.

— Mmm ! Tout à fait d'accord !

La jeune femme sentit le rouge lui monter aux joues en constatant qu'une flambée de désir suffisait à dissiper sa fatigue. Elle tâcha de prendre un air grave pour déclarer :

— Je me sens vraiment à plat. A propos, comment allons-nous payer l'essence ? J'ai peur d'utiliser ma carte de crédit. Le pompiste risque de connaître mon nom.

— J'ai de l'argent, intervint Caleb. Puis-je ouvrir ma portière sans risquer d'être abattu ? demanda-t-il à Joe sur un ton sarcastique. Etant donné que votre photo a été diffusée sur toutes les chaînes de télévision du Colorado, il vaudrait mieux que vous ne sortiez pas de la voiture.

— Je peux remplir le réservoir, proposa Anna.

— J'ai besoin d'aller aux toilettes, dit encore Caleb. C'est possible ?

Joe secoua négativement la tête.

— Sors donc la première, dit-il à Anna, et prends dix dollars d'essence. Nous sommes à moins de cinquante kilomètres de Durango : ce sera largement suffisant. Caleb restera dans la voiture jusqu'à ce que tu aies fini, et puis tu l'accompagneras à l'intérieur. Il ira aux toilettes pendant que tu paieras l'essence.

Caleb se renfrogna, irrité qu'on lui donne des ordres.

— Je n'ai pas besoin d'un chien de garde. Je suis assez grand pour comprendre que ce n'est pas mon intérêt d'attirer l'attention de la police. Vous me l'avez suffisamment démontré. Si vous vous faites arrêter, je serai dans le pétrin, moi aussi. Je ne suis pas stupide. J'ai pigé.

Joe lui adressa un sourire sinistre.

— Tu m'en vois ravi, mon cher Caleb. Cependant, étant donné les précédents, nous préférons nous assurer que tu ne vas pas nous poignarder dans le dos à la première occasion. Je pense que tu peux comprendre ça. Anna, tiens-le à l'œil !

Elle n'avait pas besoin qu'on le lui dise deux fois car la collaboration de Caleb ne lui semblait pas nette.

Il y avait pas mal de monde dans la boutique de la station-service, mais Anna voyait la porte des toilettes pour hommes, depuis sa place dans la file d'attente. Il y avait quatre personnes devant elle. Pourtant, quand elle eut payé, Caleb n'avait toujours pas reparu. Les téléphones étaient à l'extérieur. On pouvait donc être sûr qu'il n'avait passé aucun coup de fil.

Elle se plaça dans une allée d'où elle ne pouvait pas être vue du pompiste, et attendit sans se faire remarquer. Caleb mit encore trois bonnes minutes avant de sortir des toilettes.

— Désolé de vous avoir fait attendre. Quand je suis nerveux, j'ai les intestins en révolution.

C'était plus qu'elle ne souhaitait en savoir sur le système digestif de Caleb. Elle le poussa rapidement vers la voiture.

— Qu'est-ce qui a pris tout ce temps ? demanda Joe. Quelque chose n'allait pas ?

Anna lui fit un signe négatif de la tête.

— Non. Tout va bien. Simplement, il y avait du monde. Mais personne n'a fait attention à nous.

La voiture reprit sa place dans la circulation. Le soleil était haut, maintenant, et Caleb plissait les yeux.

— Je viens de penser à un détail que nous n'avions pas pris en compte, jusqu'ici, déclara-t-il soudain. A la banque, il y a cinq employés qui ont travaillé avec Joe. Ils vont le reconnaître instantanément quand nous arriverons. Qui plus est, il est à peu près certain qu'ils ont vu le journal télévisé et qu'ils sont au courant du mandat d'arrêt lancé contre Joe pour le meurtre de Franklin Saunders. Un autre de leurs ex-collègues !

— Nom d'un chien, c'est vrai ! s'écria Joe.

Anna sentit son cœur bondir dans sa poitrine. Caleb venait de mettre le doigt sur un sacré détail, en effet !

— Il faut regarder les choses en face, reprit-il. Les trois caissiers vont s'empresser d'appuyer sur leur bouton d'alarme, à l'instant même où ils vous apercevront. Nous ne serons pas dans les murs depuis cinq minutes que la banque grouillera de policiers.

Joe regardait droit devant lui, les mâchoires serrées.

— Que suggères-tu ? Qu'on te laisse aller tout seul à la banque, en toute confiance ?

— C'est ce qui me semble le plus logique. Est-ce que vous êtes d'accord ?

« Jamais de la vie ! » cria Anna intérieurement.

Caleb marqua une pause. Comme personne ne répondait, il reprit :

— Il y encore une autre possibilité. Elle ne me plaît pas trop, mais je suis à peu près sûr que vous la préférerez : j'ai un ordinateur à la maison, relié au bureau par Internet. Nous pouvons aller chez moi, ce qui éliminera le risque que vous soyez reconnu. Vous me surveillerez pendant que je chargerai toutes les informations concernant Bartlett. Je vous mettrai le tout sur une disquette. Et moi, j'appellerai mon avocat. Je préférerais pouvoir le consulter de chez moi, je l'avoue.

— Ça marche ! répondit Joe. Tu es d'accord, Anna ?

Elle acquiesça d'un signe de tête. Elle arrivait à peine à y croire. Comment avaient-ils pu négliger si grossièrement le problème de leur identification par les employés de la banque ? Une bourde aussi énorme ! Il fallait probablement mettre ça sur le compte de la fatigue. Il lui était désagréable de se sentir redevable de quelque chose à Caleb — même si c'était sa propre peau qu'il essayait de sauver, et pas la leur. Mais, en l'occurrence, il fallait reconnaître qu'ils lui devaient une fière chandelle. Elle se demandait ce qu'ils avaient bien pu oublier d'autre. Pourvu que ce ne soit rien de trop grave…

Ils arrivèrent en vue de Durango. Les bâtiments de la Bartlett Nutrition Company occupaient un superbe espace paysager à l'entrée de la ville, avec pelouses, étang et cascades. Décidément, les affaires marchaient bien. Les affaires légales et les autres, songea Anna…

— J'ai déménagé, expliqua Caleb à l'adresse de Joe, tout en s'engageant dans un quartier agréable et cossu.

Harvard Street, lut Anna au passage.

Caleb gara la voiture sous un abri construit devant une maison typique des années 90 : vaste perron prétentieux à colonnes, énormes baies vitrées trouant une grande construction cubique sans âme.

— On a fait vite. Il n'est que 10 heures et demie.

Il coupa le contact et mit les clés dans sa poche.

Anna se demanda si elle rêvait ou bien si elle avait vraiment vu passer dans son regard une lueur de triomphe, vite masquée sous une expression d'indifférence — une expression qu'elle lui avait vue, au temple, six dimanches de suite, à la douloureuse époque où elle se préparait à l'épouser. Mais peut-être était-il simplement soulagé d'arriver chez lui, de retrouver ses enfants et ses deux nouvelles épouses ?

Anna éprouvait une étrange sensation de malaise, depuis qu'ils avaient quitté la station-service. Comme une nausée persistante au creux de l'estomac. Et ce n'était pas la fatigue ni le stress. Non, c'était autre chose. Cela ressemblait aux signes avant-coureurs d'une catastrophe imminente. Pourtant, qu'est-ce qu'elle pouvait bien soupçonner comme manigance de la part de Caleb ? S'il avait voulu les livrer à la police, il n'aurait eu qu'à les laisser se présenter à la banque, et laisser la situation évoluer toute seule.

— Je sais qu'il est inutile que je vous demande de laisser vos armes dans la voiture, dit alors Caleb. Mais est-ce que vous voudriez bien, au moins, faire en sorte qu'on ne les voie pas ? Je ne veux pas que mes enfants soient traumatisés par l'image de leur père rentrant chez lui avec un revolver dans le dos.

La requête était tout à fait raisonnable. D'ailleurs, tous les faits et gestes de Caleb, depuis qu'ils étaient montés en voiture, étaient raisonnables… Et c'était bien ce qui turlupinait Anna. Parce que Caleb *n'était pas* un homme raisonnable ni un bon perdant. Ils l'avaient menacé, humilié, et ils avaient brandi devant lui le spectre de la prison. Alors, pourquoi diable se montrait-il si coopératif ?

— Le bébé fait généralement la sieste, au milieu de la matinée, dit Caleb. Nous allons entrer par-derrière, sans avoir à sonner. La porte de la cuisine n'est jamais fermée. C'est l'un des avantages de Durango : le taux de criminalité y est à peu près nul.

Il n'y avait, apparemment, rien d'ironique dans sa remarque, ce qui n'étonna guère Anna. Une vie tout entière consacrée au service de l'Eglise de la Vraie Vie n'était pas faite pour développer le sens de l'ironie.

Ils suivirent une coursive qui faisait le tour de la maison, un genre de tonnelle assez agréable avec un mobilier en fer forgé très travaillé qui ouvrait sur un jardin paysager luxueusement aménagé. Sur une table de bois exotique, un énorme pot de jacinthes embaumait les alentours.

Anna sentit une sueur froide courir le long de son dos.

— Chérie ! Je suis là ! lança Caleb.

Chérie ? Bizarre…

Caleb poussa la porte de la cuisine et entra. Anna restait en retrait, réticente. Elle embrassa la cuisine du regard. Un espace impeccable, immaculé. Pas un biberon ne traînait, pas une chaise haute, pas un joujou. Pas une tache sur le carrelage étincelant. Un rack à bouteilles rempli occupait tout le mur d'en face. L'Eglise de la Vraie Vie interdisait, pourtant, la consommation d'alcool… Les plans de travail rutilants étaient vides, mise à part une machine à café. L'Eglise de la Vraie Vie interdisait aussi la consommation de caféine…

— Sauve-toi ! cria-t-elle à Joe en ressortant par la porte extérieure. C'est un piège ! Sauve-toi, pour l'amour du ciel !

21.

Joe mit trois secondes à réagir à l'avertissement d'Anna.
Il fit volte-face pour s'enfuir mais, avant qu'il eût atteint la
porte, Caleb se retourna et lui envoya un coup de coude dans
l'abdomen, à l'endroit précis de sa blessure. Joe sentit immédiatement le sang jaillir, et s'évanouit presque sous l'effet de
la douleur.

Quand il rouvrit les yeux, Caleb brandissait le revolver du
shérif Betz, et Sophie Bartlett se tenait devant lui, flanquée
de deux individus de petite taille, râblés et costauds — des
Mexicains, très certainement.

Vêtue d'un tailleur en lin noir rehaussé d'une longue broche
en diamant, Sophie était impeccablement maquillée. Ses cheveux blonds encadraient à la perfection son visage délicieux. Sa
veste était suffisamment cintrée pour faire ressortir la courbe
harmonieuse de sa poitrine, mais pas moulante au point d'être
vulgaire. En la regardant, Joe crut voir la couverture d'une
édition spéciale de *Vogue* consacrée aux ravissantes jeunes
veuves éplorées...

Elle le gratifia d'un de ses sourires ravageurs, destiné,
probablement, à le troubler. Il se demanda comment il avait
pu s'y laisser prendre, autrefois, ne fût-ce qu'une minute.

— Hello, Joe ! Voilà bien longtemps...

— Sophie...

C'est tout ce qu'il put dire sans risquer de défaillir. Il éprouvait toujours de la peine à respirer, depuis le coup que lui avait asséné Caleb.

Le regard impérieux de Sophie redevint froid, tandis qu'elle se tournait vers Caleb, telle une reine questionnant l'un de ses sujets.

— Où est la femme dont vous m'avez parlé au téléphone, Caleb ?

Il poussa un soupir navré qui ressemblait à une excuse.

— Elle a dû se rendre compte de quelque chose. Elle nous suivait... A mon avis, elle s'est enfuie.

— Vous mériteriez vraiment d'aller vous faire foutre, mon pauvre vieux !

L'accent aristocratique de la belle patricienne contrastait étrangement avec l'obscénité de son langage.

— Comment s'appelle-t-elle, d'ailleurs ? La liaison avec le téléphone cellulaire était tellement mauvaise que je n'ai pas bien entendu.

Le téléphone cellulaire. Et merde ! pensa Joe. Caleb avait un portable au fond d'une poche. C'est pour ça qu'il était allé aux toilettes ! Il fallait qu'il appelle les Bartlett pour prendre leurs instructions !

— Anna Langtry.

Par instinct de conservation, il se garda bien de préciser qu'Anna avait été sa femme. En revanche, songea Joe, il n'avait, manifestement, aucune idée du danger que représentaient les Bartlett. La preuve, c'est qu'il était allé se jeter entre leurs griffes.

Sophie s'adressa, dans un espagnol parfait, à l'un des deux hommes qui l'accompagnaient.

— Trouvez cette fille. Est-ce que vous l'avez vue, avant qu'elle ne détale ?

— Juste aperçue, *Señora*.

— Elle ne peut pas être allée bien loin, dit Sophie. Elle conduit une...

Elle s'interrompit et se tourna vers Caleb :

—A propos, est-ce qu'elle est en voiture ? Elle a les clés ?

— Non, dit Caleb en brandissant les clés de sa Land Cruiser. C'est moi qui les ai.

Sophie ne daigna même pas manifester sa satisfaction.

— Je suppose que je dois m'estimer heureuse de cette bonne nouvelle ? Dites à Jorge et Antonio à quoi elle ressemble. Ils l'ont tout juste aperçue, et moi je ne l'ai pas vue du tout.

Caleb obtempéra avec un signe de tête.

— Elle a de longs cheveux auburn. Bouclés. Elle est grande, d'allure sportive. Elle porte un jean et un sweat-shirt jaune pâle.

Sophie se retourna vers les deux hommes.

— Vous avez compris ? leur demanda-t-elle en espagnol.

— Si vous pouviez traduire, *Señora*...

Sophie leur traduisit la description qu'avait faite Caleb.

— Faites vite, ajouta-t-elle. Il faut absolument la trouver. C'est très important. Dès que vous l'aurez, amenez-la au chalet, à Rocky Mountains. Il y aura une récompense pour chacun de vous.

— Ils ne l'attraperont pas, murmura Joe quand les deux sbires furent sortis. Anna est beaucoup trop maligne pour se laisser prendre par ces deux minables.

— Durango est une petite ville, lui rappela Sophie tranquillement. Elle est à pied, et eux en voiture. Ils la trouveront.

Joe s'était appuyé contre le bar pour éviter de s'écrouler et aussi pour se rapprocher insensiblement du rack à bouteilles. S'il n'avait pas été blessé, il n'aurait fait qu'une bouchée de ces deux-là. Mais, dans l'état où il se trouvait, il lui fallait absolument une arme.

— Je parie sur Anna ! déclara-t-il d'un ton de défi. J'espère que papa et toi avez un bon plan de secours parce que vous allez en avoir besoin !

— Ne l'écoutons pas ! rétorqua Caleb.

Il plaqua le revolver sur la tempe de Joe.

— Pourquoi ne pas le tuer maintenant ?

— Parce que vous vous êtes fait blouser comme un minable et que la fille court toujours.

Caleb agitait son revolver avec une imprudente désinvolture.

— Et en quoi est-ce que ça nous empêche de tuer Mackenzie ?

Sophie lui répondit avec un agacement évident :

— Votre Anna pourrait revenir ici d'un moment à l'autre avec les flics, et que la majorité d'entre eux ne sont pas à la solde de mon père. Et, en admettant, même, que nous ayons de la chance et qu'elle nous ramène des ripoux, ils ne pourront pas faire mine d'ignorer le corps de Joe au milieu de ma cuisine.

Caleb lança à Joe un regard noir.

— Nous dirions qu'il a pénétré chez vous et qu'il vous a menacée.

Caleb avait rudement envie d'en finir avec lui, se dit Joe en ricanant intérieurement.

— Bon sang ! Arrêtez de faire des moulinets avec ce revolver ! hurla Sophie. Si vous tuez Joe, je vous préviens que vous me le paierez cher. Quant à prétendre qu'il s'est introduit ici… Expliquez-moi comment vous ferez croire ça aux flics ! Comment serait-il arrivé jusqu'ici si vous ne l'y aviez pas amené, étant donné que sa voiture est garée chez vous, à Alana Springs ? Vous nous avez mis dans de beaux draps avec ça !

Caleb eut l'air déconfit, et il se décida à abaisser son arme.

— Anna n'ira pas trouver la police, dit-il. Elle ne peut pas. Ils l'arrêteraient. C'était leur grand argument, à Mackenzie et à elle, pour me forcer à collaborer avec eux.

— Elle peut préférer cette solution-là, fit observer Sophie. A moins qu'elle ait un autre plan, tout aussi dangereux pour nous. Mais nous n'avons aucune chance de le connaître puisqu'elle vous a échappé.

— Mais alors, qu'est-ce qu'on va faire ?

La voix de Caleb tremblait, à présent.

—Vous m'aviez dit que, si je vous les amenais ici, vous vous occuperiez de tout à ma place !

— Bien sûr ! D'ailleurs, je vais m'occuper de vous sans tarder, Caleb, dit Sophie avec lenteur. Je vous le promets.

Caleb eut l'air rassuré par cette réponse.

Joe, lui, songeait qu'à la place de Caleb, il prendrait ses jambes à son cou… La problème, c'était qu'Anna et lui ne pouvaient pas se passer de Caleb pour impliquer Bartlett. Ce qui signifiait qu'il allait devoir tout faire pour sauver la peau de ce salopard doublé d'un imbécile ! Dieu sait, pourtant, qu'il aurait aimé lui voir appliqué le sort qu'il méritait !

Tout en remuant ces pensées, Joe s'était encore rapproché du rack à bouteilles.

Sophie s'empara d'un téléphone mural et appuya sur une touche de raccourci. Elle avait beau jouer les bravaches, elle avait les mains crispées, et Joe ne manqua pas de le

413

remarquer. Elle n'était pas stupide : elle devait bien se rendre compte qu'Anna représentait une sérieuse menace pour les entreprises criminelles de son père, tant qu'elle était en fuite. Si Sophie avait réussi à leur mettre la main dessus, à tous les deux, elle les aurait fait disparaître en toute impunité, et se serait probablement débarrassée des corps dans un canyon, à des kilomètres de là. Mais le fait qu'Anna fût dans la nature changeait singulièrement la donne. Joe priait pour que la belle assurance avec laquelle il avait parié sur Anna ne se trouve pas démentie par les faits. Elle était, certes, en excellente condition physique, mais elle n'avait pas dormi depuis vingt-quatre heures. Arriverait-elle à courir assez vite et assez loin pour échapper aux hommes de main de Sophie ?

— Allô, papa ? C'est moi. Nous tenons Mackenzie mais la fille s'est échappée.

Elle marqua une pause.

— Je sais. Je suis désolée, papa. Mais elle est à pied, alors elle n'ira pas bien loin. Elle s'appelle Anna Langtry.

Sophie retransmit à son père la description fournie par Caleb.

— Oui, c'est bien ça. C'est la femme dont on parlait dans le bulletin d'informations de Denver, à propos de l'affaire Mackenzie. J'ai déjà envoyé Jorge et Antonio à ses trousses, mais ce serait bien d'avoir des flics sur lesquels tu puisses compter pour s'occuper de son cas. Il faut passer les environs au peigne fin et la ramener avant qu'elle ne nous cause des ennuis. Mackenzie et elle en savent suffisamment pour être dangereux.

Elle écoutait religieusement ce que son père lui répondait et dont, évidemment, Joe ne percevait pas un traître mot.

— Je comprends bien. J'ai dit aux gars de l'emmener au chalet à Rocky Montains s'ils la… enfin… quand ils la trouveront. Et moi, je m'y rends tout de suite avec Mackenzie. Nous ne pouvons pas prendre le risque d'être encore ici si jamais la fille revient avec la police.

Une fois encore, elle laissa son père parler. Par chance, Caleb était complètement absorbé par ce qui se disait. Il n'en perdait pas une syllabe, soucieux, probablement, de deviner si Arthur Bartlett lui en voulait beaucoup d'avoir laissé échapper Anna. Il avait eu la bonne idée de s'approcher du téléphone, si bien que la main droite de Joe ne se trouvait plus dans le champ de vision de Sophie.

C'était le moment ou jamais. Joe saisit vivement une bouteille.

— Oui, répondit encore Sophie. J'y ai pensé. Je te rappelle pour faire le point dans une demi-heure, quand nous serons sur la route de Rocky Mountains.

Elle raccrocha juste au moment où Joe brisait la bouteille sur la tête de Caleb. Le vin se répandit dans toute la cuisine, en une magnifique gerbe d'un beau rouge profond.

Caleb s'abattit si lourdement sur le sol que Joe craignit un instant de l'avoir tué. En moins de temps qu'il n'en faut pour le dire, il fondit sur lui, se saisit du revolver et le pointa sur Sophie.

Grâce à Dieu, Caleb respirait, bien qu'une quantité impressionnante de sang continuât à s'échapper de sa blessure à la tête. Depuis son séjour en prison, Joe savait que les plaies au cuir chevelu saignent toujours abondamment ; il ne se faisait donc pas trop de souci…

Tenant son revolver aussi fermement que possible, il se redressa sur les genoux. S'appuyant sur le bar, il réussit, tant bien que mal, à se remettre debout. Mieux valait ne pas penser à sa blessure ni à l'état des sutures de Charlie… Inutile de faire du misérabilisme : la situation était suffisamment périlleuse comme ça !

Sophie lui décocha un sourire charmeur, si étudié que Joe en eut la nausée. Il sentit au plus profond de lui-même un élan de passion pour Anna et sa sincérité à toute épreuve.

— Allons, Mackenzie, tu sais très bien que tu ne te serviras pas de cette arme contre moi…

Joe appuya sur la détente avant que son cerveau ait eu le temps de dire « non ». Par bonheur, il avait eu le réflexe de viser l'épaule. Sophie ne valait pas la peine qu'il porte à tout jamais sur la conscience le remords de l'avoir tuée.

Elle le dévisagea, les yeux agrandis. Elle n'en revenait pas.

— Ma broche en diamants ! Tu as tiré dessus !

Mais, le plus étonné des deux, c'était encore Joe.

— Eh oui ! Elle faisait au moins quinze centimètres de long, pas vrai ? Difficile de la rater !

Sophie s'effondra sur une chaise.

— Je suis blessée.

— C'est bien possible. Mais ton mari est mort, lui. Alors, tu peux t'estimer heureuse… Dis-moi, à ce propos : c'était prévu de longue date, ce meurtre, ou bien c'est juste une bavure ?

— Je suppose que tu ne t'attends pas sérieusement que je te réponde ?

Elle retira sa veste, sans se soucier d'apparaître en caraco transparent. Elle examinait sa chair blessée avec une espèce de fascination horrifiée.

— Tu comptes me laisser me vider de mon sang ou bien tu vas me secourir ?

— Tiens, voilà de quoi te soigner, dit-il en lui tendant un rouleau de papier absorbant.

416

Il en profita pour arracher le téléphone mural.

—Ce n'est qu'une égratignure. Je pense que tu devrais survivre.

— Tu t'en fiches, hein ?

— Oui, je l'avoue.

— Dommage...

Elle le regardait avec une expression que Joe n'arrivait pas à définir.

—Tu as toujours été un fils de pute bigrement intéressant à fréquenter, dit-elle.

— Hum... et c'est probablement pour ça que tu voulais m'épouser ?

— Non, répondit-elle froidement. C'est parce que tu étais, de loin, le meilleur amant que j'aie jamais eu.

Il ne se sentit même pas flatté.

— Ce qui ne t'a pas empêchée de me plaquer pour les beaux yeux de Frank. C'était un bon amant, lui aussi ?

— Pff ! Ah ! non ! Pour ça, non ! Le mariage avec Frank, c'était pour le business. Rien d'autre.

— Et son assassinat, c'était aussi pour le business ?

— Je n'ai aucune intention de répondre à cette question.

— J'avoue que je ne comprends pas très bien, Sophie. Je ne vois pas pour quel motif ton père s'est lancé dans le trafic de drogue. L'Aliment Sain était très largement bénéficiaire, depuis des années. Est-ce que vous aviez tellement besoin d'argent ? Dis-moi un peu : combien de millions de dollars arrivez-vous à dépenser chaque année ?

— Ce n'est pas pour l'argent.

Sophie eut un haussement d'épaules.

—C'est pour le pouvoir. Pour le plaisir de gruger la loi, les autorités. D'avoir des éminences grises partout. De tirer les ficelles, d'être dans tous les secrets...

C'était drôle, dans le fond : Anna m'a dit exactement la même chose à propos de la polygamie. Ce n'était pas le sexe qui liait les hommes au système. C'était le pouvoir. Le plus sublime des aphrodisiaques ! Manifestement, Sophie et son père étaient bien placés pour comprendre de l'intérieur ce qui pouvait motiver les membres de l'Eglise et des Saints des Derniers Jours et de la Vraie Vie.

Anna prit ses jambes à son cou et remonta en sens inverse le sentier qui contournait la maison. Elle courait aussi vite qu'elle le pouvait, aidée par une formidable décharge d'adrénaline.

Joe n'avait pas réussi à s'en sortir, manifestement. C'était donc sur elle seule que reposait leur salut. Il fallait à tout prix qu'elle arrive à déjouer le piège que Caleb leur avait tendu. Quel qu'il soit.

Elle oublia sa fatigue et fonça à perdre haleine.

Elle dépassa plusieurs pâtés de maisons, prit d'abord au nord, puis à l'est, avant de se rendre à l'évidence : si elle ne se fixait pas de destination précise, courir ne servait à rien. Elle ralentit l'allure et observa le quartier où elle se trouvait. Quelque trois cents mètres plus loin il y avait un gros carrefour. Elle apercevait l'enseigne lumineuse d'une épicerie et, sur le trottoir d'en face, celle d'une librairie. Il y aurait certainement le téléphone dans l'un de ces magasins, et elle allait pouvoir appeler la police…

Appeler la police. Le voulait-elle vraiment ? En fait, elle n'avait plus le choix. Dans l'immédiat, une seule chose comptait : sauver Joe. Et, pour cela, il lui fallait absolument de l'aide. Il serait toujours temps de songer à sa situation légale, une fois que sa vie ne serait plus menacée. Sans parler de la sienne propre… Il faudrait probablement un peu de temps pour convaincre les autorités de lancer des poursuites contre Caleb et Bartlett, mais Anna était confiante. Elle finirait bien par y arriver. Aussi bizarre que cela pût paraître, après une entrée en matière peu encourageante, elle nourrissait, maintenant, une confiance pleine et entière vis-à-vis de l'inspecteur Ed Barber. Elle avait beau savoir, d'expérience, que le système pénal était bourré de défauts, elle n'en demeurait pas moins optimiste. Joe et elle étaient, désormais, en mesure d'indiquer exactement aux enquêteurs dans quelle direction il fallait chercher. Elle voulait croire que, au bout du compte, ils finiraient par obtenir que justice soit faite.

Mais, pour savourer leur victoire, il faudrait qu'ils arrivent à vivre assez longtemps. Et le premier objectif était d'arriver au bout de cette rue avant qu'il ne soit trop tard. Si Caleb avait bien écouté ce que Joe et elle lui avaient dit, il ne pouvait ignorer qu'elle représentait un danger mortel. Il ne fallait donc pas se faire d'illusions : Caleb et les gens qui les attendaient à leur arrivée allaient remuer ciel et terre pour la retrouver...

Cette pensée venait à peine de prendre forme dans son esprit qu'elle aperçut une jeep qui remontait la rue dans sa direction à une vitesse vertigineuse. La voiture ralentit en arrivant sur elle, et elle n'eut que le temps de traverser pour l'éviter. Elle fonça dans une petite rue transversale.

Elle comprit trop tard qu'elle venait de commettre une erreur. Elle aurait dû courir vers le carrefour, où il y avait des voitures et des piétons. Ici, il n'y avait pas un chat. Personne ne pourrait lui venir en aide.

La jeep s'engagea dans la rue sur les chapeaux de roues. Arrivé à sa hauteur, le chauffeur freina, et une portière s'ouvrit. Un homme descendit, armé d'un couteau assez gros pour égorger une baleine. Pourquoi un couteau, au lieu d'une arme à feu ? Bien sûr ! Il ne voulait pas attirer l'attention sur eux ! De son point de vue à lui, ce serait une catastrophe si le voisinage se rendait compte de ce qui se tramait !

Courant toujours, Anna vit, du coin de l'œil, son poursuivant qui sautait à bas de la jeep. Au lieu d'essayer de lui échapper, elle s'arrêta brutalement, sortit son Glock de son holster, et tira dans les pneus de la voiture.

La jeep fit une embardée. Elle avait dû faire mouche. Inutile de dire qu'elle ne s'arrêta pas pour vérifier. Hurlant de toutes ses forces pour appeler à l'aide, elle tira plusieurs coups de feu en direction des jambes de son agresseur.

Cette fois, elle avait eu moins de chance — pas très étonnant, vu qu'elle avait fermé les yeux en appuyant sur la détente. Les balles ricochèrent sur le pavé. Elle n'en était pas autrement surprise : tirer sur des êtres humains, même des ordures, c'était bien autre chose que vider son chargeur sur une cible pendant un exercice d'entraînement !

L'homme au couteau se hissa dans la jeep brinquebalante, et Anna tira de nouveau dans les pneus.

Au moment où la portière se referma sur l'homme, la jeune femme fut traversée par une idée sinistre. Ce n'était pas parce qu'elle avait vu un couteau que ses assaillants n'avaient pas *aussi* des armes à feu… Des armes à feu qu'ils n'allaient plus hésiter à utiliser, maintenant qu'elle avait elle-même rompu le silence qu'ils s'étaient imposé jusqu'alors !

Ce furent ses réflexes qui prirent le dessus, et elle réagit avant même d'avoir analysé la situation. Elle sauta par-dessus une petite haie d'arbustes qui clôturait un jardin, et plongea dans une plate-bande, derrière un rideau de troènes, au moment précis où une salve de mitrailleuse partait de la jeep. Seigneur ! Mais qu'est-ce qu'ils avaient donc comme arme ? Un canon ? Pour ses pauvres nerfs à vif, c'était plus qu'il n'en fallait !

Bien qu'elle eût crevé deux de leurs pneus, ils s'enfuirent avec la jeep. Elle entendait les roues frotter effroyablement contre la route, mais elle ne voyait aucun moyen de les arrêter. Si elle se levait pour viser, elle était morte. Elle roula dans l'herbe. Elle n'avait plus la force de faire mieux, épuisée par cette lutte contre la mort qui était venue s'ajouter aux épreuves des dernières heures.

Au moins, après cette fusillade, quelqu'un avait dû appeler la police...

Anna était toujours couchée dans l'herbe, le corps agité de tremblements nerveux, lorsque la première voiture de police arriva, trois minutes plus tard. Immédiatement suivie de deux autres. Les portes du voisinage s'ouvrirent alors, et les gens s'aventurèrent au-dehors. Au compte-gouttes, d'abord, puis en masse.

Il fallut une éternité à Anna — moins de dix minutes, en réalité — pour persuader la police de foncer au secours de Joe Mackenzie avant de la soumettre à un interrogatoire en règle au commissariat. Il était tenu en otage par des agresseurs dont elle ne connaissait pas l'identité, conduits par Caleb Welks, le directeur de la succursale de la Banque du commerce et de l'industrie. Sa cause fut, heureusement, servie par l'arrestation de ses deux assaillants qui avaient été assez fous pour rester au volant de leur jeep cahotante et facilement identifiable, et par le témoignage de plusieurs riverains qui décrivirent l'attaque dont Anna venait d'être victime avec des détails effrayants concernant le couteau à égorger les baleines.

Les policiers se décidèrent à ramener Anna à Harvard Street, mais ils la prévinrent : si la situation, là-bas, leur semblait aussi dangereuse que sa description le laissait croire, ils ne bougeraient pas avant l'arrivée des renforts.

Mais aucun renfort ne fut nécessaire. Quand ils arrivèrent en vue de la maison, Joe les attendait devant la porte principale.

Escortée par deux policiers, Anna se hâta vers lui. Joe l'enveloppa d'un sourire qui lui fit l'effet d'une résurrection.

— Je savais que je pouvais compter sur toi pour ramener la maréchaussée !

— Sauf que nous allons nous retrouver au poste ! Alors, est-ce que ça compte toujours comme un sauvetage ?

— Je veux bien faire encore quelques mois de prison si on nous donne des cellules communicantes.

— Evidemment, c'est une pensée touchante, Mackenzie. Mais j'avoue que je préférerais deux bons avocats pour que nous soyons libérés sous caution !

— C'est un point de vue qui se défend.

Il était évident que les policiers n'allaient pas leur laisser beaucoup de temps pour bavarder. Joe plongea son regard dans celui d'Anna.

— A ton avis, c'est le bon moment pour que je te dise que je suis désespérément amoureux de toi ?

Elle le regarda, interdite, avant de se mettre à rire.

— Je trouve que le moment est parfaitement choisi, Mackenzie !

— Tant mieux.

Le rire s'évanouit dans les yeux de Joe, tandis qu'il prenait la main de la jeune femme entre les siennes.

—Je t'aime, Anna.

Elle avait déjà entendu ces mots-là dans la bouche d'autres hommes. Mais cela n'avait jamais évoqué grand-chose en elle.

A part, peut-être, un pincement de regret parce qu'elle était incapable de partager leurs sentiments.

Elle avait été mariée à Caleb avant même d'avoir eu l'occasion de tomber amoureuse. Et le traumatisme qu'avait représenté pour elle l'abandon de Marina l'avait, hélas, confortée dans son soupçon : l'amour était un jeu aux règles trompeuses dans lequel elle serait l'éternelle perdante. Même après la naissance de sa fille, elle avait su si bien cuirasser son cœur que jamais aucun soupirant n'en avait trouvé le sésame. Pourtant... pourtant Joe avait su distraire son attention. Joe avait réussi à franchir les barbelés... Et voilà qu'elle se retrouvait totalement démunie ! Eperdument amoureuse et prise de vertige devant le nouvel horizon qui s'ouvrait à elle...

Anna rejeta lentement la tête en arrière et regarda enfin Joe. Une vague de chaleur l'envahit, jaillie du plus profond de son être.

— Moi aussi, je t'aime.

Il porta la main d'Anna à ses lèvres, en baisa la paume, et replia ses doigts, scellant son baiser dans le creux de sa main. Puis il sourit en lui faisant signe de se retourner. De l'autre côté de la rue, une équipe de journalistes avait déjà installé ses caméras.

— Je garde cette déclaration dans mes archives, murmura-t-il, tandis que les policiers l'entraînaient vers le fourgon. Je saurai te rappeler ton engagement !

Elle lui retourna son sourire, tandis qu'on l'escortait vers une autre voiture.

— J'y compte bien, Mackenzie !

Épilogue

Tout bien considéré, ce n'était pas si facile que cela de rester sobre. Surtout quand on était à un mariage et qu'une blonde aux yeux de biche, avec le plus joli décolleté que l'on pût imaginer, venait vous proposer un verre sur un petit plateau d'argent. Evidemment qu'il voulait quelque chose à boire ! Il sirota son soda au gingembre en bougonnant, et décocha un regard féroce à l'hôtesse pour la dissuader de revenir à la charge. Grâce à Dieu, cette fichue réception touchait à sa fin, et il pourrait bientôt regagner ses pénates…

Depuis cent deux jours, Charlie n'avait pas touché une goutte d'alcool — de quoi en avoir plus que marre ! Et allez savoir pourquoi, il avait quand même bien l'intention d'aller jusqu'à cent trois…

Il vit Joe et Anna traverser la salle pour venir à sa rencontre. La main dans la main, un sourire radieux sur les lèvres. Charlie n'avait jamais bien compris comment un homme sain d'esprit pouvait avoir envie de se marier. Ce n'était pas tellement la perspective d'une fidélité éternelle qui lui paraissait insupportable, mais plutôt l'idée de devoir parler à la même personne

425

tous les jours que le bon Dieu ferait, pendant trente ou quarante ans de suite… ça lui donnait des sueurs froides !

Pourtant, quand il avait vu Anna et Joe, rayonnants, descendre la grande nef, à l'issue de la cérémonie, il n'avait pas pu s'empêcher d'éprouver une pointe d'envie. Sacré Joe ! On aurait cru que saint Pierre venait de lui remettre les clés du paradis ! Charlie avait dans l'idée qu'on ne pouvait pas avoir l'air aussi heureux, à moins d'être vraiment très très amoureux.

Même si le gouvernement vous avait officiellement réhabilité. Même si votre ancien employeur vous offrait un million de dollars de dommages et intérêts pour se faire pardonner les quatre ans que vous aviez passés en prison et s'éviter des poursuites judiciaires.

Toujours d'après l'analyse de Charlie, le fait que Sophie et Arthur Bartlett tombent sous le coup de preuves accablantes ne risquait guère d'altérer la bonne humeur de Joe. Le père et la fille, malgré leurs bons copains haut placés, allaient passer un sacré bout de temps à l'ombre. En voilà encore deux qui méritaient bien ce qui leur arrivait, décida Charlie.

Anna et Joe vinrent se planter devant lui. Anna se pencha pour l'embrasser. Charlie grogna pour la forme, mais elle ne tint aucun compte de sa protestation symbolique. Il n'avait jamais eu l'air de l'impressionner beaucoup — il se demandait, d'ailleurs, pourquoi. Elle lui donna une tape amicale pour faire bonne mesure, et Charlie lui retourna un regard noir. Enfin quoi ! Il n'avait pas besoin qu'on soit aux petits soins pour lui ! Sans tenir compte de sa réaction, la jeune mariée lui adressa un sourire encore plus épanoui. Il sentit alors une douce chaleur le gagner, presque aussi bienfaisante qu'une gorgée de bourbon.

— Joe et moi, nous allons partir dans quelques minutes, annonça-t-elle. Mais je voulais vous remercier encore pour

426

ce que vous avez fait. Vous êtes un type absolument formidable, Charlie.

— Vous en prie. A votre service.

Joe sourit.

— Il n'y aura plus de service de ce genre-là, Charlie.

— Bah ! Content que tout se soit bien passé, répondit Charlie en toussotant pour s'éclaircir la voix. Au cas où je ne vous l'aurais pas encore dit, je… euh… je vous souhaite tout le bonheur possible. Anna, vous… hum… Anna, vous êtes ravissante.

Il prit sa respiration pour ajouter :

—Vous avez l'air d'une princesse, dans cette robe.

Il se détourna, rougissant et horrifié de se découvrir une boule d'émotion dans la gorge. Il releva la tête vers la jeune femme, pour marmonner avec un de ses regards bourrus :

—Quand je pense que je suis en train de féliciter Joe parce qu'il commet la folie de se marier ! Et avec un juge d'application des peines, en plus de ça ! Je n'arrive pas à me faire à un truc pareil.

Anna se mit à rire.

— Si cela peut vous soulager, sachez que je ne vais plus rester très longtemps juge d'application des peines. Vous êtes le premier à qui je l'annonce, Charlie : je vais entrer dans un cabinet de conseil aux affaires familiales. Je travaillerai, désormais, avec des enfants et des adolescents en échec scolaire. J'attends ça avec impatience.

— On dirait qu'il y a pas mal de nouveau pour vous deux, dit Charlie : Joe, avec son job de réinsertion des ex-détenus et ses plans de financement pour les aider à monter leur petite affaire. Vous avec les gosses. Plus l'installation dans vot'nouvelle maison en ville… Vous allez avoir du pain sur la planche !

Anna lui serra le bras affectueusement.

— Sans vous, Charlie, rien de tout cela ne serait arrivé. Si vous n'aviez pas été là au bon moment pour extraire cette fameuse balle, nous n'en serions pas là, Joe et moi. En fait, nous ne serions peut-être plus là du tout !

— Oh ! Mais si : on serait encore là ! affirma Joe.

Ses yeux étincelaient et son regard riait, tandis qu'il considérait sa jeune épouse

—Nous étions destinés à nous rencontrer. C'était écrit dans les étoiles.

— Oh ! Non ! Arrêtez ça, par pitié ! supplia Charlie en levant les yeux au ciel. Fichez-moi le camp, tous les deux, avant que je m'effondre !

— Voilà un bon conseil, chuchota Joe à Anna. Allons dire au revoir à ta mère et partons d'ici.

Joe avait pris plus de plaisir à ces festivités qu'il ne s'y attendait. Si cela n'avait dépendu que de lui, il aurait convolé en justes noces cinq mois plus tôt. Mais le mariage d'Anna avec Caleb avait été une si triste affaire, avec son aspect clandestin, qu'elle aspirait à un mariage plein d'éclat, avec grandes orgues et tralala. Joe comprenait très bien cela. Et maintenant, il était content d'avoir attendu : Anna descendant à son bras la nef de l'église pleine d'amis, aux accents d'une marche nuptiale triomphante, Anna dans un nuage de tulle et de soie blanche, avec le flamboiement de ses cheveux d'or sombre... voilà un souvenir qu'il n'était pas près d'oublier.

Betty Jean était assise à une table en compagnie de deux cousins de Joe et de leurs épouses, venus tout exprès du Minnesota. Il était heureux d'avoir des représentants de sa famille à son mariage. Cela rendait moins triste l'absence de sa grand-mère, trop fragile pour entreprendre le voyage. Et, d'ailleurs, même si elle avait eu la force physique de venir, elle aurait été incapable de le reconnaître…

Il y avait à cette même table Leila Sworski, de retour après son année sabbatique, et qui avait mené le cortège d'honneur de la mariée.

Anna leur sourit à tous, mais son regard s'attarda sur Betty Jean.

— Ma chère maman, Joe et moi, nous partons, maintenant. Nous venons vous dire au revoir et vous remercier encore d'être venus.

Joe remarqua une légère hésitation dans la voix d'Anna lorsqu'elle dit *ma chère maman*. La veille, elle avait révélé à Betty Jean l'existence de Marina, et les traces de l'émotion provoquée par cette scène pénible étaient encore sensibles entre la mère et la fille : un terrible sentiment de culpabilité chez Betty Jean ; de la tristesse et un reste de ressentiment qui avait du mal à s'estomper, chez Anna.

Néanmoins, Joe était heureux que les choses aient été dites. Les relations entre Anna et sa mère allaient enfin pouvoir prendre un tour moins douloureux. Même s'il ne fallait pas s'attendre qu'elles deviennent très proches. Les voies qu'elles avaient choisies l'une et l'autre étaient trop divergentes pour qu'une réelle intimité soit possible. Mais Betty Jean faisait, manifestement, beaucoup d'efforts pour effacer ces quinze années de lourd silence, et Anna faisait autant de chemin en direction de sa mère. Le fait que Betty Jean ait pris une voiture pour venir d'Alana Springs assister au mariage de sa fille était déjà un pas énorme vers la réconciliation. Jusqu'alors, elle n'était jamais allée plus loin que Cortez sans son mari, depuis vingt-deux ans qu'elle avait épousé Ray.

Elle n'avait peut-être pas été fâchée de cette excuse pour prendre le large, songeait Joe, tandis qu'Anna faisait ses derniers adieux. En effet, la communauté d'Alana Springs avait été sens dessus dessous après l'arrestation de Caleb Welks, accusé de polygamie, détournement de fonds, fraude et complicité dans une tentative de meurtre. Ray et les autres notables de l'Eglise de la Vraie Vie étaient, désormais, hantés par la crainte d'être arrêtés d'un jour à l'autre pour bigamie. Ils avaient, d'ailleurs, raison d'avoir peur. Les autorités avaient fait savoir que des mandats d'arrêt seraient lancés si d'autres jeunes filles d'Alana Springs abandonnaient leur scolarité avant l'âge de dix-huit ans.

Anna et Joe réussirent enfin à s'arracher à leurs hôtes. Ils montèrent dans la suite nuptiale de l'hôtel, où ils devaient passer leur nuit de noces avant de s'envoler pour l'Europe.

Lorsqu'ils pénétrèrent dans la suite, un disque de Sinatra tournait en sourdine sur une chaîne stéréo, au milieu d'une douce lumière d'ambiance. Un magnum de champagne les attendait sur un guéridon, avec un saladier de framboises fraîches.

La tension d'Anna commença à retomber, et elle mesura soudain à quel point elle redoutait ce moment. Faire l'amour avec Joe était l'une des expériences les plus intenses qu'elle eût jamais faites, mais il y avait toujours ces vieux démons qui hantaient l'idée qu'elle se faisait d'une nuit de noces — grâce à Caleb Welks.

Ce soir, pourtant, il était probable qu'ils s'évanouiraient à tout jamais…

Joe la prit dans ses bras. Son baiser fut tendre et plein d'une ardente promesse.

— Je voudrais que nous soyons comme mes grands-parents, dit-il dans un souffle. Le genre de couple toujours éperdument amoureux à quatre-vingts ans !

— Bah ! répondit Anna. Ça nous laisse à peine cinquante ans. Ça ne devrait pas être bien difficile !

INTRIGUE

Action, émotion, suspense.

Tournez vite la page
et découvrez en avant-première
un extrait du roman
UNE DANGEREUSE LIAISON
de Amanda Stevens.

A paraître dès le 15 décembre

Ce roman est numéroté 34 au Canada

L'inspecteur Cassidy Blake sortit de l'ascenseur et s'engagea d'un pas vif dans le long corridor. Un raffut infernal
lui parvint depuis l'une des chambres, au bout du couloir. Il
fallait qu'elle y mette fin ; que l'ordre revienne ici, avant que
ces punks déchaînés ne volent la vedette au véritable événement de la soirée.

Le retour de Derek Mansfield.

Après toutes les recherches qui avaient été faites, les études
des profilers et le dossier qu'elle avait constitué, elle pensait le
connaître parfaitement. Aussi parfaitement qu'une femme peut
connaître un homme sans avoir couché avec lui. A présent,
elle était impatiente de voir son principal suspect en chair et
en os. Pour une seule raison : elle voulait avoir sa peau.

L'homme avait disparu de la circulation depuis six mois.
Certains pensaient que l'héritier de l'empire hôtelier de
Stirling Manor gisait au fond du lac Michigan. Mais Cass le
savait trop malin pour finir pitoyablement en nourriture pour
poissons. Intelligent, audacieux, impitoyable… tels étaient les
qualificatifs d'ordinaire attribués à Mansfield.

Elle avait assez étudié le sujet pour être certaine qu'ils
étaient mérités.

A la seule pensée de son fameux sourire insolent, elle se
sentait bouillir d'impatience. Combien il lui tardait de pénétrer
les méandres tortueux de l'esprit de cet escroc !... Et de le
mettre sous les verrous pour très, très longtemps.

Le bruit assourdissant de la musique rock qui s'échappait de la chambre ajouta à son excitation. Elle glissa une main dans la poche de sa veste noire, et ses doigts caressèrent le métal froid de son arme. En mission d'infiltration sous une fausse identité, elle était censée être la directrice adjointe de l'hôtel et, par conséquent, elle n'userait de son Smith & Wesson qu'en dernier ressort. Mais elle savait où elle mettait les pieds : il était hors de question de prendre le risque de pénétrer sans arme dans un repaire de délinquants. Le service de sécurité de l'hôtel avait promis de la retrouver dans la chambre.

Le corridor, recouvert d'un long tapis persan, semblait interminable. Le grand-père de Mansfield avait consacré un soin scrupuleux à la décoration de ce majestueux hôtel. Ce simple couloir évoquait à lui seul l'atmosphère d'un manoir ancien. Les murs étaient recouverts de lambris de chêne, les plafonds richement ornés de moulures. Surtout, de grandes toiles s'alignaient, imposantes, et achevaient de planter le décor : des centaines de portraits agrémentaient tous les couloirs de l'établissement, sur dix-huit étages. Dieu seul savait qui étaient tous ces gens aux visages sévères. Sir Maximillian lui-même l'ignorait probablement. Son personnel avait dévalisé les salles des ventes de toute l'Europe et dépensé des millions de dollars pour acquérir cette impressionnante collection, qui rassemblait désormais les illustres membres de dynasties issues de diverses époques et de tous pays. Etrange mélange, songea Cass. Ces familles avaient vu leur arbre généalogique pillé, désacralisé. Mal à l'aise, elle sentit soudain les yeux de tous ces inconnus la suivre, dans le hall.

La musique devenait de plus en plus forte, à mesure qu'elle approchait de la porte. Cass inspira longuement, se préparant à l'affrontement, et revit le groupe de jeunes gens qui était monté dans la chambre le soir même. Des étudiants sortis de

436

prestigieuses universités. L'argent, l'oisiveté, l'insolence. Ils s'étaient fait remarquer dès la réception, et le dénommé Chet avait exigé d'être escorté jusqu'à la chambre qu'ils avaient réservée.

Cass tenta d'ignorer le flux d'adrénaline qui faisait battre ses veines lorsqu'elle frappa à la porte. Elle attendit. Le bruit ne faiblit pas et la porte demeura fermée. Bon sang, elle n'avait pas besoin de ça, se dit-elle. Pas ce soir. Elle frappa de nouveau, plus fort cette fois, et cria :

— Ouvrez ! C'est la direction de l'hôtel.

Alors qu'elle ne s'y attendait plus, la porte s'ouvrit à toute volée, et un bras apparut. Avec effroi, elle se sentit agrippée par le poignet et attirée à l'intérieur. Une écœurante odeur de bière mêlée à la fumée âcre des cigares la saisit à la gorge. Son sang-froid, garder son sang-froid. Elle se dégagea prestement, mais quelques jeunes garçons, à l'évidence complètement ivres, firent cercle autour d'elle, la repoussant contre le mur.

Chet, celui qui semblait mener le groupe, s'approcha d'elle.

— Nous avons appelé le service des chambres pour qu'on nous envoie des filles, mais je croyais pas qu'ils nous prendraient au mot, railla-t-il d'une voix que l'alcool rendait pâteuse. Mais puisque t'es là…

— Puisque je suis là, vous allez faire moins de bruit. Sinon, nous vous demanderons de vider les lieux. Les autres clients…

— D'accord, on va faire moins de bruit, déclara un des jeunes gens en enlevant son T-shirt d'un geste lascif. Maintenant, c'est toi qui vas en faire, ma chérie.

Il fit quelques pas vers Cass. L'exaspération montait en elle, prenant le pas sur l'appréhension. Elle avait bien envie de leur apprendre les bonnes manières, mais elle ne pouvait

437

risquer de se trahir. Elle se demanda ce que dirait une femme terrifiée dans ce genre de circonstances.

— Vous êtes dégoûtants !

— Ouis, mais pas toi, ma poupée, rétorqua celui qui était torse nu.

Les autres l'applaudirent, et, encouragé par la ferveur du groupe, il se jeta sur elle. D'un geste vif, Cass se déroba et franchit le cercle formé par les autres. Alors qu'elle essayait d'atteindre la porte de la chambre, un autre jeune homme sortit de la salle de bains en chancelant.

— Ça alors ! s'exclama-t-il. Qu'est-ce que je vois ?

Cass s'immobilisa. Chet en profita pour la prendre par l'épaule et l'attirer contre lui. Elle se raidit : personne n'avait le droit de la toucher ! Personne. Ulcérée, elle lui assena un violent coup de coude dans le ventre et l'entendit pousser un grognement de douleur. Mais les quatre autres lui bloquèrent le passage.

— Tu t'en vas déjà ? demanda l'un d'eux, narquois.

Son instinct de flic reprenant le dessus, elle tendit la main vers son arme. Mais avant que ses doigts aient pu se refermer sur la crosse du revolver, Chet surgit derrière elle, lui attrapa les bras et la serra contre lui.

— Enlève immédiatement tes sales pattes, ordonna-t-elle d'un ton glacial.

Mais il l'ignora. Celui qui venait de sortir de la salle de bains examina le badge accroché à sa veste.

— LeBlanc ? C'est ton nom ? Bon sang, Chet, je me suis toujours demandé si ce qu'on disait des Françaises était vrai.

— Eh bien, mon vieux Sauvage, tu vas le savoir.

Tout en maintenant Cass impuissante, les poings dans le dos, Chet défit la barrette qui retenait sa tresse et passa les doigts dans ses longs cheveux bruns.

438

— Tu veux savoir pourquoi on l'appelle Le Sauvage ? siffla-t-il d'une voix doucereuse.

— Parce qu'il a un tout petit cerveau ? suggéra-t-elle sans hésiter.

Des rires fusèrent. Le Sauvage s'avança vers elle, les yeux luisant de fureur.

— Je vais te montrer comme il est petit ! Si petit que tu n'en auras jamais assez !

Ecœurée, elle retint une réplique acerbe. Il fallait qu'ils continuent de la prendre pour une femme sans défense.

— Vous n'allez pas faire ça, dit-elle, l'air suppliant.

— Je vais me gêner !

Il s'approcha tout en continuant de vociférer. Cass décida qu'elle avait perdu assez de temps avec ces imbéciles. Elle allait leur donner une leçon qu'ils n'oublieraient jamais.

Mais la porte s'ouvrit une nouvelle fois.

— Tu poses une main sur elle et tu es un homme mort.

Les mots résonnèrent dans la tête de Cass. Elle frissonna. La voix venait de la porte, mais Chet l'empêchait de voir ce qui se passait derrière elle. Pourtant, elle savait qui venait d'entrer : la dernière personne au monde censée venir à son secours.

Ne manquez pas, le 15 décembre,
Une dangereuse liaison
de Jenna Mills
(Intrigue n°50)

Rendez-vous dès le 15 décembre au rayon poche de vos hypermarchés, supermarchés, magasins populaires, librairies et maisons de presse et retrouvez le roman **Une dangereuse liaison** de Jenna Mills.

Christiane Heggan

Intention de tuer

A la tête d'un restaurant prestigieux, Abbie DiAngelo vient de se voir décerner le Bocuse d'Or, quand un homme surgi de son passé menace de transformer sa belle réussite en cauchemar. Ian MacGregor, son demi-frère qui sort tout droit de prison, se présente à sa porte, brandissant la preuve que sa mère est coupable d'un meurtre survenu vingt-cinq ans plus tôt. Une preuve que Ian est prêt à ne pas divulguer... à condition que Abbie paie pour son silence.

La jeune femme cède au chantage, dans le seul but de préserver sa mère vieillissante et son fils de neuf ans. Mais lorsqu'elle va remettre l'argent au maître chanteur, elle ne trouve que... son cadavre.

Craignant de devenir le suspect N° 1 si elle avoue le chantage dont elle a été victime, Abbie cache ce détail d'importance au détective John Ryan, en charge de l'enquête.

Ryan se rend très vite compte que le meurtre de Ian MacGregor est bien plus complexe qu'il n'y paraît. Sans compter quepersonne, pas même Abbie, ne lui dit la vérité. Il décide malgré tout de la protéger, convaincu que quelqu'un agit dans l'ombre, avec l'intention de tuer...

« Avec sa maîtrise habituelle, Heggan lance des pistes en jouant avec les nerfs de ses lecteurs... »

Publishers Weekly

BEST-SELLERS N°31

À PARAÎTRE LE 1ᵉʳ JANVIER 2005

Dinah McCall

Les témoins de l'ombre

Un prix Nobel célèbre pour ses recherches génétiques est retrouvé mort à New York.

Un ressortissant russe se fait engager à Abbott House, l'hôtel associé à une clinique spécialisée dans l'insémination artificielle.

Un journal intime contenant des secrets susceptibles de révolutionner le monde scientifique est sur le point d'être divulgué...

Qu'est-ce qui rattache ces faits sans lien apparent ?

Abbott House est une oasis de rêve, où les couples stériles viennent séjourner pour profiter des services de la clinique voisine, spécialisée dans l'insémination artificielle. Jack Dolan, agent du FBI, s'installe à l'hôtel tenu par Isabella Abbott en se faisant passer pour un écrivain, afin de mener une enquête discrète sur la mort d'un des médecins de la clinique, un prix Nobel du nom de Frank Walton, retrouvé assassiné à New York, et dont le corps porte les empreintes d'un homme... mort trente ans plus tôt.

Très vite, Jack devine, derrière la quiétude paradisiaque des lieux, le poids de secrets indicibles. Des secrets tels que, dans l'ombre, on est prêt à tuer quiconque chercherait à les trahir...

BEST-SELLERS N°32

À PARAÎTRE LE 1ᴱᴿ JANVIER 2005

Helen R. Myers

Suspicion

Bay Butler vient de passer six ans en prison, quand l'intervention de Madeleine Ridgeway, une riche cliente à qui elle a autrefois vendu une de ses sculptures, met fin à son incarcération.

Sitôt libérée, Bay est tourmentée par d'innombrables questions : pourquoi a-t-elle passé six ans derrière les barreaux pour un crime qu'elle n'a pas commis ? Que s'est-il vraiment passé ce fameux soir où son associé et ami a été retrouvé mort, assassiné... et où sa propre vie a basculé ? Quels moyens a employés Madeleine Ridgeway pour obtenir sa libération ? Loin de soutenir sa recherche de la vérité, sa protectrice la gêne par sa présence envahissante et ses incessantes manipulations. Au point que Bay se demande si l'église que gère Madeleine Ridgeway parmi d'autres affaires fructueuses, est aussi vertueuse que le laisse supposer sa vocation...

Bay ne trouve pour allié qu'un homme qu'elle devrait pourtant haïr : Jack Burke, l'inspecteur de police qui l'a arrêtée six ans plus tôt, et qui est prêt à reconsidérer l'affaire Bay Butler...

Peu à peu, Bay et Jack découvrent des vérités insoupçonnées. Des vérités qui pourraient faire trembler la petite ville de Tyler, où le pouvoir se paie parfois au prix du sang...

BEST-SELLERS N°33

À PARAÎTRE LE 1ᴱᴿ JANVIER 2005

Karen Harper

Testament mortel

Kate Marburn pensait qu'en se remettant de la trahison de son ex-mari, elle connaîtrait un nouveau départ dans la vie. Une existence tranquille de rosiériste sur le domaine de Sarah Denbigh, une riche veuve, semblait l'échappatoire idéale.

Mais quand Sarah décède dans de mystérieuses circonstances, après avoir fait de Kate l'héritière inattendue d'une vaste fortune mobilière, la police soupçonne la jeune femme d'être pour quelque chose dans la mort de sa bienfaitrice. En quête d'un nouveau refuge, Kate accepte un emploi de jardinière-paysagiste à Shaker Run.

Mais un danger mortel rôde sous la surface lisse de l'idyllique bourgade. Kate est menacée, harcelée, terrorisée. Une mystérieuse berline noire la suit. Des roses dont il ne reste que les tiges lui sont laissées en guise d'avertissement. Une vieille dame meurt brusquement à son tour...

Quand les décès se mettent à se succéder autour d'elle, Kate cherche vers qui se tourner dans ce village où elle compte peu de connaissances. Seul un ébéniste aussi sauvage qu'énigmatique, Jack Kilcourse, lui paraît susceptible de l'aider à identifier la sourde menace qui plane sur la bourgade, devenue la proie d'un ennemi invisible...

BEST-SELLERS N°34

À PARAÎTRE LE 1ER JANVIER 2005

Jan Coffey

L'ACCUSÉ

De retour de l'école, deux enfants — un garçon et une fille — découvrent le corps sans vie de leurs parents... Suicide ? Assassinat ?

Vingt ans plus tard, le mystère reste entier, et les enfants, devenus adultes, ont pris chacun son chemin. Alors que Léa a quitté Stonybrook et ses douloureux souvenirs, Ted, lui, a épousé la fille des banquiers de la petite ville et fondé une famille. Mais voilà qu'il a de nouveau rendez-vous avec le drame : sa femme et ses deux filles périssent dans un incendie, et, reconnu coupable, il est condamné à mort. Il n'a aucun soutien à attendre des habitants de Stonybrook : nombre d'entre eux ont des raisons d'avoir supprimé son épouse, dont les secrets d'alcôve ont donné lieu à bien des photos compromettantes...

C'est alors que des lettres anonymes parviennent à Léa, clamant l'innocence de son frère. A contrecœur, elle revient sur les lieux du scandale, et brave l'hostilité d'une ville pressée de se débarrasser de Ted et des secrets qu'il détient. Car, comme elle va le constater, ce dernier est une véritable bombe à retardement, capable d'ébranler les fondations de Stonybrook. Et le compte à rebours a commencé...

BEST-SELLERS N°35

À PARAÎTRE LE 1ᴱᴿ JANVIER 2005

Composé et édité par les
éditions Harlequin
Achevé d'imprimer en octobre 2004

BUSSIÈRE
GROUPE CPI

à Saint-Amand-Montrond (Cher)
Dépôt légal : novembre 2004
N° d'imprimeur : 44414 — N° d'éditeur : 10906

Imprimé en France